双葉文庫

森に眠る魚

角田光代

第一章　一九九六年八月——

◇

　公園の緑はいっそう深くなり、姿を見せない蟬が競うように鳴いている。扇風機を強にして、畳に寝そべり、女性誌をめくっていた繁田《しげた》繭子《まゆこ》は、「一日限定二十食　魅惑のミルクプリン」を売る代官山のケーキ店を赤いサインペンで囲み、首にかけたタオルで額の汗を拭う。プラグの抜かれたエアコンをちらりと見上げる。プラグを差し入れて入のスイッチをつけたい衝動と、数秒闘う。あーあ。繭子は立ち上がり、台所に向かう。木綿のワンピースが汗で体にまとわりついている。冷凍庫からアイスクリームを出し、台所の床にぺたりと座りこんで繭子は食べはじめる。

　徹底的な節約をする、と宣言したのは繭子だった。今年のはじめから冷暖房はつけていない。夫、祐輔《ゆうすけ》のビールも禁止し、徳用焼酎で我慢させることにした。彼の小遣いは月に三千円である。風呂の水を洗濯に使い、化粧品は試供品のみで間に合わせ、部屋の電化製品はみなコンセントから抜き、シャワーでなく湯船の湯で体や髪を流す。最後に外食したのは前の年の繭子の誕生日だった。あーあ。繭子はわざと大声で言ってみる。

いつまでもアパート暮らしなどするつもりはなかった。故郷の友人たちはみな、分譲マンションや一戸建てに住んでいる。東京と茨城で、土地や建物の値段が違うのは当たり前だが、やはりうらやまずにはいられなかった。持ち家を手に入れた友人たちは、一様にホームパーティを企画し、繭子に電話をかけてきて誘ったが、もちろんだれの家にもいっていない。なぜ人の家を見るためだけに電車を乗り継がねばならないのか。

寒いのも暑いのも我慢して、品数の少ない夕食を食べ、十時にはすべての電気を消して眠る生活をして、果たしてマンションや一戸建ての頭金が貯まるときなんかくるのだろうかと繭子は思う。今年のあたまから八カ月、こまめに定期預金をしているが、貯金額は五十万円ほどだ。頭金が五百万必要だとするならば、あと六年もかかることになる。そんなことを考えると気が遠くなる。繭子は空のカップを流しに放り、窓を開け放した和室に戻って寝転がる。無遠慮に入りこんでくる蟬の声を聞きながら、女性誌を持ち上げてページをめくる。一頭につき百グラムしか取れない貴重な部位を使った松阪牛のタルタルステーキを出す銀座のレストランのページを折る。部屋の隅に積まれた女性誌は、美容師の友だちが、新しい号を買うたびにくれる古い号だ。ほとんどの雑誌のページが折られ、いくつかの店に赤いサインペンで丸がしてある。一戸建ては無理だろうからマンション、マンションを買って、もう存分に贅沢をしてもいいときがきたら、チェックを入れた店のすべてに繭子はいくつもりだった。魅惑のミルクプリンを買い、タルタルステーキを食べ、行列に加わってワッフルを買い、うにを塩で食べさせる寿司屋にいき、ベルギー産のチョコレートを朝ごはんに食べるのだ。そう決めていた。

「しかし重たいな」雑誌を持った腕がしびれてきて、繭子はごろりと転がってうつぶせになる。蟬が鳴き、子どもたちが遊ぶ声が響いてくる。

◇

繁田繭子が部屋に寝そべって雑誌にペンを走らせているその同じとき、久野容子《くのようこ》は三歳になる息子を連れてスーパーマルトクにいた。この町に住んで四年近くたつが、周辺の不便さに容子はまだ慣れない。商店街はないし、クリーニング屋は大通りに一軒あるきり、本屋もレンタルビデオ屋も、ドラッグストアも文房具屋も、歩いていける距離にはない。マルトクはスーパーと名乗ってはいるが、西友や東急ストアとはまったく異なり、野菜と肉と魚を少々豊富にしたコンビニエンスストアといった感じだ。

容子が生まれ育った長野の町も似たようなものだったが、ここは田舎町ではない。高層ビルと高層マンションが建ち並ぶ都心なのに、この不便さはどうだろう。

さっきまで自分にぺたりとはりついていた一俊《かずとし》の姿が見えず、容子はあわてて狭い店内を移動する。一俊はお菓子の陳列棚の前にしゃがみこんでいる。容子の姿を見ると、にこりと笑う。

「何かほしいものある、カズくん」容子は背をかがめて訊く。

「ううん、ママ、ほしいものないよ」一俊は笑顔で答える。

「そっか、カズくんはえらいなあ」容子が褒めると、一俊は両手でぱっと顔を覆い、きゃっと笑い声をあげる。

右手にスーパーの袋、左手に一俊のちいさな手を握り、容子は大通りを歩く。三車線の道路にはひっきりなしに車が走っている。大通り沿いには高層の建物がずらりと並び、まるで巨大な塀のようである。

四年前、久野真一《しんいち》と結婚して、容子ははじめてこの町にきた。東京の大学に通っていた容子にとって、東京に住むのは二度目だった。幅の広い道路と、それに沿ってずらりと並ぶ高層マンションを見たとき、容子は興奮した。東京に住むのだ、と思った。十代の終わりから二十代の前半、東京に住んではいたのだが、ずっと寮住まいで、自分が東京に住んでいるという実感を、容子は持っていなかった。持たないまま故郷に帰った。だから、結婚して引っ越すことになったこの町が、はじめての東京に思えたのだった。すばらしい未来を、すでに手に入れたような気がした。一俊はまだおなかのなかにもいなかった。

少し歩いただけで汗が出る。容子の住むマンションは、大通りを入った坂の途中にある。イタリア料理店の角を曲がり、坂をのぼりかけた容子は、一俊の頭髪が濡れていることに気づき、しゃがみこんでバッグからハンカチを出す。ハンカチで一俊の頭をぐるりと拭き、顔も拭く。

「おうちに帰ったら、ママ、かき氷作ってあげる」容子が言うと、

「やったあ」一俊はちいさく跳ねる。

手をつないで坂を歩きだす。坂道の先は、陽炎《かげろう》で燃えるように揺れている。

◇

久野容子が息子と坂道を歩いているとき、高原千花《たかはらちか》はスポーツクラブの更衣室で、鏡の前の椅子に腰かけ、髪を乾かしていた。今日、通常どおりのメニュウをこなす前に測定したところ、上半身の筋肉量が増え、体脂肪が〇・二パーセント減っていた。上半身の筋肉量はなかなか数字が変わらなかったので、千花は機嫌がよかった。

「高原さーん、今日エアロビは出ないの？」鏡のなかの千花に向かって、ポニーテイルの女性が声をかける。エアロビクラスでよく顔を合わせる彼女の名を千花は思い出せなかったが、

「今日は五キロ走ったからもういいや、と思って。それより見て、どうですか」

千花は右手を折り曲げ、力こぶを作ってみせる。

「えー何、どうしたの」女性は近づいてきて、千花の二の腕に触れる。

「筋肉量、増えたんですよ、やっと」

「おー、すごい。腕ってなかなかつかないもんね。でも高原さん、気にするほど脂肪なんかついてないじゃない」

「ついてなかったらこんなところにきませんよ」

あはは、と女性は笑い、「じゃあ、いってくるね」と鏡の前を離れる。

スポーツクラブの受付で会員証を受け取り、入り口付近のソファに腰かけ、携帯電話で母親に電話をかける。

「おかあさん？　ユウくんどうしてる？」

預けてきた息子の様子を訊くと、さっき眠ったばかり、と母は答える。

「そっか、じゃあお買いものして帰っても平気かな。何か必要なものがあったら言って。いっしょに買っていくから。うん、うん、わかった。いいよ、車だから、重いものでも平気。はーい。四時ごろそっちにいくね。三時半になったらユウくん起こしてね。忘れないでね」

千花は念を押すように三時半とくり返し、スポーツクラブを出、裏手にある駐車場にまわる。ドアを開けると、日除《よ》けをしてあったのに車のなかはサウナのように暑い。冷房をつけ、すべての窓を全開にしてエンジンをかける。CDのスイッチを入れ、千花はハンドルを切って駐車場を出る。流れてくるU2は夫の賢《けん》の趣味だ。

「鶏のレバー、お醤油、西瓜《すいか》、あとすき焼きの材料か」

今し方母親に頼まれたものを、忘れないように千花はくり返す。ようやく車内は涼しくなって、千花はすべての窓を閉める。肉より魚を好む両親が、すき焼きの材料、と言っているのは、自分と雄太《ゆうた》を夕食に引き留めるためだろう、と千花は考える。西瓜というのも雄太の好物なのだ。あとで賢に電話をかけて、早く帰れるようだったら実家に寄るようにと言っておこう。そうしたら夕食の支度をしないでもすむ。

赤信号で車を止め、千花はCDデッキからU2を出し、エンヤを入れる。涼しい車内に水のような音楽が広がる。太陽は斜め前方にあり、まだ真昼のような強い光を放っている。通り沿いの木々も建物も白く光り、千花は眠る雄太の顔を思い浮かべる。大人のように眉間に皺を寄せ、薄く口を開いて眠る二歳の息子。

◇

千花が目白通りで信号待ちをしているとき、小林瞳《こばやしひとみ》はミシンの前に座り、縫いかけのカーテンの上で手紙を広げて読んでいた。足元ではタオルケットを掛けた息子の光太《こうた》郎《ろう》が眠っている。部屋には、高速道路を走る車の音が、雨の音のように入りこんでくる。手紙は「風船の会」の馬場好恵《ばばよしえ》からだった。今年の秋で三十三歳になる瞳が、「風船の会」に入っていたのはもう十年近く前のことで、最近は、二カ月に一度送られてくる会報誌も封を切らず捨ててしまうくらい足が遠のいているが、好恵とは連絡を取り合っていた。札幌に住む好恵は瞳より二歳年上で、介護福祉の仕事に就いている。好恵も瞳も電話が苦手で、手紙のやりとりが続いているのだった。

　好恵の手紙の内容は、二カ月前にもらった手紙とほとんど変わらなかった。「風船の会」で知り合った横浜在住の男性に好印象を抱いていること、けれどももう何年も男性とつきあっていないから、どのように距離を縮めていいかがわからないこと。二カ月前の手紙には、夏に休みをもらってヨーロッパをひとり旅するつもりだとあり、瞳を驚かせたのだが、今日の昼に届いた手紙には、結局休みが取れず、断念することにしたと書いてあった。休みが取れなかったのではないだろうと瞳はひそかに思う。いこうと思ったものの、土壇場になって怖《お》じ気《け》づいたのだろう。

　瞳は、好恵と自分は似ていると思っていた。だから「風船の会」でも仲良くなったのだし、だから今でも連絡を取り合っているのだろうと。臆病で、慎重で、不器用で、敏感すぎるところがある。その好恵に、異国をひとり旅などされたら、なんだか置いてきぼりをくらったような気になってしまう。この夏彼女がそのひとり旅を取りやめたことに、瞳は深い安堵を覚え、そして同時に、安堵している自分に嫌悪も覚えた。

ふえ、とあまやかな声を出して光太郎が目を覚ます。横たわったままぐずり出す。瞳は便箋を封筒にしまい、あわてて光太郎を抱き上げる。

「起きたの、コウちゃん起きたのね」抱き上げてあやす。じき三歳になる光太郎は、瞳の首筋にしがみつくようにして泣く。「はいはい、おはようね、コウちゃん、泣かなくても大丈夫。涼しくなったらお買いものにいこうね。今日は何を食べようか」

瞳は光太郎のちいさな背中を撫でさすりながら、歌うような調子で言う。このマンションに引っ越して三年、まだカーテンのついていない窓から瞳は外を見る。雨に似た車の音はやむことなく部屋に流れ続けている。

◇

瞳が光太郎をあやしているそのとき、江田《えだ》かおりは明治通りを走るタクシーの後部座席で、腕時計を確認していた。三時四十分。待ち合わせは五時だった。一時間も前に着いてしまう。ガーデンプレイスの三越を眺めて、それでも時間が余ったらお茶でも飲んでいよう。

四時少し前にかおりはタクシーを降り、ガーデンプレイス内のテナントをのぞいて歩くが、今日にかぎって物欲がまったく刺激されず、上階にある本屋に向かう。新刊本のコーナーを見、ワゴンに並んだ文庫本のコーナーを見、ノンフィクション、海外文学の棚を眺め、それから児童書のコーナーにいく。娘の衿香《えりか》がひらがなの読み書きができるようになったのが去年。まだ幼稚園の年中組である衿香は、ひらがなの多いものなら絵本でなくとも読むようになった。『エルマーとりゅう』や『いやいやえん』や『もりのへなそうる』や『かえるのエルタ』、自分が子どものころに読んだものを、衿香に読ませることに、最近のかおりは夢中になっていた。気がつけば数冊の本を抱えている。しかし待ち合わせ場所にこれらの本を持っていくのはためらわれた。重いし、それに、いかにも母親然としている。宅配便で送ってもらおうかどうしようか、迷った結果、かおりは一冊ずつ元に戻していく。ここでなければ買えない本というわけでもない。

児童書コーナーを離れ、もう一度新刊コーナーを見て、かおりは書店を出る。自分が、慎重に女性誌コーナーを避けて歩いたことに気づいている。トイレにいき、化粧なおしをする。まだ時間は早かったが、ガーデンプレイスを出、かおりはウェスティンホテルに向かう。

一階のカフェに、田山大介《たやまだいすけ》の姿はもちろんない。かおりは従業員に、あとからもうひとりきます、喫煙席で、と告げ、席に着く。アイスコーヒーを頼む。

今日こそやりおおせる、と、まばらな客しかいないカフェを見渡してかおりは思う。今日はぜったいに失敗しない。あなたに会うのは今日が最後だと、大介に告げるのだ。

田山大介は、以前かおりが働いていた出版社で、かおりの上司だった男だ。かおりが仕事を辞めたのは六年前である。出産の二カ月前まで働いていた。女性向けファッション誌や情報誌、漫画誌などが主な刊行物である出版社で、幾度かの異動を経て、働く二十代女性をターゲットにしたインテリア雑誌の編集部にかおりは配属されていた。田山大介はその当時の編集長だった。そして夫である江田護《まもる》と知り合う以前から、かおりは大介とひそやかな交際をしていた。江田護と交際をはじめたときもかおりは大介と会っていたし、結婚後、衿香がおなかにいたときも、連絡を取り合っていた。というよりも、江田護との交際も結婚も、妊娠も、すべて、大介を忘れようとして決意したのだった。いや、正確にいえば、大介に気にかけてほしくてそれらを決めたことに、かおりは認めたくないが気づいている。違う男と交際をしたら、大介があわてると思った。違う男と結婚を決めたと伝えたら、大介が止めると思っていた。妊娠をしたと訴えたら、大介はあわてて事態を進展させると思っていた。が、そのどれをも彼はしなかった。だからやむなく、交際し、結婚し、子を産んだ。

そんなことはない、と、当然かおりは自身の内で反論もする。私は護を本当に愛していたし、この人とならば安らかな家庭が築けると思ったし、出産したときは感激のあまり泣いたのだ。この子は私が一生守ると強く思い、今だって、衿香がいなくなるなんてことは考えられない。そうじゃないか。大介が私の人生を左右しているはずがない。私の人生はとうに彼から切り離されて、私だけのものになっているのだ。

かおりはふと顔をあげる。大介がきたと、彼の姿が見えなくともわかる。案の定、ホテルのドアをくぐり、カフェに向かって歩いてくる大介の姿があった。まっすぐ歩いてきて、近づいた従業員に何か言いながら、ぐるりと見渡している。かおりと目が合う。大介はきまじめな顔をして片手をあげ、こちらに向かって歩いてくる。もう何年も見知った男なのに、どきどきする。ストローの袋をつかむと手が震えている。

武者震いだ、とかおりは思おうとする。今日私たちは別れる。今度こそ私の人生からこの男を追い出す。最後なのだから、もし誘われたら寝てもいい。そのくらいはかまわない。かおりは思い、向かいの席に座る大介に向かって笑いかける。

「待たせちゃった?」大介が訊く。

「ちょっとお買いものしようと思って、先にきただけ」かおりは笑いかける。

第二章　一九九六年十月——

◇

グラウンドをコの字に囲むように、園舎と教会がある。幼稚園の入り口を入ると、ちいさな靴箱が並んでいる。おさまっている靴もちいさい。靴箱の奥、少し広まったスペースにテーブルが置かれ、数人の女たちが列を作っている。その最後尾に、容子は一俊とともに並ぶ。列はどんどん短くなる。前にいる女の後ろ姿を、容子は無遠慮に見る。彼女は赤い半袖ニットに、黒の細身のパンツを合わせている。髪を短く切り揃え、白いうなじが見える。後ろ姿だけ見ても、何か垢抜けた雰囲気がある。図書館でときたま眺める、若い母親向けのファッション誌に登場するような人だと容子は思う。

「ねえママー」一俊の素っ頓狂な声が周囲に響く。前の女がふりかえり、容子はあわてて目をそらす。

「ねえ、ここどこー？　何をするところ？」一俊はわざとのように大声で言い、容子は唇に指をあて、しいっ、と息を出す。ふりむいた前の女は、一俊に笑いかけ、それから視線を持ち上げて容子に笑いかける。容子は深く安堵する。ファッション誌に登場するような女が、思いの外やさしい顔つきをしていることに。

やがて前の女の番がくる。テーブルの前に座った女性に、彼女は封筒を差し出す。女性から書類を受け取り、会釈をして列を離れる。容子は彼女が差し出したのと同じ封筒を鞄から出し、女性たちから同じく書類を受け取る。入園考査日のお知らせ、といちばん上に書かれた書類は、左上がホチキスで留めてある。

列を離れ、ちいさな靴箱に囲まれた玄関で、容子はまず一俊の靴を履かせる。

「ほかにも受けます？」

声をかけられ顔をあげると、さっきの女性が笑いかけている。

「ええ、あの……」

「どこ？」

彼女の、すでに親しい友人のような気安い話しかたに容子はたじろぐ。一俊はぽかんと口を開けて彼女を見上げている。

「私は、ここと、あと、さくら幼稚園。日程が重ならなかったから。でも第一希望はここなの」

かまわず彼女は話す。一俊に靴を履かせ終えた容子は、自分も靴を履き、立ち上がる。一俊の手を取り、歩きはじめると彼女は並んで歩く。黙っていたら感じが悪いだろうと、容子は言葉をさがす。しかしなんと言っていいのかわからない。

「でも夫は、大学附属の幼稚園がいいなんて言いだして。なんにもわからずに言うだけ言うんだから、頭にきちゃう」腕にかけていたトレンチコートを羽織り、彼女はそう言って笑う。「あっ、私、高原と申します」思いだしたように言い、頭を下げた。

そうか名前。

「久野です」容子も頭を下げた。さらに言葉をさがすが、頭のなかのブラックホールに、言葉という言葉が吸いこまれてしまったみたいに何も思い浮かばない。

「もし時間があったら、ちょっとお茶でも飲みませんか？　すぐそこに、イタリア料理のお店があるんです。この時間なら、お茶だけでも平気なはずだから」

「えっ、ああ、ええ、はい、少しだけなら」容子はどぎまぎしながら言った。

イタリア料理店は大通りに面していた。国旗が翻《ひるがえ》っている。この店なら容子はよく知っていた。この角を曲がった坂の上に、容子の住むマンションがある。足を踏み入れたことは一度もなかったが。

お茶だけなんですけど、いいですかあ？　ガラスのドアを開き、親戚の家にきたような陽気さで彼女は声をかけている。

「オッケイですって」ふりかえって笑う。きれいな人、と容子は今気づいたように思う。店に客はまったくいなかったが、ランチの営業が終わったばかりなのか、テーブルのいくつかにはまだ皿が残っていて、店内にはにんにくのにおいが立ちこめていた。彼女はコートを脱ぎながら、片づいているテーブルにまっすぐ向かう。容子は店内を見渡したが、幼児用の椅子は見あたらない。

「お名前は？」

容子が向かいに座ると、女はテーブルに身を乗り出して一俊に訊いた。一俊は泣きそうな顔をして容子を見上げる。

「一俊でしょ。自分で言えるんでしょ」

容子が言うと、一俊は両手で自分の顔を隠してしまう。女はほがらかに笑った。

「私は高原千花。今はいないけど、おばちゃんにも一俊くんと同い年の子がいるの。雄太っていうの。お友だちになってね」

「あの、私、久野容子です。よろしくお願いします」

彼女が姓名を名乗ったので、自分も言うべきだと思い、容子は言った。従業員が注文をとりにくる。背の高い欧米人だったので、容子はぎょっとした。

「私、カプチーノください。容子さんは？」

「あの、コーヒーで」

「一俊くんは？」

一俊はまたもや容子を見上げる。見慣れない外国人に一俊もびっくりしているのか、容子のセーターの端を強くつかんで、今にも泣きそうな顔をしている。

「この子はあの、お水でいいです」

「オレンジジュースもありますよ」欧米人の従業員が言い、

「じゃああの、オレンジジュースを」彼が日本語を操ったことに驚きながら、容子は言った。

「どのくらい見学した？　私はもう、本が一冊書けるくらい見てまわったの。それで最終的に選んだのが、聖栄《せいえい》。さくら幼稚園もいいんだけど、ちょっと方針とか、抽象的すぎると思って」

「私は園庭がちょっと狭いかなと思って」おずおずと容子は言った。言葉を発すると緊張がゆっくりと解けていくのがわかった。

「ああ、私も思った。聖栄の、園長先生の言葉にぐっときちゃって。ぐっとくる、って変だけど」千花は笑う。

「『ひとつの価値観しか見えない大人にはしたくない』……でしたっけ」容子も笑う。

「それもだけど、『目に見えないものを感じ取れる感性を』とかね。あとはあれかな、ほら、縦割りクラスの日があるでしょ？　うちの子、今のところひとりっ子だし、できるだけおっきな子とか、あと下の子とかと遊んでほしいなと思って」

「あれはいいですよね、このあたり、ほかではやっていない試みだし」

コーヒーとカプチーノ、オレンジジュースが運ばれてくる。容子はグラスにストローを差し、一俊がそれを飲むのを助ける。一俊は千花をじっと見つめたままジュースを飲んだ。

「容子さん、塾とかいかせてる?」言いにくいことを言うように、千花はつぶやいた。

「まさか。そんな余裕、ないですよ。それにこんなにちいさいのに、塾なんて」

「そうよねえ」千花はぱっと笑顔になる。ずいぶんと表情のゆたかな人だと容子は思う。

「なんだかこの近所、そういうお教室がたくさんあるじゃない? でも私も思ってたの。いつか否が応でも勉強しなくちゃならなくなるのに、今から何かさせるなんてかわいそうって」

「いろいろですからね」容子は言った。

「本当よねえ」千花は言い、カップに口をつけた。カップから口を離したとき、唇の上に、白い泡が髭《ひげ》のようについていた。

「高原さん、ここに」容子は笑いながら自分の鼻の下を指す。

「あら、やだ」千花はあわてて紙ナプキンで鼻の下を拭く。容子と顔を見合わせ、声を重ねるようにして笑った。

考査には何を着ていくつもりか、旦那さんは何を着るのか、どんな準備をしたか、容子は千花に訊くため、何から言うべきか言葉を頭のなかで組み立てる。あまりさぐっているようなことは言いたくなかった。あの、と言いかけたとき、一俊が椅子の上でぐずりだした。ママアマア～と、押しつぶしたような声で言いながら、体をくねらせている。

「考査の日はもちろんご夫婦で？」無視して容子は訊いた。答えようとした千花は、あ、と短く叫んで傾きかけたグラスを両手で持った。体をくねらせる一俊がテーブルにぶつかり、あやうくグラスが倒れるところだった。

「ちょっとおとなしくしてちょうだい」

テーブルの下でばたつかせている一俊の足を、容子は軽く叩いた。それをきっかけのようにして一俊が泣きだす。本当に泣いているわけではない、泣き真似だ。泣き真似は、最近の一俊の「芸」だった。

「ちょっとカズくん。ごめんなさいね、うるさくて」容子はなんだかうんざりして、千花に謝る。

「一俊くん、おとなしくていい子じゃない。うちのなんかそりゃあすさまじいわよ。……あ、うちの子、迎えにいかないと。連れていかないと文句言うくせに、預けっぱなしだとそれもそれで文句言うんだから」

「旦那さんのご両親？」泣き真似をしながら両手足をふりまわす一俊をおさえつけ、容子は訊いた。

「ううん。私の。今日は突然誘ってごめんなさいね、でもたのしかった。いっしょに通えること、祈ってる」千花が立ち上がるので、容子も急いでバッグから財布を出し、一俊を立ち上がらせる。「私が誘ったんだから、払うわ」

「いい、いい、私のぶんは払います」

「いいって。今度払って」千花は勘定書を手にレジにいってしまう。会計をすませると、

「手続きの日に会いましょうね」手をふり、ガラス戸を開けて出ていった。

　うわーん、うわあああん、と泣き続ける一俊を抱き、ばつの悪い思いで容子は店を出た。身をよじるので容子は一俊を下におろす。

「もう、泣かないで、カズくん」

　うわあああん。一俊は涙を流さないまま叫び続けている。「ほら、帰るよ」一俊の手を引いて容子は店の角を曲がり、坂道を上がりはじめる。一俊はまだ身をよじらせているが、それでもおとなしくついてきた。

　雑誌に出てくるような人の暮らしぶりは、やっぱり雑誌に載っているような感じなんだろうなと、坂道を歩きながら容子は考える。洒落《しゃれ》た料理を盛った洒落た食器をたくさん並べてホームパーティをして、週末は家族でレストランにいって食事をし、たまには、実家に子どもを預けて夫婦だけでデートをするんだろう。自分とはずいぶん違う暮らしぶりが、彼女の容姿や仕草、言葉の切れ端からかいま見えたような気が、容子はするのだった。実際に彼女が雑誌に登場するような暮らしぶりをしていたとしても、しかし容

子はうらやましいとは思わない。世のなかには自分とずいぶんかけ離れた人たちがいることを、どちらかといえば世のなかはそのような人々で構成されていることを、学生時代に容子は学んでいた。それをうらやむことがどれほど馬鹿馬鹿しいことかも。だから単純に、そのような人と知り合いになれたことがうれしかった。

その日の夜、夫の真一のための料理をテーブルに並べながら、容子は願書を出しにいった話をした。けれど気がつけば、幼稚園の話ではなく、今日知り合ったばかりの母親のことを話していた。すごくきれいな人で、女優さんみたいにお洒落で、明るくて、気さくな人でね……。

「たのもしいな、もう知り合いができて」

真一が笑顔で言い、容子もますますうれしくなる。おだやかで、めったに声を荒らげることのない真一が、「きみの話をもう聞きたくない」と言ったのは、ちょうど一年ほど前のことだった。そのころ容子は、児童館や児童図書館や公園で、ことごとく友だち作りに失敗しており、真一の帰りを待ちかまえるようにして、知り合った母親たちを、彼女たちの子育てを、この町の児童施設の少なさを、批判したり嘆いたりしたのだった。親しい友人はなかなかできず、容子は焦り、新聞の人生相談のコーナーに手紙を出しそうになったほどだった。

「あなた、言ってくれたじゃない。そんなに焦らなくても、幼稚園や学校に通うようになれば、いやというほど知り合いも友だちもできるって。本当だったわ。よかった」

ごはんと味噌汁を盆に載せてテーブルに運ぶ。酒を飲まない真一は、真っ先にごはんを食べはじめる。

「まだその幼稚園に決まったわけじゃないんだろ」

「そうね。でも、幼稚園選びをする段階で、きっと価値観の似た人が集まるんだと思うのよね。今日高原さんに会ってそう思ったの。だから第二希望や第三希望の園になっても、きっとああいう話の合う人に会えると思う」

「まあ、第一希望に受かればいちばんいいけどな。そんなこと言うと、おれも今から緊張しちゃうけど」真一は言い、かきこむようにごはんを食べる。「おいカズ、あとでお風呂で練習しような、テストの日の」

テレビの前で、積み木で遊んでいた一俊は、名前を呼ばれてぴょんと立ち上がり、父親の足元に駆けていく。まだだって、まだ、食べ終えるまで待てってば。夫の声を聞きながら、容子は風呂場を洗いにいく。受かりますように。高原さんといっしょに、聖栄に通えますように。受かりますように。胸の内でくり返しながら、容子は浴槽を洗いはじめる。

◇

引っ越しトラックの到着を待つあいだ、繁田繭子は所在なくマンションのなかを歩きまわった。歩きまわるうち、踊るような格好になる。両手を広げ、ステップを踏む。信じられない、と心のなかでつぶやく。それだけでは足りず、信じられない！　と繭子は声に出して言う。

部屋は、どこもかしこも新しい。フローリングも、システムキッチンも、風呂場もトイレも、すべての部屋の壁紙も。２ＬＤＫの部屋を踊るように何度も行き来し、繭子は煙草を持ってベランダにいく。風は冷たかったが、その冷たささえも心地いいものに思えた。

四階の部屋のベランダからの眺めは、いいとは言えなかった。見えるのは大通りを挟んだ向かいにある、グレイのビルだ。そのビルの窓という窓が、晴れた空を映している。けれど窓からビルが見える、というそのことすらも、繭子の気分を浮き立たせる。

六年間節約生活を続けなければ、マンションなんてとても買えないと思っていた。都心のマンションならば、宝くじでも当たらないかぎり無理なのではないかと思っていた。池袋に出るのにバス十分、電車で四十分かかる町の軽量鉄骨のアパートから、一生出られないのではないかとときおり考え、憂鬱になっていたものだった。ところが今、自分はこんなに広いマンションにいる。お風呂には追い焚き機能がつき、システムキッチンにはオーブンが内蔵されている。玄関はオートロックで、トイレはシャワートイレだ。しかもこれは借り物ではない、自分たちの持ち物なのだ。繭子は、ベランダから身を乗り出して大声で叫びたいような気持ちだった。そうするかわりにひっきりなしに煙草を吸い、コーヒーの空き缶に灰を落とす。

今年の夏、祐輔の父親が亡くなった。脳溢血で、倒れてから二日後に息を引き取った。祐輔の実家は川崎にあり、繭子も祐輔も葬儀に駆り出され、数日はあわただしく過ごした。四十九日で川崎の家に泊まった夜、義母は祐輔と兄の康平《こうへい》だけを呼びつけ、真新しい仏壇の置かれた和室に引きこもった。帰るに帰れない繭子は、兄の妻である翔子《しょうこ》と、四十九日の会食の後片づけをした。翔子は妊娠八カ月だったので、ほとんど繭子が働いた。

「なんの話をしているのかしらね」と、繭子が洗ったすし桶を拭きながら翔子が言い、「私たちだけ入れてくれないなんて、なんだかいやな感じ」と繭子は言った。翔子のことは義母や義兄と同様、好きでも嫌いでもなかったが、繁田家の親族のなかではいちばん話しやすかった。

「遺産分配だったりして」翔子はそう言って笑った。

「遺産なんかそんなにあるはずないよ、もしあったとしても、うちはきっともらえない、次男だもん」繭子はスポンジを持つ手に力を入れてつぶやいた。

しかし実際、母子三人の話し合いは、遺産分配の話だったのである。その日の夜遅く、アパートに帰る電車のなかで祐輔は母親の話を繭子に語って聞かせた。土地は、父が定年退職した年に合意のもと母を共同名義人にしてあり、だから相続金を払う必要がない。父の遺した預貯金と死亡保険金を合わせると五千万かそれ以上はあり、母は二世帯住宅に建て替えて兄弟どちらかひとりに同居してほしいと思っている。父の遺産金から、手続きなどにかかる弁護士への費用、住居建て替えの費用を捻出し、その残りを家族三人で分けようというのが、母の意向だと祐輔は言った。

「え、じゃあ祐ちゃん、もらえるの」思わず言ってから、ちょっとがっかりして聞こえたかな、と思い、「うちはべつにいいんじゃないの」と繭子はあわてて言い、「二世帯住宅とか急に言われても引っ越すのだってあれだし」と、遠まわしに同居拒否の意思をつけ加えた。

「なんかさあ、同居するほうは、その特典として、ってへんな言いかただけど、まあそういうことだわな、特典として多めに分けるつもりだっておふくろは言ってたけど。兄貴は同居を考えてるみたい。翔子さん、子ども産むしな。でも、まあ少しくらいはもらえるんじゃないの。正規の相続人のひとりなわけだし」

ふうん、と繭子はうなずき、あんまり期待しないようにしよう、と思った。実際「少しくらい」なのだろうから、と。

結局、身重の妻を持つ康平が母との同居を承諾した。そして祐輔は一千万円ほどを受け取ることになった。その報告を祐輔から聞かされたのが四十九日から一週間後で、繭子はその額の大きさに驚いた。単純計算で、貯めるのに十年以上かかる金額である。実際にそのお金が祐輔の口座に振りこまれるのは、建て替えの見積もりが正式決定したあとだと聞かされたが、祐輔と繭子は話し合って分譲マンションを買うことにした。お金が入ってから物件をさがそうと話し合っていたが、退屈しのぎに物件情報誌を眺めていた繭子は、ついわくわくして都内の不動産業者に連絡し、いくつか物件を見はじめていた。繭子はどうしても都心に住みたかったので、新築ばかりでなく、中古物件も視野に入れていた。

掘り出し物件が出たと業者から連絡をもらったのは、十月になってからだった。繭子はひとりでその物件を見にいった。地下鉄の駅から徒歩二分で、その地下鉄を乗り継げば、新宿にも渋谷にも池袋にも、三十分もかからずにいけた。中古物件だったが、築五年とまだ新しく、現状空きの部屋はすでにリフォームされていて、部屋に通されたとたん、ここだ、と繭子は決めていた。何もかも真新しい部屋は清潔で、最新の設備はまばゆい光を放っているように見えた。ださい商店街も居酒屋も風俗店もない町並みは、生活感がきれいに一掃されているようで、それも繭子の気に入った。今まで住んでいた町は、駅前には商店街と風俗店が入り交じり、バスに乗れば広がるのは田園で、国道沿いにはファミリーレストランと格安靴屋といつも混んでいるスーパーがあり、そんなすべてを、繭子はひどくみすぼらしいと感じていた。

まだお金は振りこまれていないのだから、と渋る祐輔を説得して連れ出し、次の週末、もう一度繭子は部屋を見にいって、ここに決めようと言い募った。この立地にこの築年数、この間取りにこの条件でこの値段はまず出ないと思ってください、という営業マンのせりふにも後押しされる格好で、祐輔は結局その日、仮契約を結んだ。

祐輔の母親は、祐輔の遺産分配金の一部、三百万円を支払った。それに加え、繭子の両親から百万円、祐輔と繭子の貯蓄から五十万円を出して、それを頭金にした。祐輔の母親は、一部を先に渡すかわりに、残りは二世帯住宅が建ったあとに渡すと言った。ケチババア、と繭子は内心で悪態をつきつつ、それをもらい次第、ローンの繰り上げ返済をしようと計算もしていた。

そうして三連休の初日である今日が引っ越しだった。

午後二時過ぎ、引っ越し業者が到着した。祐輔の指示に従って、段ボール箱や家具を部屋に運び入れている。冷たい飲み物買ってきて、と祐輔に言われ、繭子は部屋を出た。マンションの前を数十メートル進んだところにコンビニエンスストアがある。こんなことも繭子にはうれしいのだった。

スポーツドリンクと冷たいお茶の入ったビニール袋を提げてマンションに戻ると、ほかの住人がオートロックを解除しているところだった。やけにスタイルのいい女性で、その隣にはAラインのコートを着た女の子がいる。女の子はふりむいて繭子をじっと見上げる。母親もふりむいたので、「こんにちはー」と繭子はことさら明るく言いながら、共同玄関の扉をくぐる。あやしい人間だと思われないように、ジーンズのポケットから鍵を取り出し、

「今日引っ越してきた繁田です。あのー、四階の、401で。って、こんなとこでなんだけど」

笑顔を作って話しかけながら、母子とともにエレベーターに乗りこんだ。

「そうなんですか。うちは601の江田です。よろしくお願いします」

スタイルのいい女性はそう言って軽く会釈した。マダム、と繭子は心のなかで思った。都心に住んでいる洒落た奥さん、というものを繭子はたびたび雑誌で見ていて、実際世田谷区とか港区にはこういうマダムがわんさといるんだろうと、遠い異国を思うように考えていたのだが、エレベーターに乗り合わせた母子は、まさにマダムとそのお嬢ちゃんだった。何歳なんだかまるでわからない母親は、真っ白いコートを着ている。胸元から、紺色のタートルネックと小ぶりの真珠のネックレスがのぞいている。顔立ちのはっ

きりした女の子は、紺色のコートに、焦げ茶色のブーツを履いていた。いるんだほんとに、マダム。繭子はこっそり思う。

「あとでちゃんと挨拶にいきます」

繭子は言ってから、今の言いかたは間違っていただろうかと思い返したが、よくわからなかった。まあいいや、敬語をちゃんと使ったんだし。

「まあ、どうぞお気づかいなく」江田と名乗った女性は笑顔で言った。彼女と手をつないでいる女の子は、繭子と目が合うと、

「こんにちは」とお辞儀をした。「江田衿香です」とも言った。その様子が大人みたいなので繭子は面食らった。

「私、繁田繭子」あわてて女の子に言い、あれ、なんだか同い年みたいじゃん、と続けて思い、おかしくなる。

エレベーターが四階に着き、

「それじゃあどうもー」繭子はエレベーターを降りた。扉の閉まったエレベーターを眺め、階数ボタンを意味もなく眺める。橙《だいだい》色の光は5を通りすぎ、6でぴたりと止まる。6、という数字をしばらく眺めて繭子は自分の部屋に戻った。

三十分もたっていないのに、荷物はすっかり部屋のなかにおさまっており、祐輔が支払いをしている最中だった。廊下に所在なく立っている、いちばん若そうな引っ越し業

者に、

「これ、よかったらどうぞ」

繭子は飲み物の入ったビニール袋を手渡した。

引っ越し業者が帰ったのち、繭子は祐輔と黙々と荷ほどきをしていった。頭金やその他の出費で貯金はほとんどなく、すべての家具が前の家から持ってきたものだった。電気の笠や食器棚、白木のまるいダイニングテーブルは、真新しいマンションには不釣り合いのように繭子には見えた。というより、きらびやかだった部屋が、それらの家具を配置されたことによって、急速に光を失い、みすぼらしい住まいに変化してしまったようだった。引っ越し業者を待っていたときの、あの軽やかな興奮も、繭子のなかから蒸発するように消えていく。

午後五時過ぎには、すべての段ボール箱が空いた。それらを二人がかりで縛りながら、夕食の相談をする。段ボール箱はつぶれたが、部屋全体が片づいているわけではないので、コンビニエンスストアの弁当を買うことで話がまとまった。

「やっぱり家具、新しいの買いたいな」数十メートル先のコンビニエンスストアに向かいながら、繭子は言う。

「そうだな、でも今すぐは無理だろ。来月はボーナスも出るし、ゆっくり揃えていけばいいんじゃない」

「そうだね、気に入ったものが見つかるまでさがして、ゆっくり揃えていけばいいよね。時間に合わせを買うよりはね」

コンビニエンスストアで、ビールと弁当、明日の朝食用のパンや牛乳、スナック菓子を買う。それらを提げて歩く祐輔の空いた手に、手をからめて繭子は歩く。

祐輔がオートロックを解除しているときに、ガラスの扉の向こうから家族連れが歩いてくるのに繭子は気づいた。昼間に会ったマダムだということにも同時に気づいた。扉が開き、繭子たちのほうが一歩先にエントランスに入った。

「あら、こんばんは」マダムは愛想よく頭を下げる。「お引っ越しされたんですって」と、隣にいる夫に言う。こんばんは、と夫は言った。やわらかい声だと繭子は思った。

「繁田です。よろしくお願いいたします」祐輔が言い、繭子も深くお辞儀をした。

共同玄関を出ていく家族連れを、繭子はふりかえる。夫は背が高く、妻と似たような雰囲気だった。隙のないお洒落と、鷹揚《おうよう》な笑み。さっき白いコートを着ていたマダムは、黒いセーターにパンツ姿で、紺のコートを着ていた女の子はタータンのワンピースを着ていた。コートを着ていないから、車に乗って出かけるんだろうと繭子は考える。

「子ども作ろうか」

エレベーターに乗った祐輔がぽつりと言う。

「ええっ？」と思わず繭子が言ったのは、あんまりにも唐突だったからだった。

「いや、もう家もあるんだし、そろそろ考えてもいいのかなって」

階数ボタンを見つめ、独り言のように祐輔は言う。この人もこの人なりに、マンションを買ったことで何か感慨があるんだなあと、繭子はそんなことを思う。

◇

教会と同じ敷地内にある園庭は、おだやかな陽射しの下、華やいだ雰囲気があふれていた。同い年ほどの子どもを連れた母親たちが、輪になって話しこんでいたり、友人同士なのか連れだって園舎へ向かったりしている。光太郎を連れた瞳は、そんなふうにだれかと言葉を交わしたいと思いつつ、けれどだれに話しかけていいものやら見当もつかず、所在なげに門へ向かって歩きはじめる。

門によりかかるようにして、一組の母子が立っていた。入園手続きの日とあって、スーツやワンピース姿の母親もいるが、そこに立つ母親はジーンズに男物のようなジャンパーを羽織り、母親を見上げる男の子は膝の出たズボンにもこもこしたジャンパーを着ていた。そこに立つ彼女が、やっぱり自分のように、だれかに話しかけたいがどうしていいかわからない、そんな様子に見えたので、瞳は少しためらったが、思いきって話しかけてみることにした。

近づいても彼女は瞳を見なかった。

「手続きにいらしたんですよね」

おずおずと声をかけてから、この人はだれかを待っていたのかもしれない、と瞳は思い当たった。声をかけられた女性が、瞳を見て、落胆したような気がしたからである。

「ええ、もう終わりました。おたくも？」けれど彼女はかすかな笑顔を見せた。

「そうなんです。小林瞳です。こっちは光太郎。ほら、ご挨拶して」

光太郎は瞳の脚の後ろに隠れながらも、こんにちはー、とちいさな声を出す。

「こんにちは」彼女は背をかがめて光太郎に言い、「久野容子です。ほら、名前は」隣に立つ男の子の背に触れる。男の子は照れているのか、ぱっと背中を向けてしまう。瞳は笑い、容子も笑った。「この子、ものすごい人見知りなんです。一俊っていいます」

「おんなじクラスになるかもしれないですよね、よろしくお願いします」

「こちらこそ」

頭を下げあうと、今度は何を言ったらいいのか、瞳はわからなくなる。それでも何か話したかった。

「お近くですか」瞳は訊いた。

「ええ、大通りから坂を上がったところです」

「一俊くんは、何か習いごとをされているんですか？」

そう訊いたのは、単純に、瞳が習いごとについて考えていたからだった。幼稚園に通うようになったら、何か習わせたほうがいいのではないか。以前、近所の児童公園で知り合った母親たちがそんなことを言っていたのだ。もっとも、彼女たちが言っていたのは「幼稚園に入れる前に何か習わせるべきだ」ということだった。今でも顔を合わせれば立ち話くらいはするが、とくに親しいというわけでもない。彼女たちは子育てに対して野心のようなものを持っており、それが瞳には少々おそろしく感じられて、意図的に距離をとったのだった。瞳はのびのびとした子育てをしたかった。光太郎が何かをしたいと自分から言い出すまで、無理にはじめさせるつもりもなかった。しかし彼女たちと顔を合わせる機会が減ったら減ったで、やっぱり習いごとは常識なのだろうかと不安になる。それでそう質問したのだが、

「どうして?」

容子は真顔で訊き返してきた。迷惑そうともとれる顔つきだった。

「いえ、あの、そういう話をよく聞くから……」

「うちはそういうの、やらない主義なんです。この子が何かしたいって言えばやらせるけど、そういうのがないうちは、毎日たのしく過ごせばいいと思ってるんで」

ああ、私もです！　私もそう思っているんです！　と、瞳は大声で言いたい気分だった。そんなことをしたら相手はびっくりするだろうから、

「じつは私もそう思っていて……」と、言いかけた。言いかけてやめたのは、容子の顔がぱっと明るくなったからだった。瞳の後方を見ている。ふりむくと、見知った女性がこちらに歩いてくるのが見えた。どうやら容子は彼女をさがしていたらしいことが、その表情から見て取れた。

「高原さん」瞳は言った。

「えっ、お知り合い？」容子が訊く。

「瞳さん！　よかった、受かったのね。ああ、あなたこのあいだの……」

「久野です、久野容子」

「そうそう、容子さん。容子さんもオッケイだったのね、じゃあみんないっしょってことね。よかった！　大安心だわ」高原千花は胸の前で両手を組み合わせて言う。

「もしかしたら会えるかもと思ってたんです」

「本当によかった。ねえ、連絡先を教えてくれない？　入園式のこととか、準備のこととか、いろいろ訊きたいこと出てくると思うし」

千花はバッグからメモ帳を取り出し、ペンとともにそれをまず瞳に渡した。瞳は自分の電話番号を書き入れ、容子に手渡す。光太郎と一俊は、それぞれの母親のうしろに隠れるようにして、ちらちらとたがいを見ている。

「お子さん、おかあさんのところ？」瞳は千花に訊いた。

「うん、このあとスポーツクラブだから、お願いしてきちゃった。コウちゃんひさしぶりー。おっきくなったねえ。雄太より大きいんじゃないかしら」

容子がメモ帳とペンを返すと、千花はそれをバッグにしまい、

「じゃあ、急ぐからお先にいくわね。連絡させてちょうだいね」

手をふりながら門を出、千花は小走りに去っていった。瞳はもう少し容子と話したいと思ったのだが、

「じゃあ、私もこれで……カズくん、帰るわよ」

容子がそう言って一俊の手を引いたので、

「これからもどうぞよろしく」

瞳は会釈して、門から出ていく容子を見送った。容子が角を曲がったのを見届けてから、しゃがみこみ地面に絵を描いている光太郎を立たせ、おもてに出た。

高原千花には、光太郎が二歳のときに児童館で会っていた。千花の連れていた雄太も光太郎と同い年で、しかも誕生日が一週間しか違わなかった。それで言葉を交わすようになった。

千花のような人を苦手だと言う人はいないだろう、と瞳は考える。屈託がなく陽気で、人に気をつかい、それでいながら気をつかっていることを悟らせない。もちろん瞳だって千花を苦手な人には分類していない。むしろ好きだった。けれど彼女といると正直、

疲れるのだった。気後れしているのだろうと瞳は納得していた。

千花は、ほかに瞳が知り合った母親たちと同じく子育てに野心的であるように、瞳には思えた。まだ二歳の息子を、味を覚えさせるために本格的なレストランに連れていくのだと話していたし、たしかそのころは水泳や英語を習わせていたのではないか。小学校は大学附属の私立しか眼中にないと、ほかの母親と話していたのを聞いたこともある。

そういうあれやこれやに巻き込まれたくなかったから、瞳はできるだけ千花と親しくならないように気をつけていたのだが、千花は瞳の何が気に入ったのか、自分の通うスポーツクラブの優待券をくれたり、自宅に招いたりするのだった。

スポーツクラブは遠慮したが、自宅には遊びにいった。再三誘われて、断るのが億劫になったためだった。千花は、大通りに面した真新しい十四階建てマンションの、十二階に住んでいた。フロアには二世帯しかなく、部屋は広々としていた。千花の住まいは、瞳にしてみれば漫画かドラマみたいだった。ヒロインが住む、現実味を欠いた部屋である。家具やインテリアについて瞳は何も知らないが、ソファも照明も、コーヒーカップひとつに至るまで高価なものであることは理解できた。だから、座るのも立つのも、お茶を飲むのもトイレにいくのも瞳は緊張した。雄太と遊んでいた光太郎が、オレンジジュースの入ったグラスを倒して割ってしまったとき、誇張ではなく気を失いそうになった。同時に、なぜ子ども用にガラス食器など使うのか腹も立った。いいのよ、しょっちゆうあることなんだから、と千花は言ったが、デパートで似たようなグラスを買って、数日後に届けにいった。その後、児童館にいくのはやめてしまった。連絡先を交換していたわけではなかったので、顔を合わせなければそれきりのつきあいだった。ごくまれにだが、往来で顔を合わせることもあった。数分の立ち話ならば、瞳は気後れしないですんだ。

教会と幼稚園共同の駐輪場に停めてある自転車に乗りこむ。前方に取りつけたチャイルドシートに座った光太郎は、自転車が走り出す前から両手を広げ、ぶーん、ぶーんと唇をふるわせて音を出している。最近彼のなかで飛行機ごっこがブームなのだ。

「来年からコウちゃんはここに通うんだよ」ペダルを踏み、瞳は光太郎に話しかける。

「お友だち、きっとたくさんできるね、たのしみだね」

「おいらどこにもいかない」光太郎は叫ぶように言って、またぶーん、ぶーんとはじめる。

高原千花の息子と同じ幼稚園なのか。自転車を漕ぎながら瞳は考える。でも同じクラスになるとはかぎらないし、彼女はもう自分には声をかけてこないんじゃないか。いや、そんなことは関係ない。瞳はひとり首をふる。幼稚園に私が通うわけじゃあるまいし。今はただ、光太郎の合格をよろこぶべきだ。

◇

電話が鳴ったのは夕食の準備をしているときだった。受話器を取ると、

「瞳ちゃん、コウちゃん、どうだった」

ひまわりプロジェクトの砂原鈴子《さはらすずこ》の声が聞こえてきて、思わず瞳は笑顔になる。ひまわりプロジェクトは、瞳がこの町に引っ越してから参加するようになったボランティアサークルである。

「覚えてくれたんですね、ありがとうございます」思わずその場で頭を下げる。「受かりました、あの、希望していたところに」

「まあ！　よかったじゃない！　コウちゃんなら平気だと思ってたけど、ほんとよかった。さっそく明日、みんなに言うわね。お祝い会しようなんて、金村《かねむら》さんたち、きっと言うわよ。そのときには時間作ってよね」

「あ、明日ミーティングなんですね、いいなあ、私もいきたいなあ」

ビデオを見ていた光太郎が瞳に近づき、脚にまとわりつく。ねえ、だあれ？　という光太郎の頭を撫で、静かにしててねと顔つきで示す。

「くればいいのに。三時から六時までだから。こられそうなら、連絡せずにそのままき

てくれればいいのよ」

「幼稚園がはじまったら、もう少し時間もできると思うし、復帰しようとは思ってるんです」

「そうよ、復帰してよ。うちは万年人手不足だからさ」

「でも、もう知らない人ばっかりなんじゃないかって不安で」

「そーんなことないない。新しい人もいるけど、金村さんも野田《のだ》さんも健在。みんなで話してるの、瞳ちゃん元気かなあって。ああ、でもよかった、合格して。ほんと、おめでとうね」

瞳の目に、彼女たちの顔が次々と浮かび、思わず涙ぐみそうになる。さっき、高原千花の息子と同じ幼稚園か、などといっときでも不安を覚えたことに深い罪悪感を覚える。

「ありがとうございます、今度本当にうかがいます」

またしても頭を下げて、瞳は電話を切った。

「だれにありがとうしたの？」脚に抱きついて、光太郎が見上げている。瞳はしゃがみ、光太郎を抱きしめて頬ずりをする。

「よかったね、よかったね、コウちゃん、おめでとうって。ほんとよかったね」

「何ー？　何おめでとうー？」光太郎は瞳の腕から逃れようともがきながら、笑い出す。

瞳も急に笑いがこみ上げてきて、声を合わせて意味もなく笑い続ける。

隣町の私立大学の敷地内に、大学長が会長を務めるボランティアサークルがある。海外での環境保全や地域支援といった大規模なものから、学生による介護体験から児童養護施設訪問など小規模なものまで、多種のグループが寄り集まって形成されている。夫の仕事の都合でこの町に引っ越してきた瞳は、パート仕事をさがしていたのだが、働くことを夫に反対され、そんなときにこのボランティアサークルの存在を知った。瞳がボランティアメンバーとして登録したのは、光太郎を身ごもるよりも前である。ひとり暮らしのお年寄りにお弁当を作って宅配したり、週に一、二度雑用を引き受けにいったり、年に何回か高齢者を対象としたハイキングやイベントを企画するのがひまわりプロジェクトで、学生の参加者もいるが、子どもに手のかからなくなった主婦、あるいは子どものいない主婦が主なメンバーだった。他県から引っ越してきた瞳には、区内はおろか都内にも友だちがおらず、定期的に会って言葉を交わすのは、このメンバーだけだった。なかでも、リーダー格の砂原鈴子、同世代の野田美智子《みちこ》、金村治美《はるみ》の中年女性グループにはとくに世話になっていた。彼女たちは一様におおらかで、細かいことにはこだわらず、「おっかさん」とでも呼びたくなるような陽気さがあった。

夫の栄吉《えいきち》は仕事が忙しく、出産の日も出張で地方にいっていた。瞳はひとりで陣痛の時間をはかり、タクシーを呼んで病院にいったのだ。光太郎と命名したのは栄吉だが、子どもが生まれても多忙さはまったく変わらず、育児を手伝うこともない。山形に住む両親と瞳は折り合いが悪く、光太郎が高熱を出したり椅子から落ちたときなどに、せっぱ詰まって電話をかけたことが幾度かあるが、そのたび母が言うのは「おまえがしっかりしていないからだ」という叱責だけなので、しまいには電話もしなくなった。今日まで瞳が育児の相談をしてきたのは、この三人だった。彼女たちがいなければ、私はこの子を虐待していたのではないかと瞳は半分本気で思っている。

そうして今、鈴子の「おめでとうね」という声を思い出し、瞳はみるみるうれしくなる。なんの不安もないじゃないと、思いきり背を叩かれたような気分になる。四月になったらまたミーティングに通おう。またみんなでわいわいと、イベントの計画をしたりお弁当を作ったりしよう。四月からの新しい日々が、足踏みしたいほど待ち遠しく感じられる。

鼻歌をうたいながら瞳は夕飯の支度に戻る。ガスコンロにかけた鍋をかきまわしながら、夜に書くつもりの手紙の文面を考えはじめる。好恵宛の手紙である。

――通うことを夢見ていた幼稚園に、光太郎が合格しました。都心なのにお庭の広い、教育理念のしっかりした、とてもよい幼稚園です。私立なのでちょっと出費が痛いんだけれど、いちばん大事なのは教育だと私は思っているんです。合格を知ったお友だちが、大勢でお祝い会を開いてくれるそうです……。

◇

産婦人科のロビーは、淡いピンク色があふれている。受付のカーテンもピンク、スリッパもピンク、ソファもピンク、大きな窓にかかったカーテンもピンク。窓の外に広がる冬の景色も、ここからだと何やらあたたかく見える。ソファに座った瞳は光太郎に読む絵本を膝の上に開いたまま、座っている女たちをぐるりと見渡す。西瓜ほどもおなかの膨らんだ女、バレーボール大の膨らみをもった女、まだまったく膨らんでいない女。おなかの大きさはまちまちだが、みな一様にピンク色に包まれてしあわせそうな顔をしている。きっと私もそうなんだろうと瞳は思う。

ひとり、明らかに雰囲気の違う若い女性が座っているのに瞳は気づく。小声で光太郎に絵本を読んでやりながら、瞳は彼女を盗み見る。髪の毛を金色に近い茶色に染め、男物のようなスタジアムジャンパーを着ている。ジーンズをはいた脚を組んでいるが、脚ではないみたいに細い。彼女は自分で持ってきたのか、ゴシップ誌を熱心に読んでいる。てらてら光るジャンパーといい、金に近い髪の色といい、真っ青に塗ったマニキュアといい、ゴシップ誌の表紙といい、彼女のまわりだけ色合いが強烈で、ちゃかちゃかしている。あの人、もしかしたら子どもを堕ろすんじゃないかしら、と瞳はひそかに想像する。

瞳が絵本のページをめくらないので、光太郎は瞳のトートバッグから布製のボールを取り出していじっていたが、ぽーんとそれを放った。ちょっとコウちゃん、と瞳がたしなめるより早く、ボールは転がっていく。こともあろうにそれはスタジアムジャンパーの女性の足元まで転がっていき、彼女はそれをすばやくスリッパ履きの足で踏んづけて止めると、かがんで拾い上げた。きょろきょろとあたりを見まわし、光太郎と瞳を見つけて立ち上がる。「コウちゃん、だめでしょ」瞳はちいさな声で注意する。

「はい、これ、ぼくのだよね」スタジアムジャンパーの女性は光太郎にボールを差しだし、

「すみません、ありがとうございます」と頭を下げる瞳の隣にどさりと座った。

「何週目ですか？」女性が訊く。話しかけられると思わなかった瞳は、

「二十一週目です」どぎまぎしながら答える。

「へえー。それってもう安定期？　予定日はいつなんですか？」

「七月です。七月十七日」

「へえー、蟹座《かに》」

「え？」

「蟹座生まれって言ったの。私のとこは十月。天秤座。今ちょうどつわり、つらくっ

て」

「あ……」瞳はぽかんと口を開ける。この人もちゃんとした妊婦だったのか。

「ママ、ご本……」無視されたと思ったのか、ちいさな声で本を押しつけながら光太郎が割りこんでくる。

「なんちゃいですか？　かわいいでちゅねえ」作り声で彼女は光太郎をのぞきこむ。

「おいら赤ちゃんじゃないよ！」いつもはさっと母親の後ろにかくれる光太郎が、めずらしく自分から知らない女性に話しかけている。「もうおにいちゃんだもん」

「やーだー、かわいいっ、おいら、だって。そうだよね、おにいちゃんだもんねー」

そうだよ、おにいちゃんだよ。光太郎がつぶやき、瞳は女性と顔を見合わせて笑った。ピンク色のなかに座っている何人かも、やわらかな笑みを浮かべて光太郎を見ている。

瞳の名はなかなか呼ばれなかった。女性の名も呼ばれないらしく、ソファに座ったまま言葉を交わした。

「二十一週目とかになると、つわりっておさまるもの？　私今、ごはんとかちっとも食べられないの。お菓子は平気だから食べてるんだけど、それじゃよくないって、まあ当たり前だけど、言われるし、いやんなっちゃう。煙草も吸えないし、ビールも飲めないし」

あっけらかんと話す女性に、

「ちゃんと食べないと赤ちゃん未熟児になっちゃうわよ、それに煙草もビールも、妊娠したとたんいらないって思う人が多いって聞いたけど……」

なんだか姉のような口調で話している自分が、瞳には不思議だった。

「ねえ、あなたおいくつ？」訊くと、

「二十七。今年の夏で二十八。獅子座」と、星座つきで答えた。

「若いのねえ」思わず瞳が言うと、彼女は笑った。

「若くないって。えーとそちらは……」

「小林です。小林瞳」

「コバちゃんは何歳なの」

コバちゃん、というういきなりの愛称に苦笑しつつ、

「三十三です。次の十月でもう三十四」瞳は答えた。

「そんなにかわらないじゃん！　十月ってことは天秤座？　さそり座？」

「さそり……、かな、たぶん」瞳はなんだかおかしくなって笑った。

そのとき診察室から出てきた看護師が、シゲタさん、と名を呼んだ。

「はいッ」小学生のように威勢のいい返事をして女性は立ち上がり、「やっと呼ばれた。私、シゲタ。シゲタマユコ」と瞳に言い残し、スリッパをぺたぺたと鳴らしながら診察室に向かった。

診察を終えた瞳は、周囲を見渡してシゲタマユコの姿をさがしてみた。診察の順が近かったので、ひょっとしてまだ彼女もいるのではないかと思った。けれど彼女の姿は見あたらず、玄関で光太郎の靴を履かせ、自分も靴を履き、おもてに出た。入り口の脇に自動販売機が並んでいるコーナーがあり、そこにぽつんとマユコが立っている。

「あ」

瞳を見つけて手をふる。

「待っててくれたの?」驚いて瞳は言う。

「待ってたっていうか、ジュース飲んでぼうっとしてた。バス? バス停までいっしょに帰らない?」

光太郎を真ん中に挟む格好で、瞳はマユコとともに歩きはじめる。住んでいる住所を言い合うと、意外と近所であることがわかった。バス停でともにバスを待ち、やってきたバスに乗りこむ。二人掛けの席に並んで座ると、マユコは窓の外を見ながら話しだした。

「私、去年の秋に引っ越してきたばっかりで、ずっと都心に住みたいって思って決めちゃったんだけど、知り合いはいないし、働こうと思って、そしたら友だちとかもできるし、と思ってたら妊娠で、ずっと家にいて、つわりひどいし、しかもこのへんスーパーないし、商店街もなくって、もうやんなっちゃってさ」

「メモ、持ってる？」光太郎を膝に座らせた瞳はマユコに言う。

「え？」

「メモ。私の連絡先を言うわ。何か困ったことがあったら連絡ちょうだい。食事のこととか、買いもののこととか。これでも私、経産婦だし、この町もあなたよりは長く住んでるんだから。用がなくったって話したいときには連絡くれていいのよ」

瞳は自分がそんなことを言っているのに驚いてもいた。けれど言いながら気づいた。それは三年前の私が言われたかったことだった。この町に引っ越してきて、右も左もわからず、すがるようにしてボランティアセンターに行き着いたあのときの私が、言われたかったことだった。

「え、ほんと、ありがと」

マユコは鞄のなかからちいさなスケジュール帳を取り出し、瞳の言う電話と住所を書き留めた。ページをめくって何か書きこみ、それをちぎって瞳に手渡す。

「これ、私の」

と言われたメモには、繁田繭子という名と、電話番号、住所が書かれている。メモには子どもっぽいキャラクターが印刷されている。それを見た光太郎が「あっ、このねこちゃん、おいら知ってるよ」と得意げな声を出す。

「字数、多くてやんなっちゃう。ね、コバちゃん、今度遊びにきて。うち、夫の母親が泊まりにきただけで、だーれもきてくんないんだもん。私は出かけられなくて、退屈なの。ね、遊びにきて、コウちゃんもいっしょにきてよね」

藺子は光太郎をのぞきこんでくり返した。降りるバス停が近づいてきて、「あっ、おいらが押す！」と言い張る光太郎を窓際の藺子が抱き上げ、ブザーを押すのを手伝っている。その光景を、まるで宗教画を見るように瞳は眺める。

◇

あの人、おんなじマンションのマダムだ、と、ずいぶん遠くからであるのに藺子は気づいた。新宿にあるデパートの子ども服売場だった。フロアはブランドごとのテナントに分かれているが、その一角が絵本の特設コーナーになっていた。マダムはそのコーナーで絵本を物色している。イタリアのブランドのテナントで子ども服を眺めていた藺子は、ワンピースを手にしたまま、マダムの周囲を見渡して彼女の娘の姿をさがしたが、いない。ひとりで買いものにきているらしい。マダムは一冊、二冊と絵本を手に取っては、選んだものを胸に抱えていく。マダムってやっぱりマダムだ、と藺子は思う。だってあんなにたくさん本を抱えちゃって。インテリなんだきっと。

「贈りものですか？　それともお子さんの……」

店員に声をかけられ、繭子は自分がワンピースを持ったままであることに気づき、あいまいに笑ってラックに戻す。

「おいくつくらいのお嬢さんでしょうか」笑顔で訊く店員に、

「見てるだけだから」繭子はぴしゃりと言う。

子どもはまだ生まれてもおらず、性別だってわかっていない。ただ見ているだけなのだ。「ごゆっくり」と店員は微笑んで離れ、繭子は陳列棚に並んだちいさなブラウスを広げてみる。女の子だったらいいなと繭子は思う。こんなふうなフリルびらびらの服を着せていっしょに歩くんだ。広げたブラウス越しに、繭子は絵本のコーナーを見遣る。マダムはまだそこにいる。胸に抱えた本の冊数が増えている。マダムの子どもは女の子だった。かわいいコートを着ていた。自分もあんなふうに子どもにかわいい服を着せられるだろうか。あんなにたくさんの本を買ってあげられるだろうか。本なんて、でも何をどう選んだらいいのかわからない。マダムが相談にのってくれるだろうか。おんなじマンションだというだけで、そこまで親しくなるのは無理だろうか。

ブラウスを棚に戻し、繭子はテナントを出た。特設コーナーに近づく。陳列棚には赤や緑の布がかけられ、色彩豊かな絵本が美しくディスプレイされている。マダムと同様、幾人かの女性たちが熱心に絵本を見ている。子ども連れの母親もいる。母親はどこにいるのか、しゃがみこんで床に開いた絵本に見入っているちいさな子どももいる。繭子はマダムの様子をうかがいながら、手近にある絵本を手に取って開いた。絵本に目を落とそうとすると、顔をあげたマダムと目が合った。けれど彼女は繭子に気づかなかったらしく、繭子が笑顔を作るより先に目をそらし、胸に抱いた絵本を確認するように眺める。やっぱりわかんないんだ。繭子は少しばかりがっかりし、その場をあとにしようか迷ったが、手に取って広げただけの絵本を元に戻し、マダムに近づいた。

「こんにちは」思いきって声をかける。マダムと近しくなりたい気持ちがあった。「すごい偶然」

マダムは顔をあげて繭子を見、繭子はその表情を見て声をかけたことを後悔した。マダムはまるで、万引きが見つかったような驚きと恐怖と焦りが入り混じった表情をしたからである。

「あの……」でもまさか、こんなマダムマダムした人が万引きなんかするはずはないし……。なんと言っていいかわからず、けれどとにかく敵意がないことを知らせるために繭子は笑ってみせた。

「どなたでしたっけ」マダムはこわばった顔のまま訊く。

「あ、私、繁田です。あのー、四階の。マンションの。前に一度……」なんだ、私がだれかわからなかっただけか。

「あ、ああ、ああ、ああ、繁田さん」不自然なくらい相づちを打って、マダムはようやく笑顔を作った。

「すごい偶然ですよねー。私、子どもの服見にきたの。っていっても、生まれるのなんて何カ月も先なんだけど。それで、あれ？　どこかで見たことある人だなーと思って」藺子はマダムと、マダムの抱えた本を交互に見て話しだした。「すみません、突然声なんかかけちゃって」

「いいえ、ええ、いいえ、びっくりしちゃって」マダムは笑う。女学生のように声をあげて。周囲の女たちが、ちらりと見るほど。

「絵本ってすごくたくさんあるんですねー。私、本なんか読まないから、ぜんぜん知らない世界。どれがおもしろいのかも、ちっともわかんない」

「え、ええ、そうね、たくさんあるわよね」マダムはさほど興味もなさそうに特設コーナー内を見まわして言う。

「お茶、飲みます？　上にたしか喫茶店が……」マダムの笑い声を聞いてうれしくなった藺子は誘ってみた。どんな本を買ったのか見せてもらいたかった。

「え、お茶？　ああ、お茶、ごめんなさい、私このあと、ちょっと用事があって。ごめんなさい、時間があんまり……ごめんなさいね」

もちろん断られることも予想していたから、藺子はさほどがっかりはしなかったのだが、マダムはよほど悪いことをしたと思ったのか、執拗に謝る。

「ううん、突然誘ったのはこっちだもん。こっちこそごめんなさい。じゃあ、また」

藺子はちいさく手をふって、その場を離れた。マダムが胸に抱えていた、いちばん上にあった本のタイトルは『どろんこハリー』だった。どんな本なのか気になった藺子は、並んだ絵本のなかからそれと同じ本をさがす。なかなか見つからない。犬の絵が描いてあった。さがしながら、藺子はちらりとふりかえる。特設コーナー内のレジにマダムはいる。カードで支払いをしている。その本、どこにあったの？　と訊きにいこうかと思うが、急いでいるみたいだったからやめたほうがいいだろうと思いなおす。どろんこハリー、どろんこハリー。つぶやきながら藺子は本をさがし、それは見つからなかったが、きれいな色の毛虫が表紙になった本を手に取ってみる。ページをめくってまたレジをふりかえる。マダムはかがんで何かを書いている。宅配便の伝票だとわかる。あれっぽっちの荷物、持って帰ればいいのに、わざわざ送るんだな、さすがマダム。箸より重いものは持たない主義？　なんちって。藺子は心のなかでふざけて笑う。そのときマダムが顔をあげ、ふたたび目が合う。藺子は笑って会釈をしたが、マダムは目をそらし宅配伝票を店員に渡している。店員の渡す控えを受け取り、マダムは小走りに特設コーナーを出ていった。その姿を目で追ってから、藺子は手にした絵本に目を落とす。あんまりおもしろいとは思えないが、でも、子どもが読んだらおもしろいのだろうか。絵本を元に戻し、藺子はコーナー内をぶらぶらと歩く。ようやく『どろんこハリー』を見つける。

ああ、あった。千円と消費税。子どもの本のくせに、ずいぶんと高いんだなと繭子は思う。でも、ま、いいか。新しく手に入れた暮らしに、節約は似合わない。今買わなければタイトルを忘れてしまうだろうし。

繭子はその本を手にレジに向かう。きなりのエプロンをつけた店員に代金を支払い、本の入った袋を受け取る。特設コーナーを出、子ども服売場をぐるりとまわる。こんなふうにふらりと新宿に買いものにこられるなんて夢みたい。引っ越してよかった。フリルやリボンのついた服のあいだを歩いているうち、繭子は自然ににやにや笑いをしている。二階の婦人服も見ていこう。もうすぐおなかが大きくなってくるから、買えないけれど、見るだけ見るだけ。にやにやと笑ったままエスカレーターに向かうと、上階から下りてきたマダムとまたしても鉢合わせした。よほど縁があるのだと思うとおかしくなって、繭子は笑いだした。

「やーだ、また会っちゃった」

エスカレーターを降りたマダムはさっと顔を赤らめ、みるみるうちに不自然なくらいその顔は赤く染まる。背後から降りてきた人が、立ち止まったマダムでつかえてしまう。

「あ、人が」繭子はあわてて下りのエスカレーターに乗る。マダムも乗ってくる。

「こういうことってあるよね、一回会っちゃうと、何度も何度も会うって。それでだんだん恥ずかしくなってきて」

一段うしろのエスカレーターに乗ったマダムに話しかけながら、繭子は今さらのように気づく。マダムの背後に連れらしい男がいることに。ああ、この人と待ち合わせをしていたのか。だから急いでいたのか。マダムが赤くなったのは、私にまた会ってちょっと厄介だと思ったのだろうと繭子は納得する。さっきみたいにあれこれ話しかけられたら困ると。

「ちょっと、仕事があって」マダムは繭子に言った。

「ああ、お仕事中。ごめんなさい、さっきは邪魔しちゃって」

「邪魔なんか」

四階から三階に下りるエスカレーターに並んで乗る。マダムの連れの男もうしろからついてくる。ちらりと見ると、先だって見かけた夫よりは背の低い、痩せた男だった。

「じゃあ私、ここで。まだ買いものしていくんで」

エスカレーターが二階に着いたとき繭子が言うと、マダムは非常にわかりやすく安堵した表情を見せた。

「今日はすみません、いろいろうるさくしちゃって」繭子は言った。

「いいえ。今度ゆっくり遊びにいらして」安堵した表情のマダムはいつものように鷹揚に笑い、下へ向かうエスカレーターに乗った。そこに立ったまま見ていると、マダムの連れの痩せた男がふりかえって繭子に会釈した。えくぼのある、年齢不詳の男だった。

あのどっしりした夫より、今の男の人のほうが私は好みだな。繭子はそんなことを思いながら、若い女性が行き交うファッションフロアを歩く。マダムは働くママだったのか。繭子は感心する。私なんんか、無理だな。もしこの子が幼稚園に入るころになっても働くなんて絶対に無理。牛丼屋のアルバイトも電話番のアルバイトも長続きしなかった。私はずっと家にいて、子どものためにおやつを作ったり、体操袋を手縫いで作ったりする、そんなおかあさんになりたい。っていうか、そうなるしか、ないんだけど。

第三章　一九九七年五月――

◇

レジャーシートの上に次々と出されるタッパーウェアを見て、千花は驚いた。てっきり公園で子どもたちを遊ばせたあと、どこかに食事にいくのだと思っていた。

「ごめんなさい、私、なんにも持ってこなかった」

雄太のお菓子と、紅茶入りの水筒だけが入ったトートバッグを広げてみせる。

「いいのよ、そんなの。私のはあまりものだもの」瞳が笑う。瞳のタッパーウェアには、鶏の唐揚げとブロッコリーが入っており、続けて出した銀色の包みはおにぎりだろう。

「私のは出来合いだし」繭子は、総菜屋で買ってきたらしいパックを取り出す。ポテトフライに肉団子である。

「お口に合うかわからないけど」容子のタッパーには、切り干し大根やひじき、南瓜《かぼちゃ》の煮物が几帳面に区分けされている。

「ママ、ぼくにもちょうだい！」

雄太が割りこんできてタッパーに手をのばし、卵焼きを素手でつかんで口に入れる。

「ユウくん、そんなにがっつかないの」千花が笑うと、みんな笑った。水彩絵の具をまんべんなく塗ったような空には、雲ひとつない。公園内にところどころ植えられた桜は、もう花を落として淡い緑に染まっている。

「それにしても私、心強いなー。こんなにママ友ができて。引っ越してきたときはさー、友だちもいないし、情報もないし、ひとりで子ども産むのやだなーって思ってたけど、もう安心。こっちで子ども産もうかな」

レジャーシートにごろりと横になって繭子が言う。ママ友って何？　と容子が瞳に訊き、「え、ママ友だちってことだよ」と寝転がった繭子が答えている。

「でも繭子ちゃん、こっちで産んだらおかあさんはきてくれるの？　そうじゃなかったら帰ったほうが楽なんじゃない？」

「うちの親、千花りんのところみたいにやさしくないもん。ごはんも作ってくれるかどうかだよ。家帰っても自分のことは自分でやらされるし、そのくせなんか口出しするし。連続バトルでストレスたまると思うんだよね」

繭子の言葉に、瞳も容子も千花も笑った。瞳の連れてきた、この若い女を千花は好ましく思っていた。開けっぴろげで、飾ったところがなく、年上の自分たちに珍妙なあだ名をつけて——瞳はコバちゃん、容子はよーたん、千花は千花りん——まったく気負いなく話す彼女といると、なんだか高校生に戻ったような気がするのだった。つまらないことで半日笑っていられた無邪気な時期に。

「ねえママー、あっちで遊んできてもいい？」

雄太が、持参してきたサッカーボールを手に千花に訊く。

「そんなに遠くにいかないでね。見えるところで遊ぼうね」

「じゃあ、いこうぜ」雄太は光太郎だけ誘って走り出す。先月、雄太と一俊と光太郎は同じ幼稚園に入園したが、一俊だけがべつの組になってしまった。そんなこともあってか、雄太は一俊がいても直接声をかけない。一俊もあとを追っていかず、走り去る二人をじっと見ている。カズくんも誘いなさいと雄太に言い含めたいが、育児書を山ほど読んで、叱らない子育てをしよう、命令しない母親になろうと決めた千花は、薄い気まずさをこらえてタッパーに手をのばす。

「よーたんも子どももうひとり作ったら？」繭子がまださほど膨らんでいないおなかをおさえて上半身を起こし、さもすばらしいことを思いついたかのように言う。

「ええ？」容子は戸惑ったような顔で笑う。

「だってさー、コバちゃんは七月。千花りんは八月でしょ？　私が十月だから、よーたんも今仕込めば早生まれでみんなおんなじ学年になれるんだよ。それってたのしそうじゃん」

「仕込めばって！」千花は笑い転げ、容子と瞳も顔を見合わせて笑い出す。「でも、そうよ、容子さん、みんなで産もうよ」笑いすぎて流れてくる涙を拭いながら千花は言った。本当にそう思った。来年三月までに、ここにいる四人が全員出産したら、さぞやたのしい子育てができるだろう。協力し合って、悩みを打ち明け合って、助け合って。

「ねえ、この子が生まれたら、みんなで写真館いって写真撮らない？　雑誌で見たんだけど、赤ちゃんにね、いろんな服を着させて写真を撮ってくれる写真館が表参道にあるの。うさぎの着ぐるみとか、天使の服とか、もうすっごくかわいいの！　そこは子どもを撮る写真のプロがいて、ぜったいに笑顔の写真にしてくれるんだって」

容子に子どもを作れと言ったことなど忘れたかのように、千花と瞳に向かって繭子は夢中で話す。

「ほんと、繭子ちゃんはいろんなことを知ってるわよねえ」感心したように瞳が言う。

「それが若いって証拠よ」千花は言った。実際、繭子はびっくりするほどいろんなことを知っている。谷中にあるケーキ屋のバウムクーヘンが絶品なこと、吉祥寺にあるフランス製の子ども服専門ブティックのこと、目白にあるヘアエステが自慢の美容室のこと。

「どこのケーキがおいしいとか、どこのレストランが人気とか、私なんかもうさっぱりわからない。おばさんってことよね」

「千花りんは東京の人だからね。東京に詳しいのは田舎者って決まってるじゃん。しかも私のは、ぜーんぶ雑誌の受け売りだもん。買うのはもったいないからコンビニで立ち読み」繭子はけろりと言う。

「じゃあ繭子ちゃん、立ち読みしただけで覚えちゃうんだ、すごいなあ、やっぱり若いのよね、繭子ちゃんは」千花が繭子をしみじみと眺めて言うと、繭子は褒められた子どものように鼻の頭に皺を寄せて笑った。

泣き声がしてみないっせいに雄太たちのほうを見る。転んだのか、光太郎が地面に仰向けになって泣いている。瞳が駆け出し、光太郎を立たせている。雄太は千花のところに駆け戻ってきて、「転んだんだ、コウちゃん」と甘え声で言う。

「嘘ー、突き飛ばしたんじゃん、今、きみが」繭子が笑いながら言うので千花はびっくりする。

「突き飛ばしたの？　雄太」

「違うよ、転んだんだよ」

「ほら、コウちゃん、そんなにすぐ泣かないの。おにいちゃんになるんでしょ」光太郎の手を引きながら、瞳が戻ってくる。

「転んじゃったんですって。話に夢中になって、目を離しちゃった」

「私もよ。何があっても目を離すなって、幼稚園で言われてるのにね」瞳はばつが悪そうに笑う。

冗談のつもりなのだろうが、繭子がまた突き飛ばした云々と言い出したらどうしようと思っていると、

「そろそろ帰りましょうか」容子が後片づけをはじめたので千花はほっとする。

帰る道すがら、ちょうど隣を歩いていた瞳が、

「千花さん、今度みんなでお詣《まい》りにいかない？　安産祈願」

と言う。千花はびっくりして瞳を見た。瞳には、雄太がまだ二歳のときに児童館で会っていた。息子が同い年であるのがうれしくて、千花は瞳を食事に誘ったり、スポーツクラブに誘ったりした。瞳は一度、自宅に遊びにきはしたが、その後、なんとなく自分を避けている雰囲気が感じられ、気軽に誘うのはためらわれた。そのうち瞳は児童館にも顔を見せなくなった。私のことが苦手なのか、もしくは、子どもが同い年というだけで、友だちのようにつるむのがいやなのだろうと千花は思っていた。その瞳が、自分から誘ってくれたことに千花は驚いたのだった。

「えっ、瞳さんそういうの詳しいの？　いきたい、すごくいきたい。私、車出すから遠くでもいいよ」

千花は言った。思いの外声が弾んだ。「ねえーっ」前を歩く二人に千花は叫ぶ。「今度、安産祈願にいこうよ、みんなで！」「いくいくー！」繭子が大声で答え、容子はちょっと困ったような顔で笑っている。容子は妊娠していないのだから、こんなふうに誘うのは

まずかったかなと千花はちらりと思うが、まあいいや、とすぐに思いなおす。こっそり三人でいかれたら、容子だっておもしろくないだろう。それにみんなでいったほうが、きっとたのしい。

繭子の言うところの「ママ友」は、これまでにも千花にはいた。児童館で会ったり、健診にいった病院で会ったりして、親しく連絡を取り合うようになった母親たちは、五、六人いた。けれど、彼女たちと親しくなろうとすると、いつも頑丈な壁に邪魔されているような気がしていた。その壁というのは価値観の違いかもしれない。たとえばある母親は、雄太と同い年の娘に、ブランドものの服しか着せないのだと言っていた。実際その娘は会うと必ずバーバリーだのソニアリキエルだのを着ていて、千花もブランド服は決して嫌いではないが、彼女は娘の服が汚れるのを極端に嫌うのだった。一度雄太がその娘を砂場遊びに誘ったら、大慌てで止めに入った。またべつの母親は、千花の叱らない、命令しない子育てについて、まるで姑のようにくどくどと説教をした。ひとり、互いの家を行き来するほど親しくなった、同い年の子を持つ母親もいた。新しい友人の出現に、千花はただただよろこんでいたのだが、幾度か彼女のマンションにいくうち、あることに気がついた。彼女は、千花のマンションに遊びにきたとき目にしたものとそっくり同じものを買い揃えているのだった。子ども用の食器や遊具といったものから、ハンドタオルやスリッパといった雑貨まで。しまいに、千花の着ている服をどこで買ったのか聞き出し、自分も同じものを買ってくるようになった。そんなようなつきあいはだんだん息苦しいものになっていき、自分の子どもも雄太と同じ幼稚園に入れると彼女が言ったとき、千花のなかでその息苦しさははっきりと不快感に変わった。だから彼女の息子が考査で落ちたとき、自分で自分を恥じるくらい千花はよろこんだのだった。幼稚園がはじまって彼女からの連絡が途絶えたとき、千花は心底ほっとした。きっとあの人は、新たに真似のできるだれかを見つけたんだろうと思った。

そんなわけで、瞳や容子、瞳の連れてきた繭子と会えたことが千花にはうれしかった。繭子は開けっぴろげで話していて気持ちがいいし、容子はもの静かだが思慮深さが感じられ、かつて母親たちに感じた違和感を、瞳なら隅々までわかってくれるだろうと千花は思う。この人たちとなら、ユウくんママ、コウちゃんママといったよそよそしいつきあいでもなく、「ママ友」なんて一時的なつながりでもない、もっと長いつきあいができるのではないか。だれかの母とか、だれかの妻ではなく、自分自身として。

千花はときおり自分を襲う焦燥感を思い出す。平凡に結婚し、平凡に子どもを産み、ちいさなころ願ったようなピアニストにもデザイナーにもならず、どこにでもいる専業主婦として日を過ごしていることに対する、薄いヴェールに覆われているような、敗北感にも似た焦燥感である。この三人といると、それがきれいに一掃されることに千花は少し前から気づいている。容子も瞳も繭子も、日常をあまりにも堂々と引き受けている。

そんな彼女たちと話していると、これでいいのだ、私は間違ってなんかいない、と、今まで味わったことのない自信を持つことができるのだった。

ファミリーレストランの前で、みんな手をふりあって別れる。容子はそのまま家へ、繭子はコンビニエンスストアへ、瞳はスーパーマーケットにいくと言う。千花も手をふり、雄太とともに少し歩いてからふりかえる。べつべつの方向に歩いていった三人が、おんなじようにふりかえり、笑いながら大きく手をふっている。

◇

境内は思いの外広く、ひっそりとちいさな神社を想像していた容子は驚いた。安産祈願で有名な神社だけあって、土曜日の昼間、境内は瞳と似たような妊婦や、夫婦らしき二人組でにぎわっていた。階段を上がり鳥居をくぐると、

「あっ、ワンワン！」光太郎が駆け出す。一俊はちらりと容子を見上げてから、光太郎におずおずと近寄っていく。丸い台座に置かれた犬の像に見入る息子たちに、瞳はトートバッグから出したコンパクトカメラを向ける。

「瞳さん、準備いい」容子が言うと、

「友だちに送ろうと思って」瞳は答え、中腰になってシャッターを押した。

二人並んで手水《ちょうず》を取り、息子たちの手にも水をかけてやり、神札所《しんさつじょ》で安産祈願の申し込みをする。それほど待たずに名前を呼ばれ、本殿でお祓《はら》いをし、さらに祝詞奏上《のりとそうじょう》をしてもらう。さっきまで興奮してはしゃいでいた一俊と光太郎は、見慣れない神主の衣装や道具に怖じ気づいたのか、かたく口を引き結んで椅子に腰かけている。一俊が泣きそうな顔をしているのに気づき、泣くな、泣くなと念じながら容子は祝詞を聞いた。

「ねえ、おみくじ買わない？」

祈禱を終えて本殿を出たところで、おみくじの文字を見つけて容子は言った。

「私、そういうの、いいわ」

軽い気持ちで誘ったのに、瞳は眉をひそめるようにして言う。「だって凶が出たらくよくよ気にしちゃいそうだもの。私、本当にそういうの、弱いの」つけ足して、瞳は笑ってみせた。「それより、絵馬を書かない？」

「えまって何？」光太郎が訊き、

「神さまへのお手紙よ。元気のいい赤ちゃんがうちにやってきますように、っていうお手紙」瞳が答える。

「絵馬はあっちだね」看板を見つけて容子は歩き出す。まじめないい人なんだなと、容子は瞳のことを思う。なんだか瞳の言いかたには、絵馬に書きつけたことを本当に神さまが読んでくれると信じているような響きがあった。

見せて見せてと息子二人が騒ぐので、瞳と容子は彼らにもよく見えるよう、しゃがんで絵馬に文字を書き入れた。「元気な子が生まれますように」と書かれた瞳の絵馬を見て、容子はうらやましくなる。「家内安全」と書いた自分の絵馬を見、

「赤ちゃん、私もほしくなっちゃった」と容子は冗談めかして言った。

「いいじゃない、繭子ちゃんも『今仕込めば』って言ってたし」瞳が言い、二人で声を合わせて笑った。

「おいらも書くよ、書きたいよ」

光太郎が瞳のスカートを引っぱって騒ぐ。

「コウちゃんは子どもなんか産まないでしょ」瞳の言葉がおかしくて、容子は空を仰いで笑った。

「残念だったわね、繭子ちゃんと千花さん」

境内のベンチに座り、それぞれ缶ジュースを息子と分け合って飲みながら、瞳は言う。繭子は風邪をひきそうなので外出は控えたいと言い、千花は父親の誕生会と重なってしまったと言って、今日はこられなかったのだ。

「おみやげにお守り買っていこうよ」

「そうね」

光太郎が少し離れたところに駆け出していき、ぱっとしゃがみこんで何かいじってい

る。顔をあげ、一俊においでおいでをする。一俊は了解を求めるように容子を見上げてから、光太郎に近づいていく。地面にしゃがみこんで何かを熱心に見ている子どもたちを、容子と瞳はしばらく無言で眺めた。

「私ね、最初、千花さんって苦手だったの」

ふいに瞳がそんなことを言いだし、容子はびっくりして彼女へと視線を移す。息子を眺めたまま、口元に笑みを浮かべて瞳は話しはじめる。

「なんていうか別世界の人って感じで。ほかのところがどうなのかはわからないけど、私たちが住むあのあたりって、なんだかやけにかっこいいおかあさんが多いじゃない？子どもは一貫教育の私立小に入れるって早々と決めていたり、まだ二歳や三歳なのに英語や水泳を習わせたり。それればかりじゃなくて、おかあさんたちも、なんだかみんなきれいじゃない？　忙しくて疲れてるはずなのに、髪もお化粧もきちんとしていて、雑誌に出てくる人みたいにおしゃれで。きれいにしていないことは罪悪だと思ってそうな……。最初、千花さんもそういう人なのかなって勝手に思ってたの」

「ああ、だって千花さん、いつもきれいにしてるもんね」容子はうなずく。

「そうなの。だから、幼稚園ママにもときどきいるけど、そういうタイプかなあってちょっと思って、最初敬遠してたのよ」

「ひょっとしてユメちゃんママのこと？」

今、三歳児の全クラスでもっとも有名な母親の名前を容子は出した。結婚前はモデルをやっていたと必ず自己紹介で言う若い母親のことである。夢香《ゆめか》という娘は、バレエ、英語、ダンスと習いごとばかりか、小学校入試に備えて幼児教室にも通っているらしい。夢香と一俊は同じ組ではないが、ほかの母親たちから夢香の話は聞いていたし、園庭で幾度も見かけている。母娘ともども華やかを通り越して派手で、口を開けば入試だの幼児教室だのと言っているので、園内では浮いた存在だった。

「やーだ、容子さん」瞳は容子の背を軽く叩き、おなかをおさえて笑いだした。いつまでも笑っている。

「そんなにおかしい？　だってああいう野心剝き出しの人、やっぱりめずらしいじゃない。瞳さんが言ってるのはそういう人のことでしょ？　がつがつした女っていうか」

瞳は顔をあげ、笑いすぎて涙のたまった目でまじまじと容子を見て、

「容子さんって、なんでもはっきり言う人なのねえ……」感心したようにつぶやいている。はっきりものを言う、などと言われるのははじめてで、何かいけないことを言っているのだろうかとちらりと思ったが、容子は話し続けた。

「だって、がつがつしてるとしか形容しようがないじゃない。たしかにね、そういうおかあさんは多いよね。土地柄というのもあると思うけど。勝手にやってくれって感じよね」容子は笑い、瞳はびっくりした顔で容子を見る。

たしかに、ほかの人が相手だったら、こんなふうなことは言わないだろうと容子は気づく。もっと言葉を選ぶか、何も言わずに聞き流すかのどちらかだろう。たぶん、瞳だから話せるのだ。そう気づいて、容子はもっと話したくなる。学生時代のこと。女子大に入学し、寮住まいをしていた四年間のこと。最初は、自宅から通う女の子たちの華やかさや、金遣いの荒さがうらやましかった。毎週末にくり返されているらしいパーティや合コンといったものに、誘われたいと思っていた。実際、寮の同級生たちは彼女たちにあこがれ、仕送りの額が多い人は服を買いまくり、仕送りの額が少ない人はアルバイトに精を出し、彼女たちとの交際に心を砕いていた。寮には門限があったので、派手な遊びかたを覚えた女の子の多くが、二年の途中で寮を出てマンション暮らしをはじめた。気がつけば寮には、自分と似たタイプの、地味な女学生ばかりが残っていた。

けれどそのころには、容子は寮を出ていく女の子たちを見下していた。馬鹿馬鹿しいと思っていた。親のお金で服を買いまくり、恋人さがしに奔走し、挙げ句の果ては家賃が寮費の数倍はするマンションを借り、借りたところでやることといったら男の子に体をあずけるくらいじゃないか。そんなふうに思っていた。

もしかしたら、それはコンプレックスだったのかもしれない。派手で華やかな同級生のようになりたくて、でもなれなかったから、彼女たちを見下げたのかもしれない。けれど、と容子は考える。表参道も六本木も知らずに四年間過ごした私より、華やかな女の子にあこがれて寮を出ていった女の子たちのほうが、よっぽどつらかったに違いない。もしかしたら、今だってそのつらさを抱えているかもしれない。あの人たちはあの人たち、私は私。あのとき見切りをつけて、私は救われた。私も同じように彼女たちの真似をしようとしていたら、今だってずっとつらい毎日だったろう。そんなふうに思うのだ。

ねえ、そう思わない？　と、容子は瞳に話してみたかった。そう話してみたかった。勝手にやってくれと言える今が、どんなに自分にとって幸福であるか。

「でも、ぜんぜんちがったわ」ふいに瞳が言い、それがさっきの千花の話だと容子が理解するまでに、少しかかった。「思ってたような人じゃなかった。気さくで、こまやかで。でもそういうこと、容子さんたちに会わなかったら、気づかないままだったかもしれない。だから、感謝しているの。今日だって、つきあってくれてありがとう。みんなこられなくなったって聞いて、私ひとりだったらきっとこなかったわ」

今度は容子がまじまじと瞳を見る番だった。「感謝している」などと面と向かって話す素直な人に、今まで会ったことがないような気がした。

「そんな、私だって……」容子はもごもご言った。私だってあなたたちに会えてよかったと思っていると言いたかったが、言えなかった。そんな嘘くさいせりふを言えば、今ここで言葉を交わしていることも嘘くさくなってしまいそうに思えた。「瞳さん、今日のお夕飯は何にするの？」それで容子は、そんなことを訊いた。

「そうだった、帰りに晩ごはんのおかず買っていかなきゃ。そうねえ、昨日は魚だったから今日は肉かなあ」

「肉だと楽よね、献立が。野菜もいっしょに食べられて」

「ほんと。焼き魚なんかだと楽だけど、野菜のおかずも用意しなきゃならないしね。それにうちの子、お魚だとあんまりごはんを食べないの」

「うちもよ。青魚はぜったいに食べてくれない」

容子と瞳は顔を見合わせて笑い、ベンチから立ち上がった。額をつきあわせるようにしてしゃがみこみ、木の枝で何かいじっている息子たちの元に近づく。何をしているのだろうとかがみこんで、容子はちいさく悲鳴をあげた。一俊と光太郎が木の枝でいじりまわしていたのは蛾の死骸だった。

「やだ、カズくん、それお手てで触ってないわよね？」

一俊は、叱られるのかと泣きそうな顔で身構える。

「触ってないよ、だってこれ、死んでいるんだもん。触ったらばいきんがついちゃうんだもん」

光太郎が一俊をかばうように言う。

「念のため、手を洗って帰りましょうね」

光太郎の手をとって歩き出す瞳に容子も続く。手水舎で並んで息子たちの手を洗わせ、境内を出る。今朝のテレビでは梅雨入りしたと伝えられていたが、空には薄い雲が流れる青空が広がっていて、雨の気配はない。

地下鉄は空いていた。連結器に近い三人がけの席にそれぞれの息子たちとともに座る。

「私ねえ、瞳さん」本当はこわかったの。幼稚園、小学校、中学高校と、いくのはこの子なのに、私自身がもう一度くり返さなくてはならないような気になっていて、前よりはずっとうまくできると思うんだけれど、それでもやっぱりこわかったの。気の合わない人やどうしても好きになれない人、あこがれてしまう人嫉妬してしまう人、そんな大勢のなかで生きているうち、そんなことは私には関係ないと割り切ることができなくなってしまうことが、こわかった。手に入らないものをほしがったり、ほしくもないものに焦がれたり、そういうこと、ねえ、瞳さんにも覚えがある？ ――心のなかで容子は必死に話しかけながら、けれど口を出た言葉は、まったく違うものだった。「今日はビーフシチューでも作ろうかと思うわ」

瞳はそれを聞いておなかをかばうようにして笑い出した。

「やだ、もう容子さん、真剣な顔して何を言うのかと思ったら、夕飯のこと、ずっと考えてたのね。ああ、おなかが痛い。いたたたた、蹴ってる蹴ってる」

笑い続ける瞳を見上げ、「ママ、あかちゃん？」光太郎は訊き、ちいさなてのひらをそっと瞳の腹部に当てている。

「そんなに笑うかなあ」容子も笑った。

「私も、それじゃあビーフシチューにしようかな。今日はちょっと奮発して、お肉屋さんにいって」

「鴨居ミート？　ならいっしょにいこう、帰りに」

「そうね、いっしょにいこう。あいたたた、笑いすぎちゃった」

涙を拭う瞳を、不思議そうな顔で光太郎が見上げている。

◇

仕事場と称して大介が借りている1LDKの部屋は清潔とは言いがたい。本と雑誌が三方の壁に沿って積み上げられた様子は、平屋建てをのみこむように生い茂った蔦《つた》を思わせる。台所の流し台もシンクも、使ってはいないが洗ってもいないので、白っぽくすんでいる。ほとんどの時間、窓が閉め切られているせいで空気はよどんでいる。窓を開けると近くにある魚市場から生臭いにおいがほのかに漂ってくる。

それでもかおりはこの狭苦しい、陽のあたらない部屋にいると気分が安らいだ。革のひび割れそうなソファに横たわっていると、そのまま動きたくなくなるのだった。今もかおりは、服に皺《しわ》が寄るのもかまわずソファに寝そべって、浴室から漏れてくるシャワー音と、古びたエアコンがからから音をたてるのを聞きながら、寝入りそうになってははっと目覚め、がくりと腕を垂らしては驚いて目を開けることをくり返していた。目を開けるたび、薄暗い部屋で唯一明るい窓が目に入った。半分開いたカーテンから見える空は、幾本もの電線に分断されていて、灰色だった。

もうあなたと会わないと今日こそ大介に言い放つのだと、昨年かおりはずっと考えていた。大介と会う約束のある日は必ずそう決意していた。なんだか私、ケーキを目の前にするたびダイエットを決意する二十代の血色のいい女の子みたいだ、とかおりは思い、自嘲気味に笑っていた。

こういう部屋を、こういう暮らしを、かおりは毛嫌いしていた。埃っぽくて暗くて散らかった部屋。生活のために用意されたのではない部屋。結婚前にかおりがひとりで住んでいたマンションと、よく似ている。似たような間取り――十二畳の洋室と六畳の和室の1LDK――で、窓からは似たような景色――灰色だったりえんじ色だったりするビル、電線と狭い空――が見えた。そのころかおりは懸命になってその部屋を部屋らしくしつらえた。ドイツ製のソファを買い、掃除の苦労も考えず北欧のおもちゃを至るところに飾り、ブランド名のついた食器を食器棚に押しこんでいた。何かを買い足しても買い足しても、部屋は自分の求めるものとかけ離れていった。飾れば飾るほど、醜悪さを重ねていくように思えた。結婚したら、とかおりはよく考えていた。結婚したら私の願うような美しい場所で暮らせるだろうか。

ドアの開く音でかおりは目を開ける。また眠りに落ちていたようだ。まどろんでいるあいだ、永遠のように感じられたのに、ソファテーブルに置かれたデジタル時計を見ると、三十分もたっていない。やがて洗面所からドライヤーの音が聞こえてくる。

「どうする、めしを食う時間はあるの？」服を身につけ、髪を乾かした大介が洗面所から出てくる。

「ああ、そうね、めしは無理だわ」かおりは大介の口調を真似て言う。めしは無理か、わざわざくり返し、大介は低い声で笑う。

「じゃ、お茶でも飲んでいこうか」大介はホテルの名を挙げる。「あそこで茶をしばけば、きみんちまではタクシーですぐだろ」

「そうね、じゃあそこで茶をしばきましょう」かおりは言い、こらえきれずに笑い出す。

大介に続いて部屋を出、古びたエレベーターに乗りこむ。じっとかおりを見ていた大介が、人差し指でかおりの目尻を撫でる。

「寝ただろう、さっき」

「え、何？」

「鳥の……鳥のなんて言うんだっけ」

「やな男。鳥の足跡でしょ」

「ああそうだ、鳥の足跡。いいたとえだよなあ。詩的というか」

「何が詩的よ。ふつう女性にそういうこと言わないんじゃないの」

「いや、へんな意味じゃなくて、きれいだなあと思うんだよな。砂浜に鳥の足跡がついてたら、なんかこう、ぐっとくるだろう」

かおりはバッグからコンパクトを出し、のぞきこむ。エレベーターの戸が開き、あわてて降りる。

「どうせ私の肌は砂浜で、小皺は鳥の足跡よ」かおりはすたすたと通りへ出、タクシーをさがす。

「わかってないなあ、かおりちゃんは」大介はぼやきながらついてきて、かおりの止めたタクシーにのっそりと乗りこむ。

タクシーが走り出して数分もたたないうちに、フロントガラスに水滴が流れていく。ああ、雨か、運転手が独り言を言う。シートに投げ出されたかおりの手を、大介が軽く握る。手をつないだまま、かおりは窓の外を眺めている。歩道を歩く人々はまだ傘をさしていない。雨足はこれから強くなるのだろうか。衿香のお教室が終わるころにはやむだろうか。

「今日、衿ちゃんは？」

衿香のことを考えているのを見透かすように大介が言う。かおりはバックミラーで運転手の顔をちらりとうかがってから、小声で答える。

「母が付き添ってる」

「今日はなんの日？　お料理？　ピアノ？　体操？」

「あの子、体操なんか習ってないわ」大介の言葉に軽く苛立ちつつ、かおりは答える。

「受験、するんだっけ」

かおりは大介の手から自分の手をさりげなく抜き取って、ハンドバッグを開け、携帯電話をチェックする。留守電が入っている。あわてて再生すると、母からだった。「お教室の帰り、衿とおやつを食べていってもいい？」と言っている。背後で衿の笑い声がする。

「なあ、受験、するんだっけ？」窓の外を見ながら、大介はもう一度訊く。

「まだわからない」

かおりは短く答えた。

「まだわからないなら、そんなに習いごとさせることもないんじゃない？　もしやっぱり私立いこうってこれから決めたとしても、まだ間に合うんだから、あんまりかりかりすることもないと思うなあ。そもそも受験っていったって、子どもなんだから、偏差値だのなんだのってはっきりした基準は……」

「そういう話、するのやめようって決めなかったっけ？」

こちらを見る運転手とバックミラーで目が合い、かおりは自分が声を荒らげたことに気づく。

「かりかりしているわけじゃないし、習いごとはさせているんじゃなくて、あの子がしたいって言ったものしかやってないわ」かおりはわざと陽気な口調で言い、携帯電話をバッグにしまってまた窓に顔を向けた。

大介には、中学一年と小学校四年の子どもがいる。どちらも女の子だ。家庭の話をしないことは、つきあいがはじまってから二人のあいだで暗黙の了解だったが、かおりが結婚し、衿香が生まれ、その後また定期的に会うようになると、大介は娘たちのことをいろいろと話すようになった。だからかおりは、彼の娘が二人とも小学校受験をして、大学まで一貫の私立校に通っていることを知っている。横浜に家のある大介の娘は、小学生の時分から一時間近くかけて都内の学校に通っていることも、二年前まで彼女たちの通学時間に合わせて大介も早くに家を出、父娘三人で電車に揺られていたことも、上の娘の好物が海老フライで下の娘が美術部に属していることまでも知っている。はじめて聞くそういった話は、かおりにとって不快なものでは決してなく、かおり自身もまた、衿香がはじめてママと言った、歩行器なしで歩いた、定期健診で褒められた、『ぐりとぐら』が気に入って何度でも読めとせがむと、大介にあれこれ話すようになり、かおりの結婚前には煮詰まり気味だった二人のあいだには、なんだか児童館で顔を合わす主婦じみた雰囲気も生じて、以前とは違った意味でずっと親密になったように感じられた。けれど衿香が幼稚園に入り、その先の進学について考えなければならない時期になると、大介の話がかおりの癇に障るようになった。

大介は、娘たちは公立校で充分と考えていた。自身も小学校から私立だという大介の妻が、私立進学を強く希望し、受験することになった。けれど大介は、ちいさいうちから子どもに何かを強制するのが嫌だったから、受験勉強、幼児教室の類《たぐい》はいっさいいかせなかった。今では結果的に私立にしてよかったと思っている。私立がすべてよいとは言わないが、今の学校は選んで正解だった。エクスカーションが豊富で、決まりきったカリキュラムよりも生徒の個性をのばすことに重きを置いているし、ときどきマスコミで聞くような荒れた授業風景とは無縁の学校だった。というのが大介の話だった。最初かおりは、単純に大介の娘たちをうらやましいと思いながら聞いていた。運動部や合唱部といった通り一遍のものだけでなく、陶芸だのダンスだの乗馬だの、小学校から多彩かつ本格的なクラブが揃っていて、夏にはサマースクールが、冬には有志参加のスキースクールが催され、加えて雛祭りや十五夜といった伝統的な行事も行うという、いいことずくめの学校に姉妹で通えるとは、なんと幸福なことだろう。大介も妻も、娘たちに関しては早々と一安心しているのではないか。

そんな話を聞いていたから、かおりは衿香の幼稚園入園の際、女子校附属の私立幼稚園を受験させたのだった。けれど衿香は受からなかった。受からないなんて事態を想定していなかったかおりは驚いて、三年後にやってくる小学校入学のことを真剣に考えはじめた。大介の娘が通う学校の受験事情を調べてみると、大介の話とは裏腹に、他校より倍率が抜きんでて高く、その学校受験だけに的を絞った幼児教室もあるほどで、「特別なことは何もしない」で受かるはずがないように思えた。衿香の幼稚園がはじまってから、かおりは大介に、受験合格の秘訣をことあるごとに尋ねたが、大介は最初とまったく変わらず、「特別なことはしていない。あれこれ強要しないでのんびり育てただけ」と答えるだけで、あげく、「そんなにかりかりしなさんな。母親の焦りや不安を、子どもは敏感に感じとるんだから」などと説教めいたことまで言い出す始末だった。

衿香が年少組から年中組へと上がると、かおりは大介の娘たちの話を避けるようになった。大介の言うとおり何もしないでその学校に受かるはずがない。大介か妻の身内に学校関係者がいるとか、妻がその学校の卒業生だとか、何かしら理由があるはずだ。あるいは大介が何も知らないだけなのかもしれない。公立校でかまわないんじゃないかとのんきに言い放ち、ほとんど家にも帰ってこない夫を見限り、妻がひとりで娘を幼児教室に通わせ、自宅でも勉強させていたのではないか。護もまた、衿香が幼稚園受験に落ちた時点で「受験はこりごり」と言い、小学校は公立でいいという意見だった。私立希望のかおりと、意見の対立で険悪な雰囲気になったことも幾度かある。言い合いになるとかならずかおりに言い負かされてしまう護は、最近では衿香の進学にたいしてノータッチを決めこんでいる。衿香の習いごとも「反対はしないから費用は出すが、賛成もしていないので自分は関わりを持たない」と言っている。大介だってきっとそうだったのだ、彼の妻がひとり奮闘して娘たちを難関校に入れたのだと、かおりは、大介と護を重ねて思ったりもした。

娘たちの学校をのんきに褒め称える大介を、ともすると憎みそうになっている自分にかおりは気づき、苦笑した。夫でも親族でもない、好きこのんで会う時間を作っているのに、なぜ憎む必要がある。彼の話に苛つき、彼の無神経を憎むのならばさっさと別ればいいだけの話なのだ。だからかおりは大介に提案したのだった。おたがいの家庭の話をするのはいっさいやめましょう、と。

「ああ、本降りになってきた」

大介がつぶやく。タクシーはホテルの車寄せに入る。かおりは先にタクシーを降り、大介が精算しているあいだ、腕時計に目を走らせる。母と衿香がカフェでケーキを食べてくるなら、一時間はだいじょうぶだとすばやく計算する。大介がタクシーから降り、並んでホテルの入り口へと向かう。制服姿の従業員が恭しく頭を下げて迎える。

「少しゆっくりできるわ」

回転扉をくぐり、かおりは言う。

「それはよかった。雨の日のお茶ってのもいいもんだ」

「悪いわね、遠まわりさせて。今日は徹夜になっちゃうんじゃない？」

大介を見上げて微笑み、かおりは不思議に思う。私とこの人をつなげているものは、いったいなんなのだろうと不思議に思う。それは愛に近いものか、恋に近いものか、惰性に近いものか、それとも自分の知らない種類の何かか。

◇

実家の居心地は予想どおり決してよくはなかったが、しかしマンションに帰ることも繭子は不安に思っていた。祐輔は、たぶんよその夫よりは家事に協力的だし、掃除をしていなくても、夕食が総菜や出前でも文句のひとつも言わないが、しかし朝早く出て帰りはだいたい九時過ぎである。日中はひとりきりで怜奈《れな》の面倒を見なければならない。そんなこと、私にできるのかな、と不安だった。

臨月になったとたん実家に戻った繭子が、その近隣でいちばん大きな病院で出産したのは十月の半ばだった。女の子だった。女の子だったら怜奈と書いて、れな。男の子だったら怜央と書いて、れお。そう名づけようと、祐輔と幾晩も相談して決めていた。繭子の両親は、そんな外国人みたいな名前、とケチをつけたけれど、父の勧める「寛子」や「優子」、母の勧める「苗子」「華子」に、譲歩するつもりはなかった。

いつ生まれてもおかしくない、と医者が言っていた日ですら、朝の七時に繭子を起こし、朝食作りを手伝わせ、掃除を命じる母だったが、第一号となった孫は尋常でないほどかわいいらしく、父と母で競うように風呂に入れたり、おむつを替えたり、あやしたりと世話を焼き、近所でひとり暮らしをする姉も帰ってきて、れなれなれーなちゃん、と抱いて離そうとしないので、実際繭子は助かっていた。この、孫・姪かわいがりの三人がいなくなれば、お風呂もおむつもあやすのも、ぜんぶひとりで引き受けるのかと思うと、なかなか帰り支度は進まなかった。

ようやく繭子が「明日、帰る」と言ったのは、両親に言われたからでも、祐輔からせっつかれたからでもなく、千花から電話をもらったからだった。

「予定日に電話したかったんだけど、その日に生まれてるかわからないし、遠慮してたの。もういいんじゃない、電話してみようよって瞳さんが言い出して、それで私がかけることになったの。お産、たいへんだった？　繭子ちゃんは元気なの？　ねえ、男の子？　女の子？」電話口の弾んだ声は、夏休みのあいだ会えなかった親友のようになつかしく感じられた。女の子で、怜奈という名だと繭子が告げると、千花は二児の子持ちとは思えないほどはしゃいだ声をあげた。

「わあー、女の子、うちといっしょね！　ねえ、いつ帰ってくるの？　早く怜奈ちゃんに会いたいな。前に繭子ちゃんが言ってた写真館に、みんなでいこうよ。たのしみねえ。そっかあ、女の子かあ」

「でもさあ」千花の声を聞くうち、早く東京に帰って、以前のようにみんなでピクニックをしたり、だれかの家に集まったりしたいと思いはじめたのだが、繭子は甘えた声で、東京でひとりでやっていくのが心配、と胸の内を打ち明けたのだった。

「やあね、何言ってるの。ひとりじゃないじゃない。私も、瞳さんも容子さんもいるじゃない。何かあったら駆けつけるわよ。うちは実家も近いから、私の母もこきつかっていいんだから」と、電話口で千花はそんなことまで言う。

じゃあ、もうじき帰る。帰ったら連絡するよ。そう言って電話を切るなり、繭子は茶の間にいき、

「おかあさん、私、明日帰るわ」と伝えていた。

週末ならば自分が迎えにいくと祐輔は言ったが、繭子は言葉どおり、千花から電話をもらった翌日、荷物を宅配便で東京に送り、怜奈を抱いて上野行きの電車に乗りこんだのだった。

まだ暑さが残るころにはいなかった子どもを抱いて電車に乗り、電車を乗り換え、地

下鉄に乗ることは、繭子には大冒険だった。混んだJRで怜奈が泣き出したときは肝が潰れる思いだったし、混雑したコンコースでは怜奈がケーキのように潰されるのではないかと冷や冷やするし、抱っこ紐は次第に重く感じられてくるし、もうコートを羽織る季節だというのに汗だくになって歩いた。地下鉄を降り、地上に向かう階段を上がり終えたときは、なつかしさと安心感で、その場にへたりこんで泣きそうになったほどだった。

だからマンションのエントランスで六階に住むマダムと会ったときは、そんなあいだがらでは決してないのに、思わずひさしぶりと駆け寄りたいような気持ちになった。しかも、ほとんど挨拶しか交わしたことのないマダムが、

「あら、繁田さん、赤ちゃん」

驚いた顔で親しげに近づいてくるので、繭子はこらえきれずに半べそ顔で、

「産んだのお、私、はじめてひとりでこの子連れて電車に乗ったんだよう」

千花や瞳に話しかけるように訴えていた。

「まああ、それはたいへんだったわねえ。ひとりでなんて、えらいわ。はじめての外出なんでしょう？　かわいい赤ちゃんねえ、女の子、かな？」

マダムは顔じゅうで笑い、怜奈のちいさな手を人差し指でつつく。いかにも都会の奥さまふうで、隙のないお洒落をしていて、親しげに近寄るとへんな受け答えをするマダ

ムは、きっと自分とは違う世界の人なんだろうと繭子は頭の片隅で思っていた。けれど今、いかにもやさしそうで、曇りなくうれしそうなマダムの横顔を見ているうち、鼻の奥がつんとして、あ、やべ、と思う間もなく両目からつーと水滴が落ちた。あ、やべ、へんな女って思われる、なんで泣いてんの、泣くな泣くな。心のなかで思えば思うほど、よほど緊張していたのか、涙は次々あふれてくる。

「あらっ」マダムは泣いている繭子に気づいてちいさく声をあげた。「あらっ、どうしたの、どこか痛い？」

「やだ、違うの、ごめんね、安心しちゃって。電車、乗り換えとか、すっごいどきどきして。おっさんとか、平気でがんがん押してくるし。ああ、よかった、おうちに帰れたと思ったら、安心して、やーだもう、私、馬鹿みたい」繭子は涙と鼻水を手の甲で拭い、なんとか笑顔を作ってみせる。

「ねえ、繁田さん、女の子でしょ？　おもちゃとか、お洋服とか、いらないのを差し上げましょうか」

困ったように繭子と赤ん坊を交互に見ていたマダムは、いいことを思いついたと言わんばかりに顔を輝かせて言った。

「えっ、いいの？　そんな、悪い。悪いよ」

「だって、取っておいたって、ごみになるだけだもの。うちのなんか、もうじき小学校なの。捨てるに捨てられなくて、かといってクロゼットに余裕はないし、困ってたところ。あとで持っていくわ。もちろん、いらなかったら捨てちゃってかまわないの。今から衿……娘を迎えにいくんだけど、戻ってきたらすぐ持っていくわ」

早口で言って、マダムは小走りにエントランスを出、ふりむいて手をふり、そのまま急ぎ足で去っていった。

しんとした家に帰り着き、用意しておいたベビーベッドに怜奈を寝かせ、ナップザックから紙おむつやほ乳瓶、着替えを出し、部屋に変化がないかあちこち眺めて歩き、でもまあ、社交辞令だろうなと繭子は考えた。私が急に泣き出したから、去るに去れなくってあんなこと言ってくれたんだろうな。言葉どおり持ってきてくれるだろうけど、子どもはもう五、六歳なんだろうし、いくらなんでも乳幼児用の服やおもちゃが残っているわけじゃないだろう。でも、そうだ本、本を持ってきてくれるかもしれないな。だったらうれしい。私、本なんか選べないし。いい人なんだ、あの人。赤ちゃん好きそうだったし。

一時間待ってもマダムはこなかったので、冷蔵庫の中身を点検したのち、抱っこ紐で怜奈を抱きかかえ、近所のマーケットまで第二の冒険に出ようと繭子がジャンパーを着ているとき、玄関のインターホンが鳴った。開けると、マダムと娘が立っていた。マダムは両手にふたつ、たしか衿香という名だった女の子はひとつ、紙袋を提げている。雑誌に載っているママモデルと子役みたい。とっさに繭子は思う。

「遅くなってごめんなさいね、これ、たくさんになっちゃったけど、いい？」マダムが言い、

「わあ、赤ちゃん、かーわいい」衿香が背伸びをして怜奈をのぞきこむ。

「ええ、こんなにいいの、本当に持ってきてくれるなんて」

「ゴミを増やしたのじゃなきゃいいんだけど」マダムは恥ずかしそうに笑う。

「ねえ、お茶飲んでかない？　せっかくきてもらったんだし」

「ううん、いいの、ここで失礼するわ」

「そんなに長く引き留めないから。お菓子もなんにもないけど、どうぞどうぞ」繭子は言いながら、二人を案内するように廊下を歩きだした。おかあさん、赤ちゃん見たい。じゃあ、ほんの少しお邪魔する？　衿ちゃん、いい子にしてるのよ。小声で話し合う声が聞こえ、リビングへ続くドアを繭子が開けはなったとき、お邪魔しまーす、と母子の合わせた声が聞こえた。

　前のアパートから運び入れた丸テーブルの椅子に、マダムと衿香はちょこんと座る。怜奈を抱っこ紐で抱えたまま、台所をせわしなく行き来して、棚という棚を開けてみるが、紅茶も日本茶もない。冷蔵庫にはペットボトル入りのお茶とコーラしかない。しかたなく、繭子は酒屋でもらったキャラクター入りのグラスにお茶とコーラを入れて二人

の前に出した。グレイの半袖ニットに真珠のネックレスをつけたマダムと、モスグリーンのやけに大人っぽいワンピースを着た衿香が座っていると、テーブルも酒屋のコップも、一段とみすぼらしく感じられ、家具を新調しなかったことを繭子はひそかに後悔する。

「いただきます」マダムが言うと、「いただきます」衿香もていねいに発語して、両手で抱えるようにしてコーラを飲む。

「わあ、これ、なあに？　はじめて飲む味」と、衿香が言うので繭子はぎょっとした。この人たち、コーラとか飲まないんだろうか。

「それね、コーラだよ。コーラ、いけなかったかな」繭子はおそるおそるマダムに訊く。

「いけないなんてことないわ。おいしいでしょ、コーラ」マダムは衿香をのぞきこむ。

「うん、おいしーい」衿香は目を丸くして答え、マダムが笑う。なんとなく芝居くさい子だな、と思った繭子もいっしょに笑ってみせた。

「あのー、見てもいい？　いただいたもの」

繭子は抱っこ紐を外して怜奈をベビーベッドに寝かせ、床に座りこんでマダムの紙袋を引き寄せた。袋のひとつはバーバリーのもので、もうひとつはイヴサンローラン、衿香が持っていたちいさめの袋はプラダのものだった。この人たち、おんなじマンションに住んでるけど、生活レベルが激しく違うのかしらん。それとも、見栄を張ってブランド店の袋を選んできたのかしらん。繭子は袋から中身を取り出し、「ひえー」と思わず声をあげていた。本とか、使っていないクレヨンとか、着古したカバーオールの類だろうと想像していたのに、ていねいに袋にしまわれていたのは、まさに乳幼児用のおくるみ、セーター、カバーオール、どれもこれも新品のように色あせも黄ばみもなく、なおかつクリーニングのタグまでついている。ワンピースやコート、ズボンにツーピースまであり、それらはもう少し怜奈が大きくならないと着られないようなものだったが、みなブランド品だった。

「ねえおかあさん、赤ちゃん見ていい?」衿香が言い、

「いいよいいよ、見てよ、いくらでも見てよ」あわてて繭子は言う。

「ごめんなさいね、ちょっとサイズがおっきいのもあるけど」

「ぜんぜんそんな! でも、これ、いいんですか? ぜんぶすっごく高いものでしょ? しかも、こんなに」もうひとつの袋には、編みぐるみと、木製のパズル、天井からぶら下げるメリーゴーラウンドが、プラダの袋には、飾り物のようなちいさな靴やバッグが入っていた。「こーんなにタダでもらえるなんて、うっそみたい!」

マダムはそれを聞くとなぜか笑い出した。「よろこんでもらえて、よかった」笑いすぎたのか目尻の涙を拭いながら言う。「繁田さんて、なんていうか気持ちのいい人ねえ。ほんと、よろこんでもらえてよかったわ」

「ねえねえおかあさん、見て！　この子、私の手、握ってるの！　ほら、握手してるのよ」

マダムは立ち上がり、ベビーベッドに近づく。藺子も見にいった。ちいさな衿香の人差し指を、怜奈はさらにちいさな指でぎゅっと握っている。マダムと藺子がのぞきこむと、にまあ、と歯のない口を横に開いて笑い、衿香が歓声をあげる。

「おかあさん、かわいい、かわいいねえ」

「本当、かわいいわねえ、なんだかなつかしいわ、赤ちゃん」

衿香とマダムは口元をほころばせて怜奈に見入っていて、藺子は唐突にうれしくなる。帰ってきてよかったと心から思う。

「おっきくなったら衿ちゃん、いっしょに遊べるね」

「いつになったらお話しできる？」

ベビーベッドをのぞきこみ、マダムと衿香が声を抑えて話す様子は、芝居じみているのを通り越して、なんだかドラマを見ているような気分にさせられた。そうして自分も、悪人のひとりも登場しないそのドラマに入りこんでしまったような気分になった。

「この町、ちょっと不便かなと思ったけど、すっごくいいところだと思う」その気分に浸ったまま、藺子は独り言のように言った。「それとも私の運がいいだけなのかもしれない。子どもできて、ここでひとりで子育てなんかできるかなって心配だったんだけど、ママ友もできたし、その人たち、困ったことがあったら言ってって言ってくれて、実家の両親なんかよりずーっと頼りになりそうだし。引っ越したとこではマダムみたいに親切な人に会えて、こんなによくしてもらえるし、私、引っ越してなんか運が開いてきたのかも」

「マダムって、私？」マダムはきょとんとした顔で言い、また笑い出した。「繁田さんってほんと、おもしろいわねえ」

「これからもいろいろ、よろしくお願いします」藺子はマダムに向かって深々と礼をした。マダムは笑い続けていた。

三十分もしないうちに、「あんまりお邪魔していても申し訳ないから」と言って、マダムは衿香の手を取り、玄関へ向かった。藺子はもっといてほしかったが、夕飯の支度だってあるだろうし、引き留めても迷惑だろうと思い、

「本当の本当にありがとう。すっごくうれしい。もらったもの、大切にします」

玄関まで見送りに出た。廊下を歩く二人の、ストッキングと靴下履きの足を見て、スリッパくらい買おうと藺子は思う。

「それじゃあ、お邪魔しました。またね、繁田さん」マダムが笑顔で言うと、

「おじゃましましたー」衿香が行儀よく頭を下げた。

その夜帰ってきた祐輔に、藺子は今日一日あったことを順繰りに話した。祐輔が寝室

に着替えにいくのにも、洗面所で手を洗うときにも、リビングのベビーベッドからおそるおそる怜奈を抱き上げるときにも、ぴったりと横にはりついて話し続けた。東京まで出てくる冒険話よりも、六階に住むマダムのことを熱心に話した。ビールを飲みながら、さっき届いた宅配ピザを食べる祐輔に、もらった衣類やおもちゃをひとつずつ見せて、それがどんなブランドで、新品を買ったらいくらくらいするものなのか、逐一説明した。

「引っ越してきて、本当によかったよ。やっぱあのとき、無理して契約してほんと正解だったよ」

目を細めて腕のなかの赤ん坊を見、祐輔に、というより、だれにともなく繭子はつぶやいた。

第四章　一九九八年六月――

◇

取材をしたいという作家の話を、瞳は幼稚園のバザーのときに千花から聞いた。梅雨入り宣言はまだ出ていないのに、六月に入ってから雨ばかりで、その日もあいにくの雨だった。園庭でやるはずだったバザーは、それぞれの教室で行われていた。年少と年中の教室では子どもたちが作ったものを物々交換するコーナー、年長の教室では売上金がすべてボランティア団体に寄付される保護者たちのバザー、といった具合だった。机と椅子が片づけられ、床には色とりどりのレジャーシートが敷き詰められ、各コーナーごとに区切られている。平日だったので、瞳は昨年七月に生まれた茜《あかね》を抱っこホルダーに座らせて参加していた。千花も昨年八月に女の子を産んだ。桃子《ももこ》という名の赤ん坊は、今日は母親に預けてきたらしい。光太郎は年中に上がり、今年は一俊と同じすみれ組である。

瞳も容子もバザーには何も出品していなかったが、千花は、編みぐるみやレースのコースター、ピーターラビットやスヌーピーの刺繍の入った弁当袋やシューズ入れを売っていた。千花の母親がバザーのためにはりきって作ったらしいが、しかし売るといっても五百円程度の値しかついていない。フリーマーケットではないのだから、高額なやりとりはなしという暗黙の了解があるが、瞳にしてみれば、材料費のほうがよっぽど高くつくそれらをバザーに持ってくる千花と、その母親の感覚が不思議だった。ほかの保護者が出品しているものは、古びた絵本や漫画、ゲームセンターでもらったようなぬいぐるみ、夫の会社で大量に余ったらしい子ども用靴下、趣味で作っているペーパークラフトなどである。千花の売り物は市販品のように見栄えがよく、瞬く間に売れていく。瞳と容子は揃いでスヌーピーの弁当袋を買い、繭子へのおみやげとして編みぐるみを買っていた。

瞳と容子は千花の店を手伝っていたが、ほとんど品物がさばけてしまい、容子持参のポットに入った紅茶で一息ついたとき、千花がその話をはじめたのだった。

繭子から聞いた話なので、たしかなことはまだよくわからないと前置きしながら千花が言うには、私立幼稚園に子どもを入れている母親に取材をしたいという女性作家がいる。彼女は子どもの教育に非常に興味を持っているらしく、同時に、過熱していく有名幼稚園・有名小学校受験に疑問も感じている。今現在、幼稚園児を育てている母親たちに会って、ぜひ話を聞きたいとその作家は言っているそうなのだが、協力する気はあるか、というのだった。

「繭子ちゃんは、元出版社勤務の、すっごい美人のマダムからの紹介だから、そんなへんな話ではないって。でももし断ったとしても、なんの義理があるわけでもないから気にしないでって言っていたけど」

「美人のマダムだからおかしな話じゃないって、繭子ちゃんらしい言いかた」瞳は笑った。

「でも、今って過熱しているの？　その、子どもの受験とか」容子が訊く。

「うーん、してるんじゃない？　今年、雄太はゆり組でしょ？　ゆり組はけっこうすごい人が多いかも」

「すごいって、どんな？」瞳が訊くと、

「ユウくんママー、シュークリームあるけど、食べる？」去年子どもが同じクラスだった母親が、千花のレジャーシートに膝をつき、四角い箱を差し出す。「これね、エマちゃんママの手作りなの」

「えっ、でも」千花は瞳たちをちらりとふりかえる。箱に入っているシュークリームは二つ。自分だけもらうわけにはいかないと瞬時に思ったのだろう。しかし箱を差し出す彼女は瞳たちに気を留めもせず、

「私、今日キルトのランチョンマット売ってたの。ママのお手製。ユウくんママのも、

ママの手作りでしょ？　はりきっちゃってあれも持ってけこれも持ってけって、やんなっちゃうわよね」

その場に陣取るようにして話しはじめる。

「千花さん、私、ちょっとこの子にミルクあげてくる」瞳がトートバッグを持って立ち上がると、容子も黙ってそれにならった。

子どもたちの絵が貼り出された廊下を、瞳は容子と並んで歩く。ふふふ、と容子が笑う。

「ママ、だって」と、ちいさく言う。

「ねえ」瞳も笑った。茜がぐずる。

「ママなんて、自分の母親のこと、言えないわねえ、恥ずかしくて」

一室が休憩室になっている。幾人かの年少さんたちが母親に抱かれて眠ったり、隅に固まってひとりの母親が見せる紙芝居に見入ったりしている。瞳は空いているパイプ椅子に腰掛け、茜に持参したミルクを飲ませた。

「どう思う、さっきの話」薄目を開けて夢中でミルクを飲む茜を見下ろし、容子が訊く。

「そうねえ、ちょっとどうかなって思う」

「そう？」

「だって、えらそうに言えることなんて何もないもの。教育熱心なおかあさんたちに対して、とくに思うこともないし」

「まあ、そうよねえ」

ミルクを飲ませ終わってから、瞳は容子とともに休憩室を出、子どもたちが物々交換の店を出している部屋をのぞきにいった。子どもたちは早々とお店屋さんごっこに飽きて、てんで勝手に遊んでいる。雄太はほかの子どもたちと走りまわり、光太郎は同じクラスの男の子とゴムボールで遊んでいた。一俊の姿は見えないが、隣の教室で遊んでいるのだろう。容子はしゃがみこみ、売り主のいないレジャーシートに並んだ粘土細工を手に取ってしげしげと眺めている。

「それ、おれが作ったんだよ」

年長組の男の子が走ってきて、真剣な顔で言う。

「すごくうまくできてる」

「かっこいい」容子と瞳は口々に褒めた。

「でも、お金では買えないんだよ。そういう決まりだから。ほしかったら、交換できるものを持ってこないとだめなんだ」一気に言って、また走っていってしまう。容子と瞳は男の子の大人びた口ぶりがおかしくて、顔を見合わせて笑った。

「一年であんなに大人っぽくなるのね」

「光太郎くんは茜ちゃんがいるからだいじょうぶよ。うちも、きょうだいがいればいいんだけど」粘土細工を次々と手に取り、容子は静かに言う。

「産んだら?」

「うん、うちは夫がね……」

口ごもりうつむく容子を見、瞳は気軽に「産んだら?」などと言ったことをとっさに後悔する。人の家の事情はいろいろなのだ。話題を変えるべく、廊下に貼り出されている絵に視線を這わせていると、

「うち、もう、だいぶないの。そういうことが」ちいさな声で容子が言った。

「え?」思わず訊き返したのは、容子が何を言っているのかまったくわからなかったからだった。容子は夫婦生活についてあれこれ言うタイプではなかった。

「ええと、ほら、その、夜の……」

「ああ、ええ」容子にそこまで言わせてはならないと、瞳はあわててうなずく。「うちだってそうよ、光太郎にきょうだいが必要ってそれだけのことで、そのあとはもう」そこまで言う必要はない、でも容子が打ち明けてくれたのだから自分も何か言わなくては……混乱した瞳は、ぎゃあっという子どもの泣き声に、救われた気持ちでそちらを見遣る。

泣いているのはハヤテくんという、ゆり組の男の子だった。隣に雄太が立っている。瞳と容子そばにいた母親が二人に近づき、「喧嘩しちゃだめじゃない」と諭している。

も近づいた。ユウくんが噛んだ、と言ってハヤテくんは泣いている。たしかに、ぷくりとした腕に歯形がついている。

「こら！　ユウくん、お友だちを噛んじゃだめなんだよ。噛むのはすっごく悪いことなんだよ」仲裁に入った母親が言うと、雄太は瞳と容子に近づき、

「おれ噛んでないよ」と訴えるように言った。瞳は、前にみんなで公園にいったときのことをちらりと思い出す。光太郎が泣いたときのことだ。しかしどちらも、きちんと見ていなかったのだから雄太を責めることはできない。

「もうそろそろお片づけの時間ですよー」先生が顔を出して叫び、雄太はぱっと駆け出していってしまった。

バザー終了後は、近くのレストランで打ち上げをすることになっていた。開始は三時で、打ち上げは一時間程度で終わるという。茜もいるし、瞳は帰るつもりでいたのだが、ほかにも赤ちゃん連れの人もいるから平気よ、いこうよ、と千花に誘われ、容子もいくと言うので、結局彼女たちとともにレストランを目指した。

打ち上げといっても料理や酒類が出るわけではなく、ケーキにお茶、子どもたちにはジュースが配られる。保護者のだれかとレストランのオーナーが知り合いらしく、表通りから少し入ったところにあるビストロは貸し切りになっていて、子どもたちがどれほど騒いでも従業員たちは迷惑そうな顔もしないのだった。千花の言うとおり、赤ん坊を

連れてきている母親もいて、なごやかな雰囲気だった。瞳はそっと参加者を見まわし、ハヤテくんの母親をさがした。ハヤテくんも母親の姿も見あたらず、そのことにほっとしたとき、

「ユウくんママ」さっき、二人の子どもの仲裁をした母親が、椅子に座る千花の背後からのぞきこむようにして話しかけた。あ、と瞳は思う。なあに？　千花はにこやかにふりむく。

「さっき、ユウくん、ハヤテくんのこと嚙んじゃったのよ」

「ええ？　本当？」

「そう。だから私、叱っちゃったの。血が出るほどじゃなかったけど、明日、ハヤテくんママに会ったら謝っておいたほうがいいかもしれない」

瞳はケーキを切り分けながら、話に耳をすます。千花はじっと黙って彼女を見上げていたが、

「その瞬間、見てたの？」と、声をひそめるようにして訊いた。

「え、見てないけど、その場にはユウくんとハヤテくんしかいなかったもの」

「でも、見てないのよね？」

気まずい雰囲気が二人のあいだに流れ、千花の隣に座っていた瞳は緊張する。

「でも二人しかいなくて、ハヤテくんの腕には歯形が……」

「わかった。今日帰ったら雄太にきちんと説明させる。それで本当に雄太が悪いようだったら、明日謝りにいくわ。ありがとう、教えてくれて」千花は切り上げるような口調でにこやかに言うと、「ねえ、どうする、さっきの話」並んで座っている瞳と容子に向けて身を乗り出しながら訊く。母親はちらりと瞳たちを見遣ってから、奥の席に戻っていった。

「そうねえ、まだよくわからないけど」容子が曖昧に答える。

私はやめようと思う、と瞳が言いかけたとき、なあに、なんの話？　と、大テーブルの向かいにいた母親が千花に訊いた。昨年光太郎と同じクラスだった、宝子《ほうこ》ちゃんの母親だ。彼女に向かって、「幼児教育についての取材を申しこまれたの」と、千花は簡単に説明している。そんなこと、宝子ちゃんのおかあさんに言わないほうがいいのに、と瞳は内心で思う。

「へええ。ユウくんママ、そっちの方面、熱心だもんね」

「まさか。なーんにもしてないわよ。そういうのんきな母親の話を聞きたいんじゃない？」

千花が笑うと、宝子ママの隣にいた母親もこちらに顔を向け、話に加わる。

「またまたー。雄太くん、水泳も英語もやってるんでしょ。なーんにもしてないなんて、よく言うわよ。そういう子、クラスにひとりはいたわよね。テストの前に、私なんにも勉強してなーい、なあんて言うくせに、百点取る子」

瞳はぎょっとして彼女を見た。年長組の子どもの母親である。親しげな口ぶりだから、千花とは仲がいいのだろうし、そういうあいだがらでのみ通用する冗談なのかもしれなかったが、ずいぶんな言いようだと思ったのである。何より、千花がいわゆるそうした教育ママでないことを、今や瞳はよく知っている。雄太の習いごとだって、本人がやりたいと言い出したからそれを受け入れただけだ。やめたいと言い出したらすぐにでもやめさせる、と千花自身が言っていた。しかし千花は怒るでもなく、やだ、ひどーい、と笑っている。千花は顔が広い。人見知りも物怖じもしないから、だれとでもすぐに仲良くなる。笑う千花を見て、この母親と千花は、私が思うよりずっと親しいのだろうと瞳は思う。私たちより、ずっと。

やがて大テーブルに座った母親たちは、小学校受験について活発に話しはじめる。だれそれは国立大附属一本に絞るんですって。それ専用の塾があって、幼稚園なんかいってる場合じゃないって言われて、その子、もうほとんどきてないのよ。あら、私はN女附属って決めてるわよ、私自身がそこの出身だから。こういうの、隠さないで言ったほうがいいわよ。そういえば、ノンちゃんたち、夏休みにイタリアいったの知ってる？お教室で、夏休みの思い出って宿題が出されるから、そのためにいったのよ。そんなの常識。うちは北海道だけどね。

次々と展開される母親たちの話題に、瞳も容子も入ることができない。ただ目を丸くして話に聞き入っているだけである。退屈したのか茜がぐずりはじめ、瞳は席を立って隅にいき、体を揺らして茜をあやす。

「えー、すごーい。イタリアなんて家族四人でいったらどのくらいかかっちゃうの?」千花の素っ頓狂な声が聞こえ、

「ユウくんママ、本当になんにも知らないのね。海外なんてかえってマイナス。ノンちゃんママは勘違いしてる」ほかの母親が身を乗り出す。

「じゃあ、どういうのがプラスなの?」

「いちばんいいのは、八ヶ岳でも軽井沢でも自然のなかにいって、パパと虫を捕って観察したり、ママと乳搾りの体験をしたり、三人で飯ごう炊さんしたり、そういうことよ。派手すぎちゃだめなの。全員で体験して学ぶような家族なんだって印象づけることが大事なの」

「まーたユウくんママ、なんにも知らないふりして、ちゃっかり聞き出しちゃって」

「ひどーい、すぐそういうこと言うんだからー」千花は怒ることもなく、けらけら笑っている。

私なんで今ここにいるんだろう。茜をあやしながら瞳は思い、そう思ったことにぞっとする。中学生のとき感じたことと、寸分変わりがない。女の子ばかりのいるにぎやか

な教室で、やっぱりこんなふうに離れた場所に立ち、私なんで今ここにいるんだろうと思っていたことを、瞳は鮮やかに思い出す。ひまわりプロジェクトでは、そんなことがいっさいなかった。だれかれが話しかけてくれ、瞳のわからないことはミーティングの進行を止めても説明してくれた。私こう思うんです、それは違うと思うんです。あそこでなら、瞳ははきはきとものを言うことができた。

今、なんでここにいるんだろうなどと思うのは、母親たちの受験話に加われないからだ。受験のことなど、考えたこともなかったからだ。でも、このままでいいのだろうか。茜を出産したことで、ひまわりプロジェクト復帰はまた先延ばしになったが、それはあくまで私個人のことだ。あの場でいくら思うことをすらすら言えたからといったって、それはこの母親たちのように、子どものための熱心さでも、子どものための活発な議論でもなかった。これでは母親としていけないのではないか。受験なんて馬鹿馬鹿しいとか、あるいは子どものためなら受験させるべきだとか、私も何か、確固とした意見をそろそろ持って、そのまま口にできるようになったほうがいいのではないか……。

「お名残惜しいこととは思いますけど、そろそろお開きの時間です」母親のひとりが立ち上がって、みんなの注意を促す。「いったんここで、解散したいと思いまーす」

あちこちで拍手が起きる。おつかれさまーという声が飛び交う。泣く子どもがいる。はしゃいで手を叩く子どもがいる。それぞれ、にぎやかに帰り支度をはじめる。

瞳は、容子と千花とともに店を出た。雨はいつのまにかやんでいた。ほかの母親たちと別れ、大通りへと歩く。抱っこホルダーのなかで茜はうとうとと眠っては目を覚まし、じっと瞳を見つめてはまたまぶたを落としてしまう。光太郎と雄太は今日手に入れたものを見せ合いながら先を歩いている。一俊は容子と手をつないで歩いている。

「私、そういうんじゃないのよ」瞳と容子に挟まれるようにして歩いていた千花が、ぽつりと言う。え？　と瞳が訊くと、「のんきなふりして雄太にいろいろ習わせてるとか、なんにも知らないふりして情報を聞き出そうとしているとか、さっき、私いろいろ言われてたでしょう」

さっき笑っていたのとは別人のように、千花は思い詰めた顔をしている。そんなこと、気にするような人ではないのに、どうしたのだろうと瞳は思う。

「笑ってたけど、ああいうこと言われると、私本当にくやしい。受験のことだって、夫と話して、ぜんぶあの子にまかせようってことになってるの。もうさんざん話し合って決めたことなの。あんなにちっちゃいから、いちばんいい道は選べないかもしれない。でもあの子に何か命令したり無理強いしたりしたくない。本当にさんざん話し合ったのよ。だから冗談でもあんなふうに言われると、たまらない気持ちになる」

千花は言い、瞳と容子を交互に見て、ちいさく笑った。笑顔なのに泣き出す寸前のように見えて、瞳はたじろぐ。いつも陽気で人に気をつかっている千花の、いかにも自信のなさそうな顔つきを見るのははじめてで、体の奥のほうからふつふつと怒りが湧いてくるのを瞳は感じる。罪悪感も混じっているのかもしれない。友だちだと思っているくせに、千花を責める母親に何も言えなかった。千花もたのしんでいるのだろうと傍観していた。

「千花さん」と呼びかけた声が震えていて、瞳は不思議に思う。なんでこんなに怒っているんだろう、私は。「さっきの話、取材のこと、私、受けるわ」千花と容子が同時に瞳を見る。「ね、容子さんも受けようよ。私たちみんなで、話してやるのよ。同じ母親のなかには考えかたや教育観の違う人だっている。そんなことは当たり前。でもあんなふうに詮索したり、心ないことを言う母親もいる。さっきの人たち、なんなの。だれがどうした、あの子がこうしたって」

「なんかすごい、瞳さん」ぽかんとした顔で瞳を見る千花は、息子の雄太にひどく似ていた。

「それもいいかもしれない、意思表明ってわけよね」まじめな顔で容子が言う。

「そう、意思表明」瞳は強く言う。

「いさましい」千花が笑う。千花が笑って、瞳はようやくほっとする。

「いさましくなるのよ」瞳はさらに言った。夕暮れのなかで、雄太と光太郎がふりむいて、母親たちが追いつくのを待っている。ママ、おそーい。雄太が言う。光太郎が背を折り曲げて笑う。

ファミリーレストランの前で手をふって別れる。茜はすっかり眠ってしまっている。きっと夜中に起きて泣くだろう。茜を起こそうとして、やめる。まあいいか、今日くらい。光太郎の手を握り、瞳は大通りを猛然と歩く。おいら、のどかわいた。ちいさな声で光太郎が言う。

「帰ったらママとジュース飲もうね」光太郎に笑いかけ、瞳は心のなかでもう一度くり返す。

いさましくなるのよ。

◇

待ち合わせは、繭子の住むマンション前だった。住所は知っていたし、近いということも知っていたが、実際に歩いてみると五分もかからず、こんなに近かったのかと千花はあらためて驚く。すると隣にいた瞳が、まったくおんなじことを口にする。

「本当に近いのねえ」

「ねえ」千花は瞳に同意する。

「本当によかったの？　茜と光太郎」申し訳なさそうに瞳が言う。今日はできるだけ子どもがいないほうがいいだろうと千花は判断し、雄太と桃子とともに、実家の母に預けようと提案したのだった。ちょうど運よく、今日は母の妹である本郷の叔母が実家に遊びにくることになっている。母も子ども好きだが、本郷の叔母は二年前に定年退職するまで小学校の音楽教師だった。子どもの扱いには慣れているだろうから、二人でも四人でも同じはずだった。瞳と子どもたちを車に乗せて目白の実家までいき、母の作ったちらし寿司とサラダの昼食を、みんなで食べてから戻ってきた。

「いいのいいの、親孝行の一環。瞳さんにも親孝行を手伝ってもらったって感じ。それより謝礼なんていいのに。瞳さん、律義なんだから」千花は笑った。

「だって子ども預かってもらうのに、手ぶらでなんていけないじゃない。商品券だけど、失礼じゃなかったかしら」

「失礼なんてことはないけど、今度からそういうのはなしにしようね」

先に入ってしまおうか、それとも容子を待つべきか話していると、タイミングよく容子があらわれた。なんだかすごく近いわと、またしても同じ感想を口にし、千花と瞳は思わず笑う。

三人でエントランスの自動ドアをくぐり、オートロックのボタンを押す。まず繭子の部屋にいく約束だった。「はーい、どうぞー」オートロックのインターホンから繭子の声が流れてきて、ドアが開く。ドアをくぐるとゆったりとしたソファセットが置いてあり、ガラス張りの壁の向こうが日本庭園風の庭になっている。

「豪華なマンションねえ」声をひそめるようにして瞳が言い、

「ほーんと。繭子ちゃん、若いのにすごい」容子が応じる。

「容子さん、カズくんはだいじょうぶだった？」千花は、一俊も預かろうかと一応連絡していたのだが、それはだいじょうぶだと容子は断っていた。遠慮なのかそうでないのかよくわからず、けれどあんまりしつこく誘うのもどうかと思って、それ以上は言わなかった。遠慮しているのか、それとも本当は迷惑なのかよくわからないというのは、今回ばかりでなく、千花にとって容子そのものでもあった。遠慮ならば遠慮することはないのだと知らせたいし、そうでないのならこちらも気にしないのだけれど。そんなふうな、歯がゆい思いがあった。

「うん、だいじょうぶ。今日は夫が休みだから、見ていてもらってるの」

「そうだったの。それならそのほうが安心よね」千花はほっとする。なんだそういうことか。

「あ、千花さんのおかあさまは安心できないとか、そういうんじゃないの。ただ、夫にもたまには協力してもらわなくちゃっていうか、あの子も人見知りだし」

あわてて容子は言う。容子のこうした、必要以上に先まわりした、しかも大きく誤解したようなもの言いも千花は少々苦手だった。

「だんなさん、何してる人なんだっけ？　平日休めるなんていいな」エレベーターに乗りこみ、4という数字を押して千花はさりげなく話題を変える。

「まあ、なんていうか、おおざっぱに言えばサービス業」

「へえええ」おおざっぱなサービス業が何を指すのかまったくわからなかったが、千花は深く納得したように幾度もうなずいてみせた。

四階に着き、401号室のインターホンを押す。はーい、とドアの奥から声がして、勢いよく玄関のドアが開く。きゃー、と繭子は大げさによろこんでみせる。

「入って入って。六階にはね、三時にって言われてるの。三十分もないけど、ちょっとお茶でも飲んでって」

ぞろぞろと三人で部屋に上がる。スリッパがないので千花は躊躇するが、そんなことも繭子らしいといえば繭子らしい。無頓着なのだ。

マンションの外装とくらべると、ずいぶん質素な部屋に思えた。何もかも真新しいが、部屋に置かれている家具やインテリアに統一感がなく、中途半端に古びているためにそんなふうに見えるんだろうと千花は考え、そんなふうに考えている自分をみっともないと同時に思う。他人の家事情にさほど興味はないはずなのに、お呼ばれをするとついあちこち眺めてしまう癖があることを千花は自覚している。リビングにベビーベッドが置かれていて、怜奈が頭上でまわるメリーゴーラウンドをうっとりと眺めていた。

「怜奈ちゃん、おとなしいー」千花はベッドの柵からのぞきこみ、怜奈の頬をそっとつついた。怜奈はじろりと大人みたいな目の動かしかたで千花を見、にいーっと笑う。かわいい！　千花も瞳も容子も思わず声をあげる。

「なんにもないけど、飲んで」

と言って繭子が持ってきたのは、缶コーヒー二本にペットボトルのコーラである。しかもグラスはなし。その飾り気のなさに千花は思わず笑ってしまう。

「繭子ちゃん、コップとかなんか、ないの？　だってこれ、みんなでまわし飲みするの？」容子が笑いながら言うと、あ、そうか、と舌を出し、繭子はキッチンまで走る。戻ってきて差し出すのはプラスチックの使い捨てカップである。繭子ちゃんはほんと、おもしろい、と千花は笑いをこらえる。

「怜奈がさー、最近はなんでも手をのばすから、あぶなっかしいんだ。それで割れないものを使ってるの」言い訳するように繭子が言う。

「それで毎回使い捨てを買うの？　なんだかそっちのほうがもったいない」容子が言うと、

「あーそっか、こういうちびちびしたのでお金って出ていくんだね」感心したように繭子は言う。

繭子がどこに座れとも言わないので、みんななんとなくベビーベッドを囲んで立っている。

「どんなこと訊かれるんだろう」ぽつりと瞳が言う。

「こないだ言ったようなことだと思うよ。教育方針っていうか。幼稚園の雰囲気とか。そんなに難しいことじゃないよ。あっ、みんな、立ってないで座ってよ」ようやく繭子がそう言ってくれ、三人はダイニングテーブルに着いた。繭子が何もしないので、瞳がプラスチックカップにコーラをついで配る。

台所との仕切りであるカウンターに、アクリルの写真たてに入った大判の写真が飾られている。先だって、繭子のお勧めの写真館に四人でいって撮ったものだ。その写真館は、動物の着ぐるみやアニメのキャラクターや和服など、乳幼児用の貸し衣裳が豊富で、みんなで大騒ぎして衣装を選んだ。繭子は怜奈に天使の格好をさせ、瞳は光太郎に紋付き袴《はかま》、茜にうさぎの着ぐるみを選び、一俊はウルトラマンになりたいと自分で言った。なんだか子どもにそんな格好をさせるのはみっともないし、そういう趣味もないと、最初のうち千花は乗り気ではなかったが、いざみんなといっしょにあれこれ見ていると俄然もりあがってしまい、結局、雄太にアニメキャラクターの格好をさせ、桃子にはお姫さまのようなフリルいっぱいのドレスを着せて、大笑いしながら撮影に臨んだのだった。飾られている写真のなかでも、千花は大口を開けて笑っている。

「たのしかったねー、あの日」

千花の目線を追ったのか、繭子が言う。

「ほんと。繭子ちゃんのおかげ」瞳が言う。

「私も飾ってあるわ、写真」容子が言う。

「またみんなでどこかいきたいね」千花も言った。

「そろそろいこっか、ちょっと早いけど」繭子が立ち上がり、みんなもそれにつられて腰をあげる。そのまま廊下に向かおうとする繭子を、あわてて容子が引き留める。

「ちょっと、怜奈ちゃんは？」

「え、置いてっちゃだめかな」と繭子。

「ええっ？　だめよそんなの、いっしょにいこうよ」容子が驚いて言う。

「だってこの子おとなしいし、いくったって六階だもん。たぶんもうすぐおねむになるからさ」

「だめよ、だめだめ。繭子ちゃん、信じられないこと言うのね」笑いながら容子が怜奈を抱き上げる。怜奈は、あわん、とぐずるような声を出したが、繭子に抱かれるとすぐに静かになった。

ぞろぞろとエレベーターに乗り、六階を目指す。エレベーターを降りると、扉はひとつしかない。最上階だけフロアに一戸らしい。

「マダムはさー、あ、マダムって六階の江田さんのことね。美人だから冷たく見えるけど、すっごくいい人だから安心してね」

片手で怜奈を抱いた繭子は、もう片手でインターホンを押し、ふりかえって三人に言う。

ドアが開き、あらわれたのは繭子の言うとおり、たしかに顔立ちの整った女性だった。

「こんにちは、江田かおりと申します。今日はわざわざお集まりいただいて、すみません。どうぞなかにお入りになってください」

ドアを開いて挨拶する女性を、一瞬で千花は好ましく感じた。好きだ、この人。そんなふうに思った。

繭子、容子、瞳に続いて千花も玄関に足を踏み入れる。ほのかに甘いにおいがする。香水だろうか、靴を脱ぎながら考え、お菓子だ、と千花は思いなおす。お菓子のにおい。用意されたスリッパに足を通し、列になって廊下を進む。同じマンションだというのに、繭子の部屋とは何もかもが違った。広さも違うし、間取りも違う。何より高級感が違う。繭子もはじめて足を踏み入れたらしく、すごーい、を連発している。「すごーいすごーい。うちとぜんぜんちがーう。やー、ひろーい。すっごいお金持ちの家みたーい」繭子の声を聞いて、すぐ前を歩いていた瞳がそっとふりかえり、笑う。千花も笑った。本当に、繭子はなんて気取らない子なんだろう。

広々としたリビングの真ん中に置かれた、L字型のソファに案内される。向かいに置かれたひとり掛け用のソファに座っていた女性が立ち上がり、千花たちひとりずつに名刺を手渡す。

「今日はお時間いただき、本当にありがとうございます。フリーでライターをしています 橘《たちばな》ユリと申します。今日集まっていただいた趣旨を説明させてくださいね」

橘ユリは、さっき出迎えた江田かおりより年輩に思えた。けれどひょっとしたら同年代で、かおりが若く見えるだけなのかもしれないと千花は思う。名刺に視線を落とす。フリーライター橘ユリ。住所は横浜だった。

橘ユリが取材の説明をしているあいだ、かおりは四人分のお茶をいれ、皿に載せたクッキーとともにそれを出した。話を聞いているうち、かおりとユリは昔同じ出版社で働いていて、かおりは出産のため退職し、ユリは独立したくて同時期に退社したらしいことがわかった。繭子からは女性作家と聞いていたから、現代の母親をモチーフにした小説でも書くのかと千花は想像しており、もしかして高名な作家だったりして、というミーハーな気持ちもあったのだが、橘ユリは作家というよりは記事を書く人で、自分の名で本を書くのははじめてであり、書きたいものもフィクションではなく、幼児受験の実態、というもののようであった。はじめての本だからなのか、彼女はやけに熱く幼児受験というテーマについて語り、今それを書くことがいかに必要かをくどくどしくしゃべるのだった。彼女の話に少々飽きた千花は、かおりを目で追っていた。お茶とお菓子を出し終わったかおりは、少し離れたダイニングの椅子に腰かけ、静かに話を聞いている。途中、怜奈がぐずりだすとすっと立ち上がり、自然な仕草で繭子から怜奈を受け取ってあやした。繭子とかおりはしょっちゅう会っているのか、怜奈はかおりの腕のなかですぐに泣きやんだ。

はっきりと図を描いていたわけではないが、こんなふうに暮らしたい、こんなふうな家で、こんなふうな妻で、こんなふうな母親でありたいと、漠然と思っていた、それを具現化したような女性だとかおりを一目見たときに千花は思った。言葉でそう感じたのではなく、勘のようなものだった。千花が言葉として思ったのは、ああ、いいなということだけだ。

着飾っているわけではない。けれど選び抜いたものを身につけているというのがよくわかった。衿にちいさくフリルのついた黒いブラウスに、白のワイドパンツを合わせている。胸元にのぞくシンプルな首飾りはプラチナだろう。ユリのように濃い化粧をしているわけでもないのに、顔立ちがぱっと明るいのはもともと肌がきれいだからなのだろうか。そしてこの家。廊下の壁にかかっているのはみな年代もジャンルもばらばらな花の絵だった。ミロやオキーフのコピーもあったが、小倉遊亀《おぐらゆき》はたぶん本物だろうと千花はふんだ。そのなかに、たぶん小学生だという娘の描いたらしい花の絵が、ほかの絵と遜色ない額装をほどこされて交じっているのが、かおりという女性のお茶目さであるような気がした。そして広々としたリビングとダイニング。繭子の部屋の窓から見えるのは、道路を挟んだ向かいに立つ建物とほんの少しの空だったが、リビングのワイドウィンドウからはずいぶん広々とした空が見える。ルーフバルコニーには控えめなガーデニングがなされ、テーブルと椅子があるのがレースのカーテン越しに見える。まだ幼い子どもがいるのに、部屋のなかはどこも整頓され、清潔に磨きこまれている。ソファもダイニングテーブルもカップボードも、おそらく今自分が履いているスリッパも、ひどく高級なものに違いないのに、それぞれがへんな自己主張をせずぴたりと自然におさまっている。千花は、ユリの話を聞いているよりも、この家のなかをくまなく見学して歩きたい気分だった。

お洒落な暮らしがしたいのではない。モデルルームのような部屋がいいと思っているわけではない。高価なもので部屋を飾りたいわけでもない。そういうことではないのだ、と千花は思う。生活の基盤を、基準のようなものを、子育てや家事で忙しくなっても失いたくない、そんなような家にはしたくないと、結婚するとき千花は思ったのだった。夫や、成長していく子どもたちが、家に帰ってきたとき心底くつろげるような、外の世界で嫌なことがあっても、このドアの内側に入れば大丈夫だと思えるような、そんな場所を作ろうと思っていたし、今も思っている。そのためには、座り心地の悪いソファではいけないし、手触りの悪いタオルも置きたくない。静電気の起きるシーツではなく上質なリネンがほしいし、埃のたまった観葉植物も見せたくない。ああ、このきれいな人が自分の妻であり母であるのだと、いつまでも思っていてほしい。だから、着飾る必要はないがジーンズにTシャツでおかえりなさいと言いたくない。素顔でいってらっしゃいと言いたくない。経済的ゆたかさだけが重要ではないとわかってはいるが、金銭で解決できることで、経済的に許すのであれば、存分に経済的ゆたかさを享受したいと思う。

でも、そんな話をできる人は今までまわりにはいなかった。軽装ではなくちゃんとした格好をしていれば、このあいだみたいに何かしら嫌みを言う人が出てくる。受験や教育に熱心なくせに、なんにも知らないふりをしていると揶揄《やゆ》される。私の望む美しい生活と、教育ママはなぜかいつも混同される。今親しくしている三人は、私がそんなきりりした人間ではないとわかってくれているけれど、何ごとにも無頓着な繭子や、服装にあまりかまわない容子、ブランド嫌いとは言わないが興味のまったくないだろう瞳には、そんな私の理想は、どちらかといえば鼻白む話題だろう。でも、かおりならわかってくれるのではないか。私たちはおんなじ理想を見て暮らしているのではないか。千花はそんなことを考えて、かおりを盗み見ていたのだった。

視線を感じたのか、かおりが千花を見る。目が合う。かおりが笑いかける。千花も笑ってみせた。ああ、話したい、と思う。この人と話したい。お嬢さんがいると聞いたけれど、どんな学校に通っているの？　幼稚園はどこだった？　習いごとは何をしていた？　どんなふうなしつけをしているの？　教育にいちばんだいじだと思うことは何？　だんなさんは何をしている人？　不満に思うこともある？　ああ、そんなふうになんでも訊けたら、どんなにいいだろう。

　ふと我に返ると、瞳がしゃべっていた。例の話だ。私たちはどうしても私立がいいとか、附属がいいとか思っているわけではない、という話。幼稚園にしたって、私立だから選んだのではなく、園庭の広さ、教育方針、園長先生の人柄などを総合的に見てあそこに決めたのだと。瞳さん、変わったな。ようやく千花は、かおりから視線を外し、話の輪に加わる。最初に会ったときは、あんまりはっきりものを言わない、何か言うよりはその場から立ち去ることを選ぶような人だったと記憶しているけれど、このほんの数年で、ものすごくはきはきしたしっかりした人になった。もともとそうだったのかもしれない。知らない町に引っ越してきて、最初はちょっと戸惑っていただけなのかもしれない。

「でも、全員がそうだというわけではないんですよね？　もちろん教育熱心なおかあさまもいらっしゃる。あの幼稚園は進学率が高いからという理由で、その園を選ばれた保護者の方もいる」

「それはいろいろだと思います。ただ私たちはそうではないというだけです」瞳の頰はうっすらと赤らんでいる。

「だけど、どうかしら。影響されるってことはないですか？　まわりがみんな受験、受験と言い出して、その気はなかったのにいつのまにかそんなような気になってしまうとか」

「私はないです。少なくとも、巻きこまれないようにしようとは思ってます」瞳が言い、促すように容子を見る。

「そうですね、そういう熱心な方は、熱心な方同士でグループっていうか、そういうふうだから、つられてその気になってしまうほど、親しいおつきあいはないっていうか」容子が言う。

「私もそうだなー。うちは両親とも馬鹿だから、怜奈もきっと馬鹿。でも馬鹿でものびのびしてくれてたらいいや。だって勉強できる子ってこわいじゃん。親殺したりするしさ」繭子も口を挟むが、しかしユリは繭子を無視し、

「じゃ、受験組とそうでない人たちは、きっぱり分かれているんですか？　幼稚園内で」

「そんなこともないですよ。もちろんあれこれ話します。ただ、受験の話なんかはしないって意味です」

「不安になることはないですか？　小学校や幼稚園を受験させるおかあさまのなかで、ときどき狂信的な方っていらっしゃるでしょう。いい幼稚園、いい小学校に入ることが、

幸福な人生の通行手形というような。そういう方のお話を聞いていて、ひょっとして受験をさせない自分たちは、子どもに何か与え損ねたのかとか、不安になることはないですか」ユリは、瞳と容子を見て訊く。

理由はわからないが、千花は橘ユリというこのフリーライターに不快感を抱いた。化粧が濃すぎるせいだろうか。白いブラウスにグレイのパンツというシンプルな出で立ちは、かおりと似ていなくもないけれど、なんとなく余裕のなさが感じられる。ダイヤの埋めこまれたカルティエらしい腕時計もわざとらしい。だからだろうか。

「だって、有名校にいかせたからってしあわせとはかぎらないんじゃないかしら」

瞳の顔がさっきよりも赤い。言いたいことがうまく言葉になってくれず、苛立っているのだろう。

「最近、公立校の荒れかたが話題になっていますけど、そういうことを気にされたりもしないですか？」

「学校だっていろいろだし、すべてがすべてすさんでいるってわけじゃないと思いますけど」遠慮がちに容子が言う。

「いえ、受験組のおかあさまがたに聞いていると、受験をさせるいちばん大きな理由ってそこなんですよ。もちろんほかの理由もあると思います。親が私立だったとか、受験の苦労をさせたくないとか、さっき言ったような幸福のひとつの物差しとか、あとは単純に、ブランドのバッグを持ち歩くような感覚もなくはないと思うんです。ただ、やっぱりおもて向き、公立校は今心配だからとおっしゃるおかあさまがとても多い。それについてはどう思いますか？　そんなふうな考えかたのおかあさまに対しては、どのような意見をお持ちですか？」

「ブランドのバッグ、ねえ」容子が瞳と繭子、それに千花を見て、くすりと笑った。

「もしそうだったとしても、そんなふうには言えませんしね」

「公立云々という話はあまり聞かないですね。それより、ご自分も幼稚園から附属だったから、とか」と瞳。

「でもそれって、なんていうか」容子は自分の手元に目を落とし、それから早口で言った。「子どもがどうというよりも、自分はそういう世界しか見ていないんだって言いたいっていうか」

「わかります、それ」ユリが尻をずらし身を乗り出す。「私は幼稚園から一貫だった、だからこの子にも、っておっしゃる方、たしかにいますよね。でもどちらかといえば、ご自分の教育歴を自慢したいのかしらと思うような言いかたをされてるなって、私なんかは思うことがあるんですよ」

ユリの言葉に、容子も瞳もちいさく笑った。

さっき感じた不快感が、じわじわと増殖していくのを千花は感じる。しかしそんな千花には気づかず、容子と瞳は緊張を解いたかのように、あれこれと話しはじめる。ユメちゃんママ、去年は浮いていたけど、今年はなんだかそうでもないものね。そうね、おんなじようなことに興味を持ちだした人が多いからかな。そうすると、どこか張りあう気持ちもあるんでしょうね、子どものことはそっちのけで、私はこうだったから、夫はこうだったから、って。容子と瞳はユリにかまわず話しだし、ユリは興味深げな視線を交互に向けている。千花はようやく、不快感の理由がわかる。このユリって人、誘導尋問しようとしているんだ。この人のなかでは書きたいことがすでに決まっていて、それに沿ったことを私たちに言ってほしいんだ。それ以外のことは聞く耳を持ってないし、なんとか自分のいいように話を持っていこうとしている。容子さんも瞳さんも、そんなのにまんまとのっかって、よく知りもしないおかあさんがたのことを悪く言い出したりして、だめじゃないの。千花は容子と瞳に無言で伝えようと目配せするが、二人は気づかない。気づかないまま、オブラートにくるんだ言いかたで、受験熱心な母親たちを揶揄しては笑っている。そんな二人に千花は苛立ちを覚える。抑えきれず、口を開く。

「橘さん、さっきからお話をうかがってますと、橘さんが思う母親の世界は、紅組白組みたいなものなんですね。実際はそんなにはっきり分かれて敵対関係にあるわけじゃないんですよ。なんだか、橘さんのなかであらかじめ私たちに言わせたいことがあって、一生懸命それを言わせようとしているみたい」

相手のペースにのせられないために、千花はわざとおっとりと言い、子どものような笑い声をあげた。容子と瞳が千花を見る。千花はユリから目をそらさなかった。

「そんなふうに思われたのならごめんなさい。こういうことを言わせたいってことはないんです。ただ今までの取材で先入観を持っているのかもしれません。えーと、あなたは……」

「高原です」

「高原さんも、お子さんに受験はさせないって決めていらっしゃるんでしょうか」

「決めてなんかいないですよ」千花は微笑んで言った。それは本当のことだった。進学のことなど、来年になってから考えればいいと思っていた。千花はユリの「先入観」を取り去りたかった。受験組はヒステリックに受験対策を考え、受験しない組はそんな母親たちを冷笑している、もしくは、受験しない組も受験組の熱にあてられ、気づかないうちに自分たちもヒートアップしていく……ユリの持っているらしいそんな単純でわかりやすくて安っぽい図式を、馬鹿にしたい気持ちもあった。千花は続けた。「うちは子どもの意思にまかせようと決めてるんです。来年になったらできるだけ多くの学校に、国立私立公立にかかわらず、子どもといっしょに見学にいくつもりです。もし彼が受験の必要な学校にいきたいと言えば、こちらには準備をする心づもりはあります。幼児教室だって必要ならさせますし、何か特定の習いごとが有利だと思えばそれを習わせるでしょうね。もちろん、受かる受からないは私たちが決められませんけれど。私の正直な気持ちを言えば、息子にはA校にいってほしいんですよね。A校は中学からですけど難関校だから、本気で希望するなら進学率の高い小学校のほうが有利だとは思ってます」

自分をじっと見つめていた容子と瞳の表情に、うっすらとした驚きが混じるのを千花は目の端にとらえる。そんな話を今までしたことがなかったではないかと思っているのだろう。もちろんそうだ、と千花は笑いたくなる。私だって今考えたのだ。この女の思うとおりの返答なんかしたくないから。

「なぜA校に？」ユリの顔に好奇心が浮かぶ。

千花はその場にいる全員をぐるりと見渡して、くすくすと笑った。

「私の初恋の人、A校の人だったんです。あの制服見るだけで、胸がきゅんとするの。息子にはぜひあれを着てもらいたいのよねえ。でも、そんな親の事情なんか押しつけられないでしょ？　夫にも言えませんしね。私が息子の判断に任せると言っているのは、そういうことなんです。母親の初恋に人生を左右されちゃたまらないでしょ？」

千花はもう一度笑ったが、だれも笑わなかった。ユリの顔から興味と好奇心がかすかに消える。千花は満足だった。

「でも、六歳の子に冷静な判断ができるかと不安になったりはしないんでしょうか」ユリが訊く。

「あなたは六歳の子どもを知らないからそう思うんじゃありませんか？　もしくはご自分が六歳だったときのことをお忘れになっているんでしょう。私自身も六歳のときに父と母におんなじように訊かれました。どの学校にいきたいかって。私は自分で選びました」

「どちらの学校でしょうか」単純な興味を隠すこともせずユリは訊く。

千花は卒業した小学校の名を言うのに躊躇した。「ご自分の母校が教育歴を自慢」したいと思われるのではないかとちらりと思ったのだった。自分の母校が教育熱心な母親たちのあいだで人気であることを千花は知っていた。それが社会一般ではともかく、この狭い世界では自慢になり得ることも承知していた。

「べつに、いいじゃないですか。たいした学校じゃないですよ。それに私の話じゃなくて、子どもの話をしているんでしょ？」千花はそう答えてユリに笑いかけた。

そのとき、かおりに抱かれていた怜奈がめずらしくぐずりはじめた。かおりはあわてて立ちあがり、体を揺すって怜奈をあやすが、泣き声はどんどん大きくなる。繭子がかおりに走り寄って怜奈を受け取り、あやす。怜奈の泣き声に千花はほっとしていた。容子も瞳もほっとしているように見えた。

「すみません、お時間いただいちゃって。あの、もしよろしければ、またお話を聞かせてくださいますか。ご都合のいい時間でいいんです。お手間はとらせませんから。よろしかったらご連絡先を教えてください」

ユリにノートとペンを渡される。この女ともう話をしたくないと内心では思っていたが、かおりの手前断るわけにもいかず、千花は自分の住所と電話番号を走り書きした。瞳に渡す。瞳も書き入れ、それを容子に渡している。もし電話がきたら、なんのかのと理由を作って断ればいいだけのことだと千花は思った。

きたときと同じようにぞろぞろと玄関に向かう四人を、かおりとユリが見送りにきた。

「今日はありがとうございました。今度ゆっくりお礼をさせてくださいね」

ユリではなく、かおりがそう言った。

「こちらこそ、ぜひ今度、お話聞かせてください。お知り合いになれてうれしかったです」

千花もかおりだけを見てそう言った。繭子の腕のなかで、怜奈が顔を真っ赤にして泣き叫んでいる。

「あーあ。なんかいやな感じの女だったたね、あのユリって人。だって私のこと、ぜんっぜん無視してたじゃん。マダムはすっごいいい人なんだけどな」

エレベーターに乗るなり繭子が言う。

「怜奈ちゃんはまだちいさいからよ。受験だのなんだの、ずっと先じゃない」容子が怜奈の額にそっと指を這わせて言う。

「ね、このまま帰る？　うち寄る？」

四階でドアが開いたとき、繭子が訊いた。千花と容子と瞳はそれぞれ顔を見合わせる。できれば繭子の部屋で、コーラを飲みながら話したいと千花は思っていた。ユリという女の誘導尋問について、それから、さっき自分が言った受験云々は、ユリにむかついたからその場しのぎを言っただけなのだと説明もしたかった。

「ちょっと子どもが心配だから帰るわ、私」容子がまず言った。「ダンナさん、信用できないし」

「じゃあ私も」瞳が言い、やむなく千花もうなずいた。

「じゃ、また今度ねー。連絡する。またきてねー、もう場所覚えたでしょ？」

泣き叫んでいる怜奈を片腕で抱き、繭子は手をふってエレベーターを降りた。

「じゃあ、私、急ぐのでここで」

エレベーターが一階に下りると、そう言って容子はひとり駆け出していった。

瞳とともに駐車場に向かって歩きながら、

「さっきの橘さんって、なんだか押しの強い人だったよね」

千花は言ってみた。そうよね、とのってくると思っていた瞳はしかし、

「そう？　ずいぶん熱心に取材されているっていう印象だったけど」と素っ気ない声で

答え、「ごめんなさいね、また車に乗せてもらうことになっちゃうけど」と顔の前で手を合わせてみせる。

「いいのいいの、そんなこと。みんな仲良くやってくれてるかな」

駐車場はまだ見えないのに、ハンドバッグからキーホルダーを取り出して千花は答える。まとわりついてくる湿った熱気を思い出したように感じる。夜から降り出すという予報は当たっているのだろうと、そんなことを千花は思う。

◇

母親たちは教室のうしろで、パイプ椅子に腰掛けて我が子の様子を見守っている。ちいさな机、ちいさな椅子に座っている子どもは五人。体験レッスンの子どもは、一俊と、あとひとり「ちなつ」と胸にネームカードをつけた五歳の女の子だ。ほかの三人はこの「すくすくスクール」の生徒である。さすがに慣れたもので、先生の出す問題を、集中して聞きとっている。容子は気が遠くなる思いだった。

「茶色い折り紙で大きな丸をひとつ切り抜きましょう。その次は余った部分で三角をふたつ切り抜きます。それから黒で丸を三つ、白は細長い丸をふたつ切り抜き、白の真ん中にさっき切り抜いた黒の丸をひとつずつ貼ります。それから……」先生が問題を出すあいだは、はさみを手にしてもいけないし、質問をしてもいけない。子どもたちは膝の上に手をのせて、じっとそれを聞いている。途中から、容子ですら何をしたらいいのかわからなくなってしまう。それなのに、ひととおり説明が終わり「はい、はじめ」と先生が号令をかけると、三人はぱっと言われたとおりのことをやってのけるのである。ちなつちゃんという子も、不安げに母親をちらちらと見るので容子は安心していたが、だんだん要領がわかってきたのか、正確にはできずとも、だいたい似たようなことはできるようになってきた。一俊だけが泣きそうな顔で容子を見、容子が目をそらすと、うつむいて爪をいじったり靴下をいじったり、落ち着きなく動いている。

生徒たちが言われたとおりのものを作り上げると、すばやく先生が点数をつけてまわる。

「マコト、違うじゃない。何聞いてるの。はい三点」

三点をつけられた子どもは、その点数がショックなのか、先生に叱られたことがショックなのか、顔を歪め、しくしくと泣き出す。すると容子の隣に座っていた母親がつかつかと近寄り、背中をどんと叩く。しっかりしなさい、泣いてんじゃないの。小声で耳打ちして、何ごともなかったかのように席に戻ってくる。

「はい一俊、わからなくてもいいから先生の話は聞こうね」

「はい一俊、わかるところまで自分でやってみようね」

先生に声をかけられるたび、一俊はびくっと跳び上がり、泣きそうな顔を容子に向ける。そうされるたび、容子も立ち上がって一俊に注意をしにいきたくなるが、しかし体がこわばって立ち上がることもできない。

妊娠がわかったのは、二週間前だった。そのとき十週目と言われたから、そろそろ四カ月になる。去年、瞳と千花、繭子が申し合わせたように第二子を産んだときは、やっぱりうらやましかった。彼女たちの妊娠中、今「仕込めば」みんな同学年の子になる、と繭子に言われ、本気でそうしようかと容子は考えた。基礎体温を測り、排卵日が近づいて、容子は真一に二人目がほしいと言った。正直な気持ちだった。なのに真一は、女からセックスしてくれなどと言われると「萎《な》える」と言ったのだった。軽い気持ちで言ったのかもしれない、疲れていたのかもしれない。それでも容子は傷ついた。

ところが今年の春、真一も第二子について真剣に考えはじめた。どうやら岐阜に住む両親にせっつかれたらしい。カズももうじき小学校だし、二人目、どうしようかと、去年のことを忘れたように言い出した。私から言い出せば却下するくせに、自分から言い出せばいいわけね。容子は鼻白んだが、それでも排卵日を含めての数日、性交した。子どもは切望するほどほしかったが、それに至るまでの過程はなんと馬鹿馬鹿しくものがなしいのだろうと容子は思った。千花や瞳にとって、子作りはもっと夢や愛に満ちた何かだったのだろうかと、夫のいびきを聞きながら考えたりもした。

それでもやはり、おめでたですと医者に言われれば、晴れ間が広がったような気分になった。「今度は女がいいな、いや、男だってやっぱりいいぞ」とめずらしくはしゃぐ真一を見ていると、彼の不用意な言葉も忘れることができた。

妊娠がわかってから、どういうわけだか容子自身もわからなかったが、急に千花や瞳のことが気になりはじめた。

今まで、受験だの習いごとだのに夢中になっている母親たちを、容子は軽蔑していた。有名小学校にいったからといって、その子の将来が約束されるはずなんてないじゃないかと思っていた。いい学校、いい成績と追い立てられて、とんでもない犯罪を犯す子どもだっているではないか。大切なのは学歴や履歴ではなく、のびのび育つこと、愛されて育つことだと自信を持って言えた。瞳も千花も、自分と同じ考えを持っていると信じていた。

けれどももしかしたら違うのではないかと、妊娠がわかってからの容子は取り憑かれるように考えていた。実際千花は、橘ユリというライターの取材を受けたとき、A校に雄太を通わせたいと言っていた。瞳はボランティアをしていると言っていたが、もしかしたらそれも受験に有利だからではないか。いや、まさか、と思い返しはするが、幼稚園が夏休みに入って彼女たちと会わずにいると、容子はじわじわと不安になるのだった。不安に背を押されるようにして、容子は幼児教室をさがした。あんまり近場すぎると、幼稚園でいっしょの親子に会うおそれがあった。久野さん、体験にきていたのよなどと千花たちに言われたらたまらない。それで、容子は高田馬場にある教室に電話をし、体験入室の予約をしたのだった。予約をしてしまうと、なんだか瞳や千花を裏切ったような、自身の教育方針を覆したような、後ろ暗い気分になった。容子は今日のために山ほど言い訳を用意しなければならなかった。ただ試してみるだけ。どんなところなのか知っておくだけ。今知っておけば、二人目のときも役立つに違いない。そんなことをぐるぐると考えながら容子は家を出てきたのだった。

「それでは次は釣り竿を作ります。まず、この棒にこうして糸を通します。糸は二回結んで留めます。この糸の先におはじきを二つ通します。おはじきを二つ通したら……」

一俊はもう顔をあげることもしない。じっとうつむいたまま、ぎゅっと顔をしかめている。耳が赤い。もうじき泣き出す合図だ。しっかりしなさい、泣くんじゃないのと容子は心のなかで一俊を叱る。先生の話はまたしても長く続く。「はい、はじめ」号令とともに、四人の子どもたちはすばやく道具を手にして工作をはじめる。一俊だけが背を丸めてうつむいている。うつむいた一俊の顔から、ぽとりと水滴が落ちたのに容子は気づく。ああ。容子は両手で顔を覆いたくなる。先生は、もう一俊に声をかけることはしない。はじめから生徒が四人であるかのように、四人にしか話しかけず、四人しか見ない。

こんなにも違うものなのだろうかと、容子は啞然とする。みんな同い年である。三人の子どもたちが何歳からスクールに通っているのかわからないが、どうしてあんなにおとなしく座っていられるのか。大人が聞いたってわからなくなりそうな出題を、なぜいともたやすく解けるのか。よしんば三人は慣れているとしても、体験レッスンのちなつちゃんも、もう母親のほうを見ることもなく問題にとりかかっている。たのしそうですらある。一俊だけがとくべつ遅れているのだろうか。それとも、千花の息子である雄太や、瞳のところの光太郎も、こういう場所にくれば一俊とそう変わらない反応をするのだろうか。

体験レッスン後、容子は受付の奥にある事務所で先生と向き合って座っていた。さっきまで涙を流していた一俊は、ロビーでおとなしく絵本を開いている。

「はじめてなのですし、あまり気にされることはないと思いますよ。ほかのお子さんたちは二、三年は通ってますからね。ただ……」

容子は上目遣いに先生を見る。仮面のようにも見える濃い化粧をして、美容院から出てきたばかりのように長い髪をセットしているが、もう五十歳は過ぎているだろう。

「一俊くん、でしたっけ。少し幼いのかなという気はしますね。たいていのお子さんは、ちなつちゃんみたいに、最初はぽかんとしていますけど、だんだんなじんできますから。マイペースなのは悪いことではありませんけれど、これからのことを考えますと、どうしても不利になってしまいます。私どもとしては、お子さんの持っている個性や力をできるだけ大切にしつつ、協調性や能力を高めていこうという方針ですので……」

「受験すると決めているわけではありませんから」

幼いという言葉にむっとした容子は、話を遮ってそう言ったが、先生の話しぶりはさらに熱を帯びた。

「私どものスクールには受験者を対象にしたコースもありますが、こちらは入室テストがありますから、どなたでもというわけではないんです。先ほど体験いただいた能力開発・入学準備のクラスでは、まだ受験するか決めかねている方もいらっしゃいますし、受験コースに備えている方もいらっしゃいます。小学校は幼稚園とは異なりますから、幼稚園でのんびりされていたお子さんは、どんな小学校にいっても必ず苦労することになるんです。先ほどのコースは、受験というよりはむしろ、すんなりと小学校生活に移行できるよう準備させていただくことを目的としたコースなんです」

一俊が、小学校に入ってすぐに問題児扱いされると断じられたようで、苛立ちの混じった不安を容子は覚える。一俊はやっぱりどこかおかしいのだろうか。

「でもご心配なさることはないですよ。今からでも充分間に合います。体験でじっとしていられなくて、寝転がって泣いちゃったお子さんも、こちらに通われるようになって、三カ月で見違えるほど変わりましたから。問題ができたときの喜びというものが、お遊びのおもしろさより上まわるんですよね」

そして彼女は冊子をいくつも机に並べ、コースやレッスン日、時間割や料金のことについて細かく説明をはじめた。週一回、休憩を挟んで九十分のクラスが教材費別で一カ月二万五千円、週二回になると三万五千円だった。真一の給与を思い浮かべずとも、払えない額ではないととっさにわかる。申しこんだほうがいいのではないか。受験するしないに関係なく、一俊のために通わせたほうがいいのではないか。申し込み書に記入したい気持ちをなんとか鎮め、

「ではあの、帰って夫と相談して、またご連絡させていただきます」

容子はそう言って立ち上がった。

一俊の手を引いて雑居ビルを出る。外に出ると、強い陽射しと湿った熱気で町が歪んで見えた。大通りに向かって歩く。近くに予備校があるのだろう、若い男女が道ばたに座ったり日陰にしゃがみこんで談笑している。

「ママ、のどかわいた。ねえ、なんか飲みたい。ジュース飲みたい」一俊は立ち止まり、駄々をこねるように言う。容子は思わずかっとして、握っていた手を思いきりひっぱる。さっきは顔もあげずに泣いていたのに、外に出たとたん、何がジュースだ。

「我慢しなさい、そのくらい」一俊を引っ張るようにして、歩く速度を上げる。つないだ手がぐんと重くなり、一俊の泣き声が耳に届く。自分も泣き出したい気分になりなが

ら、容子は足を止め、しゃがみこんで一俊の汗と涙を拭いてやる。数メートル先にある電話ボックスに目がいく。さっき、夫と相談すると容子は言ったが、本当に相談したいのは夫ではなく瞳や千花だった。

「ちょっとカズくん、ママお電話したいの」

まだぐずぐずと泣く一俊の手を引き、容子は電話ボックスに向かう。ドアを開けると、熱気に煮詰まった不快な空気があふれ出る。

少し迷ってから、容子はまず千花に電話をかけた。しかし五回の呼び出し音のあとで聞こえてきたのは、「ただいま留守にしております」という、録音された千花の声だった。ただの留守番電話が、急に容子の気持ちをざわざわと波立たせる。もしかして、本当に千花はなんにも知らないふりをしているだけで、すでに雄太をスクールに通わせていて、その宿題のために蓼科《たてしな》あたりに家族旅行に出かけているのではないか。容子は吐き出されたテレホンカードを挿入しなおし、瞳の家の番号を押す。瞳はすぐに出た。

「ああ、容子さん」

「瞳さん、今日って忙しい？　もし忙しければ日を改めるけど、会ってもらえない？」

瞳の声に安堵した容子は、すがるような声で言う。

「いいけど……どうかした？」

「ちょっといろいろ話したいことがあって……たいしたことじゃないんだけど、相談っていうか……」

電話の向こうで瞳は黙る。急にこんな電話はなれなれしすぎただろうか。せめて明日と言えばよかったか……容子がめまぐるしく考えていると、

「なら、うちにくる？ ほら、私、茜がいるから、ちょっと出るのがたいへんで。うち、散らかってるし狭いけど、それでもよければ」

「いいの？ 急にお邪魔するなんて。一俊もいるのよ」

「いいのいいの。カズくんがいるならうちのも喜ぶわ。場所、わかるっけ？ 近くまできて迷ったら、また電話して。迎えにいくから」

電話を切り、容子は電話ボックスを出た。ぐったりした顔で座りこんでいる一俊を立たせ、駅へと急ぐ。

◇

瞳の住むマンションがどこだか容子は知っていた。前に交換しあった住所を頼りに、見にきたことがあったのだ。瞳だけではない、千花のマンションの場所も知っている。本人たちにはとても言えないが、単純に、彼女たちがどんなところに住んでいるのか興味があった。分譲なのか、賃貸なのか。規模は、築年数はどのくらいなのか。本人たち

が知っているのかはわからないが、千花と瞳のマンションは同じ大通り沿いにある。千花のマンションは真新しい分譲マンションだが、瞳のマンションは雑居ビルといっていい古びた建物で、一階が居酒屋だった。しかも高架になっている高速道路のすぐわきだから、建物の下半分は一日じゅう陽が射さないのではないかと思われた。瞳のマンションを見て容子は内心で安堵していた。大通りから坂を上がったところにある自分の住まいの家賃と、瞳のところはほぼ同額ではないかと思ったからだった。

他人と比べることで人は不要な不幸を背負いこむ。学生のとき、容子はすでにそう悟っていた。それは容子のなかでまぎれもない真実だった。人は人。私は私。その線引きをしっかりさせて日々を送りたいと思っていたし、実際そうしてきた。けれど気がつけば、親しくなった人のマンションをこっそり見にいってしまうような自分がいる。そんなことはやめろ、やめろと思いはするのだ。みっともないと自覚してもいる。けれど、彼女たちがどんなところに住んでいるのか知りたいと一度でも思うと、じりじりしてたまらなくなる。見るだけだ、比べるわけではないと自分に言い聞かせつつ見にいって、そして彼女たちの住まいを確認すればすうっと気分が安らぐ。しかし激しい自己嫌悪も覚える。瞳のマンションを見て賃料を想像し、なおかつ安堵までしている自分を、容子は激しく責め苛《さいな》んだ。そして、ろくに家具もない学生の部屋のような住まいに平然とみんなを招き、同じマンション内のまったく造りの違う部屋を見て「すごーい」と言葉にしてしまえる繭子の屈託のなさ、無邪気さに、容子は強くあこがれた。

瞳の住まいを知っている、ということを知られたくなかったがために、容子はわざわざ駅で瞳に電話をかけて道順を訊いた。そして、まだ準備中の札がかかっている居酒屋のわきを通り抜け、ひっかき傷や落書きのあるエレベーターに乗りこんだ。瞳の住まいは五階にあった。

迎え出た瞳は、ジーンズにTシャツという軽装だった。手みやげのケーキの箱を手渡していると、「あっ、カズくん」と瞳のわきから光太郎が飛び出してきて、一俊の手を引いて部屋に上がらせる。用意してもらったスリッパに足を通し、容子は瞳の住まいに上がった。

江田かおりの住まいのような華やかさやお洒落さはなく、外観に見合った古びた内装だったが、瞳の住まいはこざっぱりと清潔だった。玄関を入ってすぐのところに台所とダイニング、向かいが洗面所と風呂場で、その奥が十畳ほどのリビング、右手には部屋があるらしく襖《ふすま》が閉まっている。高速道路はリビングルームの窓を遮ることなく、陽が射しこんでいた。リビングの壁際にベビーベッドがあり、茜が脚を大きく開いて眠っていた。

「突然どうしたの。何かあった？」リビングのソファテーブルに、容子の買ってきたケーキとアイスティーの入ったグラスを置きながら、瞳が訊く。

「それがね、瞳さん、私今日、どこにいったと思う？」ダイニングのテーブルの下で、列車のおもちゃを並べて遊びだした一俊と光太郎を見遣り、容子は口を開く。「幼児教室っていうところ、はじめていっちゃった」

「ええ？　本当？」瞳は容子の隣に腰掛ける。

容子は一気にしゃべった。子どもたちがものすごいスピードで問題を解き、競い合って手をあげたこと。一俊が泣き出したこと。女教師が一俊を「幼い」と言ったこと。「でもまだ間に合う」と、入室を勧められたこと。瞳は目を見開いたり眉間に皺を寄せたりして一部始終を聞き、

「そんなところ、よくないわ」ときっぱりと言った。

「なんだか話聞いてると悪徳商法みたいじゃないの。ねえ、容子さん、覚えてない？定期健診でこの子は発育が遅いとか、言葉が遅いとか保健師さんに言われると、絶望的な気持ちになったりしたでしょう？　もしあのとき、この壺を買えば問題は解決するって言われたとしたら、きっと買っちゃったわ。そのくらい、なんていうか、追いこまれたような気になっちゃったじゃない。そのお教室の先生の言ってることってそういうことじゃない？　おたくの子はほかの子より遅れているけど、ここに入れれば全部うまくいくって、それは脅しじゃないの」

瞳は一気にしゃべり、容子は言ってほしいことを言ってほしいように言ってもらった

安堵とともに、驚きも覚える。どこかのんびりして、おどおどしているように見えた瞳が、いつの間にこんなふうにたくましくなったのか。

「お教室もピンキリだと思う。もし本気でカズくんを通わせるなら、ちゃんと選んだほうがいいわ。千花さんにも訊いてみたら？　彼女なら少しは詳しいんじゃない？」

「やっぱり千花さん、雄太くんをどこかに通わせてるの？」

思いの外せっぱ詰まった声が耳に届き、容子は自分でびっくりしてしまう。瞳はその勢いに驚いたように容子を見たが、すぐにちいさく笑った。

「さあ、それはわからない。でも、このあいだ言ってたじゃない。もし雄太くんが受験の必要な学校にいきたいと言えば、そうする準備はあるって」

「あのとき、私びっくりしたのよ。だって千花さん、そんなこと言ってなかったじゃない。受験とか有名小学校が、イコール幸福の証明だとか、そんなのは馬鹿馬鹿しい、私たちは人のペースには巻きこまれないって話したばっかりだったでしょ？　なのに、千花さん、あのとき急に、受験する可能性もあるようなこと言い出したから……」

瞳はケーキの載った皿を膝に置き、フォークですくって口に入れ、

「もしかして、だから容子さん、カズくんを幼児教室につれていったの？」と、容子を見ずに訊いた。

「まさか。そんなことあるわけないわ。人は人だもの」

光太郎が瞳に駆け寄ってきて、「ねえねえ、あのさ、おいらの電車の本どこにある?」と訊く。瞳は立ち上がり、襖の向こうにいったん消えて、数冊の絵本を手に戻ってくる。光太郎はそれを手に、一俊のところにまた駆け戻っていく。二人が絵本を見はじめたのを確認して、

「あのね、まだだれにも言っていないんだけど、私、二人目ができたの」

容子は思いきって言った。それで……と続けようとした容子を遮り、瞳は容子のほうに向きなおって両手を包むようにして握る。

「そうだったの! やだ、早く言ってくれればいいのに! おめでとう、容子さん」

瞳はまるで自分のことのように、泣き出さんばかりの顔で言い、そんなふうな反応をされると想像していなかった容子は戸惑う。予定日はいつ? いつわかったの? どこの病院? 矢継ぎ早の瞳の質問に容子は曖昧に答えた。瞳の質問が一段落したのを見計らって、

「それで、受験するとかしないじゃなくて、二人目の子のことも考えたら、少しはいろいろ知っておいたほうがいいのかなって、単純に思ったのよ」容子は言い訳をするように早口で付け加えた。

「そうだったのね、わかるわ。私も、二人目は女の子でしょ? 光太郎はいいんだけど、茜はやっぱり私立にしようかとか、いろいろ考えるもの」

「え、そうなの?」そういえば、千花のところも二人目は女の子である。だから千花も、受験のことを急に考え出したのだろうか。もしかして千花と瞳は、長女をどこの幼稚園に入れるか、二人でもうそんな相談をしているのだろうか。

おいらだったら何がいいの? ダイニングで遊んでいた光太郎が、耳ざとく聞きつけて怒鳴る。

「なんでもない! コウちゃん、ケーキ食べる? そっち持っていってあげようか?」

「うん、食べる、おいら食べる。カズくんも食べるって」

瞳は立ち上がり、ダイニングのテーブルにケーキとジュースを用意している。眠っていた茜がぐずりだし、反射的に容子は立ち上がって、ベビーベッドのなかでもぞもぞと動く茜を抱き上げる。想像したよりずっと重い。茜は目をぎゅっとつむったまま、顔を容子の胸に押しつけて泣きはじめる。その重さや、甘いにおいや、なすりつけられる頭の感触が、容子には驚くほど懐かしかった。なんてかわいいのだろう。おおよしよし。そうしようと思わずとも、右手が勝手に茜の背を柔らかくたたきはじめる。容子は鼻先を茜の髪に埋めるようにして、ミルクのようなにおいを思い切り吸いこむ。なんてやわらかい、清潔なにおいだろう。

「ああ、ごめんね、容子さん」瞳が戻ってきて茜を抱きなおし、あやす。

「私ねえ、容子さん」ガラス戸の前に立ち、体を揺らして茜をあやしながら、瞳は話しはじめた。「容子さんだから打ち明けちゃうけど、私の母、ものすごく教育熱心でね。母って昭和一桁生まれで、きょうだいも多くて、田舎だったから、女は勉強なんかしなくていいってごくふつうに言われてたんですって。それで、学歴コンプレックスっていうのかな、自分の子どもだけは何があっても大学までいかせるって、それだけを人生の希望みたいにして生きてきた人なのよ。それで私も小学校から受験させられてね、短大まで附属の一貫校に通ってたの。地方だし、有名校でもなんでもないんだけど」

容子に、というより、独り言をつぶやくように瞳は続けた。瞳が何を話そうとしているのかまるでわからず、もしかしてこの人も、自分が一貫教育を受けたことを自慢しようとしているのではないかと、容子は一瞬勘ぐる。

「でもその学校って、いわゆるお嬢さま学校っていうのかな、裕福なおうちの子が多いのよね、やっぱり。私の家はあまり裕福ではなかったし、おまけに、おうちが農家の子なんていないのよ。いじめられたわけでも、意地悪されたわけでもないんだけど、だんだんそういう世界にいるのが息苦しくなっちゃって、高校に上がってすぐ、ごはんが食べられなくなっちゃったの。摂食障害よね、今で言う」

容子は、瞳が何を話そうとしているのかまだわからなかった。どうやら自慢ではないらしいが、ではこの話はどこに続くのだろう。茜は瞳の腕のなかでようやく泣きやみ、あー、あーと、か細い声をあげている。瞳は茜を床に下ろす。茜は床に落ちていたあひるのぬいぐるみで遊びはじめる。

「最初は人前でごはんが食べられなくなったの。人前で何か食べるなんて、みっともないって。それでひとりで美術室や音楽室で食べていたんだけど、そのうち、食べるという行為そのものがけがらわしく思えてきちゃった。スープはまだいいんだけど、固形物を噛んだり飲みこんだりするのが、たえられない。どんどん痩せて、生理が止まって、さすがに親や先生が心配しだして、病院にいって。入院はしなかったけど、学校にいけなくなっちゃって、休んでたのよね、ずっと」

瞳の後ろのガラス戸に目をやると、レースのカーテン越しに、かすんだ高層ビルと青い空が見えた。冷房のきいた部屋のなかでは、今が八月であることを忘れてしまいそうだった。

「母はそういう人だから、私のこと泣いて責めるし、私ももう人生の終わりみたいに思ってたの。死のうかなって考えたこともある。でもね、学校は私を見捨てなかったの。先生やクラスメイトが訪ねてきてくれたり、進学できるように夏休みや冬休みに補習の時間を設けてくれたりもした。学校に戻るのはすごくこわかったけど、そんなおかげもあって、高二になって勇気を出して戻ってみたの。そうしたら、みんなふつうに迎えてくれたのよね。本当に、なんにもなかったように話しかけてきてくれて。そういうこと、最近よく思い出すの。もし私が男女共学の公立校にいっていたら、あんなフォローはしてくれなかったんじゃないか、とか。でも、そもそも公立校にいってたら摂食障害にはならなかったかもしれない。ううん、やっぱり何かでつまずいて、なっちゃってたかもしれない……光太郎や茜が私のようになるなんて思いたくはないけど、もし何かあったときって考えると、やっぱり私立のほうがいいのかな、とかね」

ここまで聞いてようやく容子は、瞳が何を言おうとしてこの話をはじめたのか理解した。そして、言った。

「じゃあやっぱり、瞳さんも考えを変えて、私立の受験を考えてるのね」

「容子さん、そんな、決めたわけじゃないのよ。だって茜なんてまだ一歳よ。受験とかそういうことじゃなくて、ただ、容子さんにこういう話をしたかったのよ。私たち、いっしょにいるわりにはおたがいのことを知らないじゃない？　あんまり根ほり葉ほり訊くのはマナー違反って雰囲気あるし。幼稚園のママたちを見てると、みんな華やかで裕福で都会的で、しあわせに育ってきた人って感じで、子どものことだってなんでもうまくいく自信を持ってるっていうのかな……でも私はぜんぜんそういう人間じゃないってことを話したかったのよ。受験のことだって、そんなふうには考えてみるものの、うちはやっぱり裕福じゃないし、あのころの私みたいに不自由な思いをさせるんじゃないかって心配もある。学費だって正直、払っていけるかどうかわからないもの。……なーんて、暗い話になっちゃってごめんね。聞いてくれてありがとう」

容子は瞳を見る。床に座っていた茜が、両手をついて尻を持ち上げ、よろよろと立ち上がる。そのまま大きくぐらついて、あっ、と思わず容子は声を出したが、茜は転ぶことなく、不器用に歩いて瞳の脚にしがみつく。

「もう歩けるのね」

「ほんのちょっとだけ」瞳は笑う。

地味だった大学時代の話を、華やかだったクラスメイトたちを馬鹿にしていたことを、人は人だと割り切ることを覚えたことを、瞳に逐一話したいと思った去年のことを、容子は思い出していた。瞳もそんなふうに思って、話してくれたのだろうか。

「ねえ、容子さん、こうしない？　千花さんにも訊いてみて、どこか、みんなで体験か見学か、試しにいかない？　べつに通うと決めるためにいくんじゃなくて、見にいくだけ。みんなでいけば安心だし、千花さんはママ友が多いから、たくさん情報を持ってるんじゃないかな」

「それはいいかもしれない」容子はうなずく。たしかに、雄太や光太郎がいっしょならば、一俊も今日みたいに萎縮することも泣き出すこともないのではないか。それに、何をもってピンやキリとするのか、単純に知りたい気持ちもあった。

「そうよ、そうしよう。じゃあ私、千花さんに連絡とってみる。日にちが合えばみんなでいこうよ」

そう言いながら瞳が壁時計を見た気がして、容子も時間を確認する。四時近かった。あわてて立ち上がる。

「ごめんなさい、すっかり長居しちゃった、もうそろそろお暇《いとま》するね」

「あら、いいのに。あ、でも、見送りがてらお買いものにいこうかな。コウちゃん、お買いものいくけどいっしょにいく？」

ダイニングテーブルの下に潜っていた二人は、飛び出るように這い出てきて、母親たちの前でにやにやと笑う。

「瞳さんの旦那さんって何をしている人？」エレベーターのなかで、ふと思いついて容子は訊いた。ずっと知りたかったことだが、今まで、瞳の言うとおりマナー違反に思えて訊けなかったのだった。

「ちょっと説明が難しいけど」瞳は薄く笑う。「教会で働いてる。宗教者なの」

予想外の答えだったので容子はびっくりした。「神父さんとかそういうこと？」

「キリスト教じゃないんだけどね。まあ、そういう感じかな。でもあやしいカルト宗教じゃないから安心して。そう思われるのがこわくて、幼稚園では訊かれるたび曖昧に答えてるの」

エレベーターが一階についてしまう。光太郎と一俊がマンションの外へと駆け出していき、気をつけなさいよと瞳が大声をあげる。茜は瞳の腕のなかで、何か単語にはならない言葉を発し続けている。

「安月給で困っちゃうのよね」瞳はさほど困っていないような笑顔を容子に見せて、子どもたちを追って外へと出ていく。通りに出ると、四時近くとはいえ、いっこうに陽は傾いておらず、真昼のような熱気と湿気がまだ残っている。「じゃあ、また連絡するね。今日はありがとう。ケーキもごちそうさま」光太郎の手を握り、瞳が言う。

「こちらこそ突然おじゃましてごめんね。ありがとう。私、またいろいろ瞳さんと話したい」

「ときどきはこうしておしゃべりしようよ」高校生のようなことを瞳は言った。そして、続けた。「赤ちゃんのこと、本当におめでとう。ねえ、生まれたら、またみんなで写真館にいこうよ。新メンバーの赤ちゃん連れて」

マンションの前で瞳と別れ、一俊と手をつないで坂を上がりながら、やっぱりきてよかったと容子は安堵していた。瞳と千花が二人で相談しているといった空想や、焦って幼児教室をさがした自分の行為が、申し訳なく、また恥ずかしく思えた。

瞳と自分はなんて似ているんだろうと容子は考えた。住まいのレベルも似ているし、派手な母親たちについていけないところも、夫の職業をなんとなく言えないところも似ている。容子の夫は調理器具メーカーの営業部に勤めていた。主に業者に向けて調理器具を売りこむセールスマンだが、成績次第で個人宅に売りこみにいくこともあるらしい。

出産のとき同じ病棟にいた女性に夫の仕事内容を訊かれてそう答えたところ、「馬鹿高い鍋セットを売りつけたりするんじゃないの?」とからかい半分に言われたことがあった。以来、夫の職業を訊かれると容子は曖昧に答えていた。

今度瞳と話すことがあったら、私もそういう話をしよう。容子は胸の内でそう決める。彼女が私にだけしてくれたような話を、私も彼女だけにはしよう。容子はもっと瞳と親しくなりたかった。以前、千花と親しくなりたいと切望したことがあったが、それとは微妙に異なる気持ちだった。もっとわかりあいたかった。もっと何かを共有したかった。まだなんの実感もないおなかを、一俊とつないでいないほうの手で撫でる。この子も女の子だったらいいのにな。そうすれば、もっと瞳に近づくことができる。相談し、話し合い、問題をともに乗り越えていくことができる。

気持ちが楽になると、とたんに容子は罪悪感を覚えた。今日は一俊に当たり散らしてしまった気がする。一俊がいちばんたいへんだっただろうに。

「カズくん、今日はえらかったね。もう立派なおにいちゃんだね」

容子は一俊を見下ろし、頭を撫でながら声をかけた。けれど一俊は、ぼうっと前を向いたまま何も返答しない。一瞬スクールで感じたものと同じ苛立ちを容子は覚えるが、ぐっとこらえ、

「今日はカズくんの好きなグラタンにしようかな。デザートにアイスも買っちゃおうか

な」

陽気な声で言ってみる。一俊はあいかわらず何も答えなかったが、高田馬場のスクールを出てからずっと続いていた重苦しい気分が、ようやく消えていくのを容子は感じる。

◇

中野のリサイクルショップは、コンビニエンスストアで立ち読みした雑誌で見つけた。十カ月の怜奈を抱っこホルダーに座らせ、繭子は両手に紙袋を抱えて地下鉄を乗り継ぎ、中野を目指す。怜奈を連れて外出することには慣れていたが、そうして地下鉄に怜奈を抱いて乗っていると、繭子はいつも、実家から帰ってきた日のことを思い出す。怜奈が泣かないかとどきどきし、つぶされないかとびくびくし、早く千花たちに会いたくてじりじりしながら電車に乗っていた日のことを。ようやくたどり着いたマンションのエントランスでマダムに会ったのだ。

地下鉄のなかは冷房がきいていたが、東西線を降りて改札を出ると、八月の陽射しが容赦なく照りつけてくる。怜奈はむずかり、怜奈と密着している腹が不快なほど熱い。繭子は記憶を頼りにアーケードを進み、路地の奥へと入っていく。

子ども服が中心のリサイクルショップは、入り組んだ路地の突き当たりにあった。周囲は飲屋街らしく、みなシャッターが下りている。ガラス張りの店の前にはカラフルなキャラクター人形があり、ガラスの内側にはお洒落な子ども服がびっしりとディスプレイされていて、その店だけが周囲から浮いていた。むずかっていた怜奈は泣くこともなく、まっすぐ繭子を見上げて、んま、んまと声を出している。繭子は早くも汗で湿った怜奈の額をタオルハンカチで拭き、リサイクルショップのドアを開けた。なかに入ると一気に涼しくなり、ほっとする。

ごたついた店を想像していたが、ごくふつうのブティックのように整然としていた。陳列された服やおもちゃを横目で見ながら、繭子は奥まった位置にあるレジカウンターに進む。髪を金色に染めた、子ども服のリサイクルショップにいるよりは大人向けの古着屋にいたほうがよほど似合いそうな女の子が、読んでいた漫画雑誌から顔をあげて繭子を見る。

「あのー、服を処分したいんだけど」繭子が言うと、彼女はぱっと立ち上がり、

「どうぞどうぞ」愛想よく笑った。

繭子は紙袋の中身をレジカウンターに出していく。紙袋三つからすべて取り出すと、カウンターにちょっとした小山ができた。

「買い取りにします？　委託にします？」

さっそく衣類のタグをチェックしながら、女の子が言う。

「え？」

「買い取りの場合はすぐお支払いします。希望の値段になるかわかりませんけど。委託の場合は、好きなお値段つけてもらえますけど、売れた場合のみのお支払いになります。うちは期限とかないんで、最初委託で、半年とか一年後の買い取りとかでもいいですよ」

「買い取りにしようかな」すぐお支払い、という言葉に反応して繭子は言った。

「わかりました。じゃ、ちょっとお値つけしますので店内ごらんになってお待ちください」女の子は言い、繭子は言われたとおり店内を眺めてまわった。

怜奈に似合いそうな、かわいい服がたくさんあった。真っ白い麻のワンピースは来年の夏には着られるだろう。襟元にさりげなくフリルのついたブラウスもかわいらしい。タータンのスカートは歩けるようになってからでないと無理だろう。ほとんどすべてブランドものだった。値段を確認すると五千円前後で、繭子は急に気落ちする。子ども服のくせに、こんなに少ししか布地を使ってないくせに、しかも中古品のくせに、なんでこんなに高いの。ピンクとグレイのチェック地のワンピースをハンガーから外し、繭子はじっと眺める。これととてもよく似た服を、千花は娘の桃子に着せていた。千花は一歳になるかならないかの赤ん坊に、シンプルに見えて細部のひどく凝ったワンピースを着せていて、繭子は思わず「かわいい！」と声をあげたのだった。いいな、それどこで買ったの？　と訊いても、千花は笑うだけで教えてくれなかった。きっと教えたって私には買えないと思ったんだろう。あるいは真似されるのが嫌だったのか。繭子はいじけた気分で思いながら、ワンピースの裾に手を突っ込んで値段を確認する。九千八百円だった。

「お待たせいたしました」声をかけられ、カウンターに戻る。「三万四千円になります」

　え、と思う。え、そんなに。

「四千円なんて半端だから、もう一声、五千円にしてよ」

　試しに笑顔を作って言ってみる。金髪の女の子は笑い、

「わかりました。じゃ、初回サービスということで」

　あっさりと買い取り値段を引き上げてくれた。

「またいらしてくださいね。またね、バイバーイ」

　怜奈に手をふる女の子に頭を下げて、繭子はカウンターに背を向ける。店を出際、さっき手にしたチェック地のワンピースを買おうかどうしようか迷うが、結局買わずに店を出た。

　アーケードをぶらぶらと歩く。並ぶテナントの冷房のせいでアーケードは充分涼しかった。怜奈がうとうととしはじめたので、背をたたいて眠りに誘導しながら、繭子は下

着の店や洋服屋や靴屋をひやかして歩いた。三万五千円か。そんなになるんだ。ほとんど新品の、かおりにもらった子ども服を手放すのは惜しかったが、先月使ったカードの支払いにお金が足りなかったのだからしかたがない。定期預金を崩すのは嫌だった。

急にふくらんだ財布のせいで、あれもこれも買いたくなる。自分の服なんてもうずいぶん買ってない。夏服だってぜんぶ去年のだ。買っちゃおうかな。太腿や腕を露出した若い子たちに交じって、藺子は自分の服を物色する。キャミソールが千九百円。安い！それにこのスカート、三千九百円。両方買ったって一万円にもならない。さっきのお金から必要な額を差し引いても充分買える。

迷彩柄のミニスカートを手にしたまま、藺子は考える。こういうの、あの人たちでもな。着てないんだよな。

藺子はスカートを元に戻し、店を出る。向かいにあるファストフード店に入り、チーズバーガーのセットを注文し、奥まった席でひとりもそもそと食べる。立ち読みした雑誌で見た夏服やバッグ、流行のアクセサリー、行列のできる店のスイーツやイタリア料理、そんなものが浮かんでは消える。

藺子は子どものころからずっと、すてきなものは遠くにあると思っていた。小学生のころは、それはたとえばバスに二十分、電車に三十分揺られなければいけなかったサンリオショップだったたし、中学生のころはさらに遠い繁華街のファッションビルだった。

高校生のころに心の奥底からほしいものはみな東京にあった。雑誌を眺めては、東京にいけばこれもあれもぜんぶ手に入ると錯覚していた。地元の短大に進んでからは、週末に東京にいくことはあったが、けれどほしいものすべてを揃えるのは不可能だった。所持金はいつも足りなかった。地元で就職していた二十代の前半、繭子は週末も連休も盆暮れも、休みという休みはすべて東京いきに費やした。学生のころより自由になるお金は増えていたが、それでもやっぱり、ほしいものをほしいだけ買うことは不可能だった。結婚して東京近郊に引っ越してみれば、すてきなものは東京ではなく、雑誌のなかへと遠のいてしまった。魅惑のプリン。売り切れ必至のアクセサリー。行列の先のワッフル。ブランドものの新製品。ベルギー産のチョコレート。脚のかたちがきれいに見えるジーンズ。なぜか手にできないそれらを、日常的に手にしている人たちがどこかにいると思うと、繭子はじりじりと落ち着かない気持ちになった。都心へ引っ越せば。マンションを買えば。経済的にゆとりができれば。毎日念じるように思っていた。そうすれば、雑誌のなかのすてきなものはぜんぶ手に入る。

だから、祐輔の父が亡くなり、遺産金が入ることになり、都心に中古マンションを買ったとき、繭子は自分の人生に勝ったと思った。いつも遠くにあり、近づけば遠のいていくすてきなものたちが、みな手に入ったように思った。実際、引っ越す前に焦がれるようにほしかったもののいくつかは手に入ったように繭子は思う。たとえばお洒落できれいなママ友。千花やマダム。彼女たちと過ごす時間。彼女たちといっしょにいった評判のケーキ屋や写真館。それに怜奈。将来芸能人になることが間違いないほどかわいい怜奈。

けれど、多くのものは気づけばまた遠のいている。ヨーロッパ製の高級そうな家具。さりげなくブランドのロゴが入った洋服や鞄。わかりやすくブランド名の入った子ども服。いかにも裕福な家の子が通う習いごと。自己実現のためにママが通う習いごと。一カ月先まで予約がいっぱいのレストラン。有名シェフに習う料理教室。アウトレット巡りのハワイツアー。家族でいくヨーロッパ旅行。それらは今、雑誌のなかではなく、目の前にあると繭子は思っている。自分の暮らす町の至るところに、手をのばせば届きそうな位置にある。たとえばマダムの部屋にそれらはあるし、千花の生活にもあるように思える。千花たちの幼稚園の母親たちの日常にも。なのに雑誌のなかより遠い。どういうことなのか、ちっともわからない。

いや、どういうことなのかはわかっている。繭子はポテトのくずをつまんで口に入れ、ほとんど氷だけになったコーラを飲み干す。奥の席で、自分よりもまだ若いだろう母親たちが煙草を吸いながら笑い転げている。子どもたちは子どもたちでおもちゃを取り合って遊んでいる。

亡くなった義父の遺産と保険金から、二世帯住宅の建築費用を出し、残りを祐輔の母、兄、祐輔の三人で分けると決まったのは二年前だ。少なく見積もっても一千万はあると聞き、三百万円は先にもらった。だからマンション購入に踏み切ったのだ。二世帯住宅はもうとうに建っている。弁護士立ち会いのもとで遺産分与も行われた。ところがようやくすべての手続きが終わった半年前、祐輔に与えられた金額は、七百万どころか百万にも満たなかったのだ。そんな馬鹿な話はない、だまされているに決まっていると繭子がせっつき、祐輔は弁護士に父の遺したものの正確な額、差し引かれた二世帯住宅の建築費用を問いただした。弁護士の用意したやけに仰々《ぎょうぎょう》しい書類を見ると、義父の遺産と保険金は合わせて四千万円ほどだった。当初の計算よりだいぶ少ないうえ、義母は二世帯住宅の建築費ばかりか、家具や設備の代金もそこから差し引き、諸手続きにかかった費用と、さらには墓地と墓石の代金まで差し引いていた。残金を三等分すればたしかに公平な額が祐輔に割り振られていた。でも話が違うと繭子は言い募ったし、祐輔も母親にそう言った。が、最初からそういう話だった、あんたたちが同居をいやがったんでしょうと祐輔は母親にやりこめられ、そもそも遺ったお金は返ってこないのだった。

百万円にも満たないお金を繰り上げ返済したところでしかたがないと祐輔と話し合い、結局普通預金に入れたままだが、生活費を引き出しているうちにそれはどんどん目減りし、今ではまったく残っていない。当初の約束どおり七百万円が割り振られていれば、ローン返済はもう少し楽になるはずだったし、怜奈の学費預金もできるはずだった。家具も買い替えるつもりだったし、千花やマダムがそうしているように、怜奈にも何か習いごとをさせるつもりだった。マダムがぽんとくれたような服しか怜奈には着せないつもりだったし、千花やマダムが着ているような、派手さはないのに高価そうな服しか自分も着ないつもりだった。怜奈に味を覚えさせるために高級レストランにいくような家族になるつもりだったし、夏休みと正月は海外で過ごすはずだった。もちろん繭子は七百万円で何ができ、何ができないかなどと具体的に考えてはいない。ただ、手に入るはずだったものが鼻先をかすめ、身近にあるのに手の届かないところへと消えてしまったような気分だけ、ずっと抱いている。

怜奈が目を覚ましてぐずり、赤い顔をして泣き出す。繭子はナップザックから水筒を取り出し、リンゴジュースを飲ませてやろうとするが、怜奈はめずらしくいやいやをして、さらに大きく泣きはじめる。喚声が起き、ふりむくと奥の席の母親たちである。ピアス、茶髪、ブレスレット、肩や胸元を大きく開けた服を着た母親たちは、何がおかしいのかテーブルに突っ伏したり互いをたたきあったりして笑っている。子どもたちのひとりはおもちゃを取られたのか、床に寝転がって泣いているが、母親たちは一瞥もくれない。

ふと繭子は、自分は本来あそこにいるべき人間なのではないかと思った。見知らぬ彼女たちの生活はくっきりと想像できた。赤ん坊ができて結婚したのだろう。夫も彼女たちと同様に若く、髪を染め、ピアスをしているのだろう。アルバイトに近い仕事をし、このあたりの2DKのアパートに住んでいるのだろう。テレビとステレオとゲーム機の配線が絡まっていて、UFOキャッチャーで取ったぬいぐるみが至るところに飾られていて、つっぱり棒を通した押入には安っぽい服があふれていて、ビーズのれんが台所と居間を仕切っていて、部屋の壁には高校生のころの写真からディズニーランドで撮った家族写真まで隙間なく貼られていて、彼女たちはこのあとスーパーの総菜コーナーでコロッケやらマカロニサラダやらを買って帰り、夫が帰ってくるまで子どもにはアニメ番組を垂れ流すように見せ、自分はポテトチップスを囓《かじ》りながらファッション雑誌をめくってため息をつくのだろう。かつての私がそうしていたように。そんな暮らしはいやだと思っていた。駅前の風俗店や、アパートの周りの田園や、埃っぽい国道や、格安靴屋や混んだスーパーや、暑いのも寒いのも我慢する生活や、毛羽立った畳やしみのついたリノリウムや、すぐ目地が黒くなる風呂場のタイルを憎んでいた。みすぼらしいと思っていた。なのに今、ファストフード店の片隅で笑い転げる母親たちを、勝手に想像した彼女たちの生活を、猛烈にうらやんでいることに繭子は気づき、愕然とする。

「もう、いらないならあげないよっ」

繭子は声を抑えて怒鳴り、水筒のふたを閉めてバッグに戻す。泣いている怜奈をあやすこともせず、トレイを戻し、足早に店の外に出る。

うらやましいなんてこと、あるはずがない。あんな町もあんな暮らしも私は大っ嫌いだったんだから。駅を目指す。アーケードは人でごった返している。怜奈は抱っこホルダーのなかで泣き叫んでいる。三万五千円。さっき受け取った金額を思い出し、かろうじて繭子は落ち着きを取り戻す。マダムからもらった服とおもちゃは三万五千円にもなった。ならばマダムは、いったいあれらを買うとき、どのくらいの金額を支払ったんだろう。

さっきの茶髪の母親たちは、マダムみたいな人と一生出会うことはないだろう。あの人たちの子どもは、千花や瞳の子どもが通う私立幼稚園に通うことはないだろう。千花たちが最近話している受験にだって無縁だろう。雑誌の向こうにすてきなものを見つけてため息をつき続けて年をとっていくんだろう。そんなのは嫌だったのだ。そんなのは嫌だから引っ越したのだ。繭子はバッグからおしゃぶりを出し、怜奈の口に押しこもうとするが、怜奈はいやいやをして口に含まない。顔を赤くし、泣き続けている。きれいなかたちの水滴が怜奈の頰を伝っている。繭子は立ち止まり、怜奈の口をこじ開けるようにしておしゃぶりを差し入れる。

繭子は立ち止まったまま、おしゃぶりをいやいや口に含む怜奈を見下ろす。急に、ざわざわと不安が足元からせり上がってくる。

先月使ったカードの引き落とし通知がきて、その金額は五万四千円ほどだった。何か大きな買いものをした記憶はない。化粧品を買い、祐輔の革靴を買い替え、怜奈のおもちゃを買い、所持金の少ないときスーパーの支払いをした程度だ。祐輔の給料が振りこまれる口座には、三十万円程度しかなく、そこから自動的に引き落とされる公共料金やローンのことを考えると、五万四千円を下ろすのはためらわれた。それで迷いに迷った末、マダムからもらった服を売ることにしたのだった。繭子は漠然とした不安を急に感じる。定期が一口あるが、それだって五十万円だ。この先、自分たち一家はどうなるんだろう。怜奈はどうなるんだろう。私たちは車も買えないままなのか。怜奈は、千花たちの子どものように私立幼稚園にいくことはできないのだろうか。小学校にいくにも、まず経済的な条件から選ばなければならないのか。都心に引っ越してようやく友だちができたのに、茶髪の母親たちが会うことのないような人たちと仲良くなれたのに、私ひとり、子どもをべつの幼稚園に通わせ、べつの小学校に通わせ、だんだん彼女たちと話が合わなくなっていくんだろうか。

うしろから歩いてきた若い男が、立ち止まったままの繭子に舌打ちをしてよけていく。繭子ははじかれたようにきびすを返し、さっき歩いた路地へと戻る。シャッターの閉まった飲屋街を進み、リサイクルショップのドアを開く。いらっしゃいませ、と言いかけた金髪の女の子は、繭子を見て「ああ」と笑顔を作る。

「これ、やっぱりかわいいから買おうと思って。ずっと迷ってたんだけど」

繭子は桃子が着ていたのとよく似たワンピースをレジに持っていく。怜奈は泣き出し、さっきくわえたばかりのおしゃぶりがぽとりと落ちる。

◇

なんて落ち着く部屋だろうと、かおりの部屋のリビングに座って千花は思う。かおりはトレイに紅茶を載せてキッチンから出てくる。

「こないだはごめんなさいね。ユリって、悪い人じゃないんだけど、ずっと独身だし、仕事も独立してばりばりやってるから、不躾《ぶしつけ》なところがあるのよね」

カップをソファテーブルに並べ、向かいのソファに座ってかおりは困ったように笑う。

「そんなことないですけど……でも、ちょっと質問が強引でしたよね」千花は遠慮がちに言う。

「やだ、敬語なんて使わないでね。ほんと、あの子もはじめて自分の名前で本を書くから、はりきりすぎてるなって思うところもあったんだけど、私が口を挟むとあの子、うるさいの。仕事している自分のことを私がうらやましがってるんじゃないかって、そういう思考回路の子だから」

「ああ、わかります。いますよね、そういう人」千花はうれしくなって身を乗り出す。

何がうれしいのかよくわからない。あのとき橘ユリに感じた不快感を説明せずともかおりが察してくれたことか、かおりとユリの微妙な関係を打ち明けてくれたことか。「私も学生時代の友人にそういう子がいるから、わかるな。独身で仕事できる人って、なんかそういうこと、言いたがりますよね」

千花はその話題についてもっと話したい気分になったが、しかしかおりは薄く笑っただけでのってはこず、

「今日はお子さんは？」

「母に預けています。上の子は水泳教室にいってますけど、母が迎えにいってくれることになっています。かおりさんはだいじょうぶでしたか、時間。突然ごめんなさい」

「うちの子は小学校のお誕生会で、目黒までいってるの。終わったら近くまで送ってくださることになってるから、時間のことは気にしないで。それで、ええと、何をお訊きになりたいんだっけ」

「あの、小学校の受験のことです」

千花は言った。小学校の受験について話を聞かせてもらえないかと、思い切ってかおりに連絡したのだった。本当は、ただかおりと親しくなりたいだけだった。子どもの年齢が違うから、瞳や容子たちとのグループにかおりが入ってくれることはまずないだろうが、千花は瞳たちと同様にかおりと近しくなりたかった。瞳、容子、繭子たちと過ご

す気兼ねのない時間は貴重だったし、教育について考えの似ている瞳や容子とあれこれ相談し合うのも千花には重要な時間だったが、それでもなぜか、彼女たちとばかりいると息苦しくなってくる。かといって、高校、大学時代の友人たちの多くとは疎遠になっている。母親になっている元同級生たちは、この近辺の母親たちとは微妙に異なったところで教育熱心だったし、仕事をしている元同級生たちとは、かおりの言うように話がかみあわなくなっていた。幼稚園や水泳教室などといった子ども関係とは無縁のところで、かおりと仲良くなりたいと千花は思っていた。

「受験、お子さんに任せているとおっしゃってたわよね」

「ええ、そのつもりです。ただあの、情報やノウハウが聞きたいんじゃなくて、どんなことを思ってお嬢さんの学校を選んだのかなとか、実際受験を経験されてどうだったのかなとか、今はどうお思いになっているのかなとか、そういう話を、なんていうかざっくばらんに聞いてみたかったんです」かおりは薄く微笑んだままじっと千花を見ている。親しげにも冷淡にも見えた。「私のまわり、今、ママ友だちしかいないんです。とてもいいお友だちに恵まれていると思うんですけど、でも受験の話とか習いごとの話になると、なんていうのか、ちょっとみんな神経質になっているかなって……とくに最近ですけど」

「わかるわ。この辺とくに、熱心な家庭が多いものね。だから私、千花さんの言うママ友だちって、意識して作らなかったのよ」かおりは紅茶カップを手にし、いたずらを隠しているような顔で笑う。

「えっ、そうなんですか。でもそれってたいへんじゃ……」

「たいへんだろうってみんな思ってるだけ。子どもの同級生の母親と仲良くしなきゃだめだって思いこんでるだけ。実際はなんてことないのよ。ふつうに挨拶して、世間話のひとつふたつしていれば、だれかと仲良くなる必要もないし、グループになる必要もない。だってそうじゃない？　私が子どものころなんてそうだったわ。母親同士が喫茶店でお茶飲んだり、電話し合ったり、そんなことなかった。それでも私はちゃんと友だちがいたし、学校だってたのしかった」

「かおりさんって、強いんだなあ」

思わず千花が思ったままを口にすると、かおりはふき出すようにして笑った。

「強いってことはないと思うけど。友だちって、作るものじゃなくてできてしまうものでしょ？　子どもが同い年だからとか、同じ幼稚園にいってるからとか、そんな理由で友だちを作ることが私にはできなかったっていうだけ」かおりはカップを手にしたまま、じっと千花を見つめる。そしてちらりと視線を外し、カーテンの向こうを眺めてつぶやくように続けた。「私、ずっと働いていて、子ども産んでも続けるつもりでいたの。専業主婦なんて冗談じゃないって思ってた。だからどこかで、衿香の友だちのママたちを見下していたところもあったんでしょうね。だって千花さんもわかると思うけど、ここら辺のおかあさんたち、前時代的なところがあるじゃない。もちろんそうじゃない人もたくさんいるし、働くママも大勢いる。でも衿香がいった幼稚園はね、そりゃあもう毎月のように保護者参加のイベントがあって、アニメ禁止のお達しなんかもあって、だいたいの母親は専業主婦。子育てが一段落ついたら、夫のお金でフラワーアレンジメントや紅茶のいれかたなんて習って、あわよくばそれで自分のお教室を開きたいと本気で思ってるような、天真爛漫なママばっかりだったのよ。よく言えば世間知らず、悪く言えばいかれた女」

ずいぶんはっきりしたもの言いに、千花はびっくりしてかおりを見る。かおりは千花を上目遣いに見て、声をあげて笑った。一瞬、年上のかおりが女子高生に戻ったように見える。

「ごめんなさい、私、口悪いの。千花さん、話しやすいから、つい」

「いえ、あの、わかります」千花はあわてて言った。うれしかった。もっと本来のかおりを見せてほしかった。「私、女子校だったから女の世界の独特さはすごくよくわかる。もらうことばっかりに敏感で、もらえないと不平ばっかり言ってる人って、子どものときも、大人になってからも、どこにでもいますよね。幼稚園のママ友も、最初はいいんだけれど、親しくなってくるとだんだんそういう面も遠慮なく見せるようになるし」それでわざわざそんなことまで言った。

「そうでしょ？　だからいやだったの、ああいうお馬鹿な人たちとつるむのが。私、こう見えても出版社で女性誌作ってたのね。男の人におごってもらうのなんか大嫌いだったし、養ってもらうつもりもなかったの。少しでもいい条件の男と結婚するしか能のない女なんて軽蔑してた。本当はどうかわからないけれど、衿の幼稚園に子どもを通わせてる母親はそんな人ばっかりという印象があったし、習いごとや幼児教室で会うおかあさんもおんなじ。自分が何もできなかったぶん、子どもにめいっぱいの期待と夢を背負わせちゃってるような人ばっかり。東京に住んで、私立のお嬢さま学校に通って、英語がぺらぺらでスポーツが何かできてお友だちがたくさんいてって、自分がやりたくてもできなかったことを子どもに代わってやってもらってる。いわば子どもは母親のちいさな代役ってわけ」

かおりの口調は少しずつ熱を帯び、胸の内を見せてくれているようで最初はうれしかった千花も、だんだん奇妙な心持ちになった。かおりの言う「母親」もしくは「女」は、幼稚園や習いごと先で会った不特定多数ではなく、特定のだれかであるような気がしたのだった。でも、だとしたらそれはだれなんだろうと千花は考える。もちろんわかるはずもない。

「今はそんなことはないんですか。その、衿香ちゃん、私立の小学校に入って、そこでのおかあさんたちもやっぱり幼稚園と似たような感じ？」

「ぜんぜん違うわ」かおりは立ち上がり、キッチンにいって何かしている。千花はキッチンカウンターの向こうで動くかおりを目で追った。家事などいっさいしていないように整然としたキッチンで動くかおりは、台所用品のコマーシャルに出演中のモデル、といった風情だった。「衿の小学校はちょっと離れてるし、目黒や世田谷、横浜のほうからも通ってきてるお子さんが多いから、このあたりの学校みたいに閉鎖的じゃないの。閉鎖的って言うのもなんだけど……でもほら、似たような地区の子ばっかりが集まるとなんとなく息苦しくなる感じ、わかるわよね？　もう少し自由な感じで、たのしいわ。幼稚園のころと違ってそうそうイベントはないし、顔を合わす機会も少ないから、たとえば学生時代のときみたいな友だちができたかといえば、そういうわけでもないんだけど、でも気分的にはずっと楽。働いているおかあさんもたくさんいるし、話も合うわよ」大きな皿を手にかおりは戻ってくる。テーブルに置かれた皿には一口サイズのケーキが並んでいる。かたちが不揃いなところを見ると、かおりのお手製なのだろう。あんなに整然とした台所でも、この人はちゃんと活用しているんだと、千花は感心しながら手をのばす。

「うわあ、おいしい！」

かおりはその反応にはかまわず、でもね、と話し続ける。

「でも結局、私はあれほど嫌がっていた専業主婦になってしまったわけなんだけど。衿の幼稚園がとにかくたいへんだったし、できれば私立と思ってたから、お教室にも通わせたりしたたし。働きたい、働きたいって気ばかり焦って泣いてたときもあったの。でも衿の小学校が決まってみれば、今はなんだか就職難らしいじゃない？　新卒だって雇ってもらえないらしいのに、七年八年もブランクのある母親を雇ってくれる出版社があるかどうか。かといって、かつてこういう仕事をしていたんだってプライドが邪魔して、そのへんの会社で事務をする気にもなれないし、パートなんてやりたくもないし、なんだか最近は、もういいかって気になっちゃって。結局、負けちゃったのね、私は私に」

「でもかおりさんなら、なんだってできると思うけどな。出版社でばりばり働いていたんだし。就職難なんて関係ないですよ」

「もう無理よ。今の私は衿のお弁当の献立を考えるので精一杯」かおりはそう言って、千花をのぞきこんでおもしろそうに笑った。ぴりぴりととがった音が聞こえると、かおりは笑いをひっこめ、足早にキッチンカウンターに向かう。そこに置いてあった携帯電話を手にすると、「ゆっくりしていてね」と言い残し、「もしもし、ええ、私」携帯電話に応答しながら部屋を出ていった。

　急に静まり返る。千花は、予想していたよりずっとかおりがうち解けてくれたことに満足して、部屋のなかを眺めまわす。やっぱりかおりさんって、私の思ったとおりのさばさばしたいい人だったな。もしかして私たち、友だちになれるかもしれない。かおりさんの言っていた閉塞感、私もわかるような気がする。瞳さんたちのことは大好きだけど、今のまま、みんなで同じ小学校、中学校へと子どもを進学させることになったら、ちょっときついような気もするし。いろんな地区からの生徒がいて、いろんな価値観のなかで育ったほうがいいに決まってるし。やっぱり、雄太の受験のこと、もう少し真剣に考えようかな……。窓の外の陽射しは強く、カーテン越しに見えるベランダは白く発光していた。その光のなか、咲き乱れている花の赤や黄色がぼんやりとにじんで見える。

五分たち、十分たってもかおりはなかなか戻ってこなかった。千花は所在なくケーキをもうひとつ食べ、カーテンの外を眺め、音もなく動く空調機を見上げ、飾ってある絵を順繰りに眺めた。何か緊急の用件なのだろうかと不安になったころ、かおりは携帯電話を手に戻ってきた。

「急用でしたら私、失礼しますけど」腰を浮かせると、

「いいのいいの。たいした用じゃないから」かおりは壁に掛かった時計をちらりと見上げて笑ってみせた。「どこまで話したかしら」

「今の小学校がとてもよかったって話です」

「紅茶、いれなおすわね」かおりは立ち上がり、またキッチンにいった。何か、さっきまでと雰囲気が違っている。そわそわしているというのか、上の空というのか。戸の開

け閉めも乱暴で、ぼんやりした顔つきをしている。私、やっぱりそろそろ失礼します、と言うため千花が口を開いたとき、キッチンにいるかおりが言った。

「ここだけの話をしてもいいかな」

「え」

「だれにも言わないでくれる？　といっても、共通の知り合いもほとんどいないわけだけど、このあいだのお友だちにも言わないでくれる？」

「あ、はい、ええ」

千花が答えると、女の叫ぶような声がした。千花はびくりと体をこわばらせるが、すぐに湯の沸騰を知らせるやかんの音だとわかる。わかっても、しかし気持ちはざわついたままだった。ここだけの話、というかおりの言葉に興奮もし、また聞かないほうがいいような、不安に似た予感もあった。かおりはすぐには話し出さず、やけに時間をかけて紅茶をいれている。なんだろう。だれにも言えない話ってなんだろう。子どもを虐待しているとか？　まさか。衿香ちゃんの入学、裏の手を使って果たしたとか？　でも、よく知りもしない私に話してくれるのだから、きっとそんなにたいした話ではないのだろう。橘ユリと本当は仲が悪いとか、そういう話じゃないかな。めまぐるしく想像しながら、千花はかおりが話し出すのを待った。

◇

――最後にひとつだけ。本当の友だちだと思っているから書きますね。そんなにむきになって、自分の生活が充実していると、くどくどしく言わなくてもいいですよ。しあわせな人は自分がしあわせだと、ことさらに言わないものだという先生の御言葉を、あなたの手紙を読んでいると思い出してしまうの。私が言いたいのは、あまり無理をせずに、上を見ることも下を見ることもなく、呼吸のしやすい生活をしてほしいということです。ともにがんばりましょう！

最後の文面を、瞳は三度くり返して読み、そして三枚に重ねられた便箋を思い切り破り、力任せにまるめた。

この人、何を言っているんだろう。

「コウちゃん、出かけますよ、支度はいいの？」

瞳はまるめた手紙をゴミ箱に投げ入れ、寝室にいる光太郎に声をかける。返事がないので襖を開けると、光太郎は靴下をはいているところだった。

「おお、えらいね、コウちゃん、靴下ひとりではけるんだ」

「おいら靴下だってはけるし、パジャマだってできるよ」鼻の穴を膨らませて光太郎は答える。

茜をおぶい、チャイルドシートに光太郎を座らせて瞳は自転車を漕ぐ。数分漕いだだけで汗がふき出る。ぶうーんぶうーん。光太郎は飛行機の真似をし、茜が背中できゃっきゃっと笑い声をあげる。夏の陽射しを浴びて、道路沿いの木々がちかちかと光を放っている。道の先が歪んで見える。

「ママ、おいらチーズのソーセージ食べたい」ふりかえって光太郎が言う。

「やあね、スーパーにいくんじゃないわよ。コウちゃん、これからお勉強しにいくのよ」

「うえー、おべんきょうー」光太郎はチャイルドシートの上で背をのけぞらせる。わざとやっているのだ。瞳が注意すると光太郎はげらげらと笑う。茜もさらに声をあげて笑う。

手紙は「風船の会」の馬場好恵からだった。手紙のやりとりは今も続いていた。札幌に住む好恵は、この二年間、結局ひとり旅をすることもなく、横浜在住の男性と親しくなることもなく、かといってほかに親しい男性ができるわけでもなく、つまりは二年前と、いやもっと以前と何ひとつ変わらない生活を送っていることになる。だからあんなことを書いてよこしたんだろうと瞳はペダルを漕ぎながら思う。ときどき好恵が「ひとり旅をしようと思う」「がんばって彼に連絡をとってみようと思う」「地域のサークル活動に参加しようと思う」「『風船の会』の理事に立候補しようと思う」と思いついたように手紙に書いてくれれば、なんだか置いてきぼりを食らった気持ちになったが、好恵はそれらの思いつきをただの一度も実行に移したことがなく、結局いつも「やっぱりやめました」となる。かつて瞳はそのことに安堵していたが、近ごろ、何ひとつ新しいことをはじめず、だれひとり新しい人と知り合おうとしない好恵のことが、じれったくもあり、また気の毒にも思うようになっていた。

この二年、光太郎が幼稚園に上がり、新しい友人ができ、茜が生まれ、とめまぐるしい生活を送っていた瞳は、正直いえば好恵に手紙をしたためることが億劫なときもあった。文通などやめようかと思うときもあった。それでも定期的に手紙を書き続けていたのは、自分も好恵を見切ってしまえば好恵は本当にひとりぼっちで何もしないだろうと思えたからだし、自分の近況をときには誇張も交えて書き綴ったのは、私だってやればできるのだからあなたもがんばれと、暗にメッセージを送っていたからでもあった。もちろん得意な気持ちがなかったとはいえない。何しろ自分は結婚して都内に引っ越すなどという、好恵には到底できない大冒険をおかした。ボランティアサークルだって自分で見つけて申しこんだのだ。きっと親しい人なんかできないだろうと思っていたのに、安産を祈ったり写真館にいったりする友だちがあんなに大勢できた。すごいわね、と一言言ってほしいという気持ちもどこかにはあった。だってそれが友だちというものではないか。相手が自分にはできないことをしたらすごいわねと感心し、内にこもれば外に出るよう誘い、自信がないようだったら強く励ます。

何が、「そんなにむきになって」だ。「しあわせな人は」だ。「ともにがんばりましょう！」だ。あなたはぜんぜんがんばってないし、ただやっかんでいるだけじゃないか。風船の会、もう辞めどきなのかもしれないな、と瞳は思う。すがるような思いで風船の会に入ったあのころとは、私はもうまったく違うのだ。夫の関係もあるから入会したままになっているけれど、会合にもいっておらず、会報誌だって開くことはまれになった。風船の会は、好恵のように、自分からは何もできず何も変われず、何かに救いを求めなければいられない人のための会なのだ。もっと早く辞めておくべきだった。好恵との文通も、もっと早く切り上げるべきだった。

大学にたどり着くころには、茜をおぶっているせいもあり、シャツは汗で背中にはりついていた。指定の駐輪場に自転車を停め、瞳はあわてておぶい紐をほどき、光太郎と茜の汗を拭いてやる。ひまわりプロジェクトのミーティングは、ボランティアセンターの一室で行われることになっていた。けれど今日、瞳の目的はミーティングだけではなく、無料で行われている子ども英会話のお試しレッスンに光太郎を連れていくことでもあった。容子の訪問を受けてのち、評判のいい幼児教室を知らないかとひまわりプロジェクトのメンバーに訊いたところ、幼児教室ではないが、留学生と学生ボランティアが夏休みのあいだだけ主催している子ども向けの英会話教室があると、金村治美が教えてくれたのだった。光太郎に英会話をさせたってしかたがない、どうせ単語のひとつも覚えられないだろうと瞳は思ったが、勧められたのを無視するわけにもいかず、お試しレッスンだけ受けさせることにしたのだった。光太郎がレッスンを受けているあいだ、茜連れだがプロジェクトのミーティングにも顔を出せる。ボランティア活動ができるほど自由な時間は瞳にはなかったが、プロジェクトの面々とつながりは持っていたかった。

　英会話レッスンが行われているのは、学生会館の一室だと聞いた。夏休みで、大学の敷地内も学生会館も、いつもよりは空《す》いている。言われていた四階の部屋にいっておそるおそるドアを開けると、外国人を含めた若い学生風の男女と、八人の子どもがいた。英会話レッスンというよりはデパートの屋上のキッズスペースといった感じで、風船や絵本、おもちゃやレゴブロックが散乱し、隅に置かれたカセットテープからは英語の陽気な歌が流れていた。

「こんにちはー。えーと、光太郎くん、だっけ」若い女の子が近づいてきて、光太郎に目線を合わせて言う。光太郎は不安げに瞳を見上げ、こうたろう、とちいさく訂正した。

「あっ、ごめんごめん、こうたろうくんか。おかあさんですよね。金村さんから聞いてます。レッスンは二時から四十分程度です。三時前にお迎えにきてください」

「置いてっちゃっていいんですか」その場の雰囲気が思ったより明るいことにほっとし

ながら、瞳は聞いた。

「ええ、おかあさんやおとうさんの同伴は遠慮してもらってるんです。ほかの子どもたちも、みんなひとりの参加だし」女の子は部屋で遊んでいる子どもたちを指して言う。

「じゃ、すみませんがよろしくお願いいたしますね。コウちゃん、わがまま言わないのよ。先生の言うことよく聞くのよ」瞳は光太郎に言い、部屋から出た。光太郎は不安げに瞳を見上げていたが、泣くこともなく追いかけてくることもなかった。ドアを閉めると、「さあー、みんなで歌おうー、レッツシングアソーン！」と威勢のいい声が聞こえてきて、漏れ聞こえる音楽がいっそう高まった。

瞳はべつの敷地にあるボランティアセンターを目指す。建物の外に出ると、煮詰まったような熱気が瞳を包む。背中におぶった茜が、自分も歩きたいと言っているのだろう、あんあんと声を出しながら体を動かしている。瞳は立ち止まり、茜を下ろし、おぶい紐をトートバッグにしまう。背中がすうっと涼しくなる。けたけた、とあどけない笑い声をあげて数歩歩いた茜は、すとんと腰をつき、不思議そうに瞳を見上げる。瞳は思わず笑みをこぼしながら茜を抱き上げる。木々に盛大についた葉が風に揺れ、涼やかな音をたてる。

瞳が急に人前で食事できなくなったのは中三のときだった。高校に上がると、ものを食べることすらも嫌になった。中一のときにはじまった生理が止まり、三十キロ台まで痩せ、容子にはそうは言わなかったけれど、高校一年の夏休みには入院するまでになった。

マザーアースのことは同じ病室に入院していた、二十代の女性から聞いた。キリスト教を母胎にした、しかし宗教ではなく理念を学ぶ会で、彼女はそこに通うことで「生きることが楽になった」と瞳に語った。彼女はパニック障害を持っていたが、マザーアースの存在は薬よりも効果があると彼女は言い、瞳より先に退院してからも瞳を見舞いにきた。

両親は、瞳のことを恥ずかしいと思っているのかほとんど見舞いにこなかったから、雰囲気のやわらかい彼女に瞳はずいぶん助けられた。それで退院したのち、彼女に誘われるままマザーアースの会合にいった。区民センターの一室を借り切って、十数人が集まっていた。中年の女性が三十分近く話をし、みな静かに聞き入っていた。彼女の話のすべてをそのとき瞳は理解したわけではないが、私たちは全員前世を持っていて（過去生という言葉をその女性は使った）、今現在私たちに起きる、不幸と分類されること、幸福と分類されること、それらはみな前世のツケであり現世（現在生と彼女は言った）の宿題である、という部分だけ、妙に心に残った。彼女の話が終わると、全員が立ち上がり、演奏もないのに歌をうたい出し、両手を大きく掲げて踊った。瞳は大の大人たちがそんなふうに歌い踊ることにぎょっとしたが、しかしそこに突っ立っているうち、なぜかわからないながら涙が流れて止まらなくなった。

その後はなごやかな歓談の時間になり、同じ病室だった女性が瞳を紹介した。みな拍手をし、そのときも意図せず涙が流れてきて瞳は驚いた。もっと驚いたのが、内容のよくわからなかった会合であり集団であるのに、帰り道、びっくりするくらい体が軽く、気持ちが平穏だったことである。

以来、瞳はマザーアースに通い続けた。週に一度、区民センターで会合があり、決められた祝いごとの日（一月に現在生を祝う誕生祭があり、七月に生を与えた「大いなる存在」に捧げる感謝祭があり、十二月にキリスト教と同じ意味合いでのクリスマスがあった）は、市民ホールやホテルのホールを借り切って、ほかの支部の人たちを交えた大がかりな会があった。長野のSという村にマザーアースの本部を兼ねた教会があり、瞳は高校三年生の夏に両親に嘘をついて本部で行われる合宿にも参加した。

地元の短大を卒業後、瞳は児童福祉施設に職を得たが、一年で辞めて、マザーアース本部で働くことを決めた。人間の過去生、現在生、未来生を司《つかさど》る「大いなる存在」があると信じるマザーアースは、宗教法人ではなく、慈善事業を行うＮＰＯ法人とされていた。マザーアースの主宰者は、健康食品を扱う会社の経営者でもあり、活動資金の半分はその会社から捻出されていた。会員たちが運営するキッズスクールの収入もあった。月に一度か二度、子どもたちを集め、凧《たこ》作りや竹馬といった昔ながらの遊びを教えたり、野鳥や草花を調べたりするのが趣旨で、夏休みや冬休みには子ども合宿も行っていた。それにくわえ会員たちによる寄付がある。

瞳は馬場好恵とそこで会った。北海道に住む好恵はその当時から介護福祉の仕事をしており、夏の合宿に参加したのである。

瞳は現在の夫である栄吉とも、この本部で出会った。栄吉は幹部メンバーとして、各地の支部にいっては会合をまとめたり、説教をしたりしていた。

マザーアースの敷地内に建つ質素なプレハブ住宅に住みこんで、熱心に活動を手伝っていた瞳だが、二十六歳のとき栄吉と交際するようになったとたん、憑き物が落ちたようにマザーアースに抱いていた熱意を失った。本部に寝起きすることで、それまでは見ずにすんだごたごたを見てしまうことに飽き飽きしてもいた。男女間のいざこざや、金銭にまつわる揉めごとなど、一定数の人間が集まれば起きるのは不思議ではない、どちらかといえばささやかな問題だったが、四年も五年も間近に見ていると、マザーアースという集団自体が、ずる賢く心の弱い人間の集まりであるかのように思えてきたのだった。

マザーアースを辞めると言った瞳をだれも止めなかったが、もう少し気楽な集まりもあると「風船の会」を教えられた。風船の会は、地球環境について考え、できることから実践していこうというのが趣旨の、マザーアースとはまったく異なった集まりのようだったが、それだって母胎はマザーアースなのだろうと思った瞳は入会するつもりもなかった。

マザーアースを辞めた瞳は実家に戻ったが、あまり歓迎されているとは思えなかった。両親にしてみれば、せっかく得た職を捨て「いかがわしい宗教まがい」に走り、連絡もよこさないかと思ったら突然帰ってきた娘に見えるのだろう、と瞳は思った。とくに、娘には世間体のいい職に就いてほしかったらしい母の失望はありありとわかった。実家の居心地が悪く、半年間アルバイトを掛け持ちしてお金を貯め、なんのあてもなく東京に出て仕事をさがした。栄吉とは遠距離恋愛をしながら、学童保育のアルバイトを見つけ、多いとは言えない給与でひとり暮らしをしていたが、そうした日々のなか、また高校生のときのようになるのではないか、食事ができなくなるのではないかと不安を持ちはじめ、みるみるうちにそれは強迫観念となり、満腹なのに食べずにはいられなくなり、二十代の瞳は栄吉の勧めもあって風船の会に入会した。そうしてそこで、好恵とまた再会したのだった。

再会してから結婚するまでの数年間、瞳は好恵ともっとも親しくつき合った。夏休みや正月休みに、東京で行われる風船の会の会合に参加し、連休に好恵の住む札幌を訪ねたり、二人で温泉旅行にいったりもした。好恵と自分はとてもよく似ていると瞳は思っていた。引っ込み思案で慎重な好恵といると瞳は安心した。なんでも話すことができた。

また、好恵から日々の不安や過去の失敗の話を聞くと心から安堵した。これから二人が結婚したり母親になったり、あるいは海外に引っ越したりしても、私たちはずっと親しいままだろうと瞳は思っていたし、小学生のようにそれを口にしたりもした。

けれど結婚し、子供が生まれると状況は変わった。相変わらず臆病で引っ込み思案のままの好恵にいらいらさせられたり、過去の自分を見ているようでぞっとしたりすることが多くなった。けれど切り捨てることができなかった。たいせつな友だちなのだ。実際には自分のほうが年下だが、姉のような、母のような気持ちになっていた。それが裏目に出た、と瞳は思う。本物の姉や母でもないのに、好恵は私に甘えきっている。腹立たしいしくやしいし、何よりこんな関係は、好恵にとっていいはずがないだろう。

ひまわりプロジェクトの会合に、人はあまり集まっていなかった。二、三人がパソコンを前に作業をしていて、治美や顔なじみの数人は、大テーブルに集まってそれぞれノートを広げているが、ミーティングというよりは世間話に興じている。みんなにこやかに瞳を迎え入れ、学生がお茶をいれ、鈴子がお菓子を持ってくる。みんな競って茜を抱きたがり、かわいいだの、瞳にどこが似ているだのと陽気に騒ぎ、好恵の手紙でふさいでいた瞳の気持ちは、じょじょに晴れやかになっていく。

結局——彼らと話しながら瞳はこっそり思う——結局、好恵って、何かに頼っていないと生きていけない人なんだ。マザーアース、風船の会、そして私。あの人なら、数年前に事件を起こしたカルト宗教にだってかんたんにはまってしまっただろう。そういう人とも知らず、心配して、気遣って、少しでも彼女が変われることを親身に願って、少ない時間をやりくりして手紙を書いていたのだから、まったく馬鹿みたいだ。

「瞳ちゃん、時間、そろそろじゃないの。コウちゃん、迎えにいってあげたら」

鈴子に言われ、瞳は茜を抱いて立ち上がる。

「ボランティアの一環だからさ、英会話スクールに通うみたいにはぺらぺらしゃべれないだろうけど、コウちゃんが気に入ったようなら、通わせなよ、ただなんだし。そんであんたはここでおしゃべりしてきゃいいじゃない」治美が言う。

「そうですね、紹介していただいて、ありがとうございました」

瞳は言って、部屋を出た。数人が立ち上がって瞳を出入り口まで送りにくる。瞳は手をふって、まだいっこうに弱まらない陽射しのなかへと歩き出す。

「どこにいっていたの？」

家に帰って茜の着替えをさせていると電話が鳴った。電話の子機を耳につけると、どことなくせっぱ詰まった声が飛びこんできた。容子である。ジュース飲んでいい、と訊く光太郎を連れて台所に移動し、冷蔵庫からジュースを取り出してやりながら、何ごとかと瞳はあわてる。何か一大事でも起きたのだろうか。

「どうしたの、何かあった？」

「電話してたんだけど、ずっと留守だったから、どうしちゃったのかと思って」受話器の向こうで容子は言う。

「緊急な用があったの？」

「そうじゃないの。ちょっとお昼でもどうかと思ったんだけど、ずっと出ないじゃない？　どこにいくとも聞いていなかったし、もしかして何かあったのかと思って」

瞳は宙を見据える。電話の相手がだれであるのか、何を言われているのか、一瞬わからなくなる。子機を耳と肩のあいだに挟んでしゃがみこみ、瞳は光太郎の手にしたジュースのパックを取り上げ、ストローを突きさしてやる。光太郎は居間に駆けていく。

「ああ、ちょっと今日はね、ボランティアの人たちに会ってきたの」瞳は少し迷い、黙っているのも妙だと思い、口を開く。「そこの人が、学生ボランティアの英会話レッスンがあるって教えてくれて、コウをね、試しに連れていってみたの」そう、隠すようなことではない。瞳はたった今感じた違和感を忘れ、思い出し笑いをしながら話しはじめる。「外国の、あれはきっと留学生ね、コウったら外国人を見るのがはじめてだから、目をまんまるくしてかたまってるの。どうなるか心配だったけど、けっこう気に入ったみたいで、ハロー、ハローって帰り道はそればっかり。それでね、ハローってなんのこと？　なんて訊くんだもの。きっとなんにもわからずに、ただ踊ったり歌ったりしてただけだったのね」

そこまで言って瞳は気づく。電話の向こうで、容子が相づちも打たず、いっしょに笑いもしないことに。もしもし？　と言おうとすると、

「そんな、抜け駆けなんてひどい！」

容子の声が耳に飛びこんできて、瞳はぎょっとする。抜け駆け？

「英会話スクールにいくのなら誘ってくれればよかったじゃない！　この前、そう言ってくれたのに」

ああ、そうか。この前そんな話をしたのだったか。千花も誘って、いっしょに体験レッスンにいこうと。瞳はようやく納得する。容子は勘違いしているだけなのだ。

「やあね、違うのよ容子さん。そんな、スクールとかそういうのじゃないの。そんなちゃんとしたところなら、私だけでいきやしないわよ。学生たちがボランティアでやっているもので、英語っていうより、ただ外国の学生さんを交えて遊んでいる感じ。無料だし、勉強なんてとても期待できないようなところ。誘ったらかえって申し訳ないくらいのところよ」

瞳は説明するが、容子はなおも言い募る。

「無料なの？　なら誘ってくれてもよかったのに。それにボランティアって休んでるんじゃなかったの？」

「休んでるけど、そこの人たちと連絡はとってるのよ」

消えたばかりの違和感が、さっきよりよほど色濃くなって蘇ってくるのを瞳は感じる。なんなんだろう、この人。どうしちゃったんだろう。

「でもとにかく、教えてくれないと、そういうこと。私もいってみたかったわ。留学生が教えてくれるなんていいじゃない。それにただなんでしょ？　今度はいついくの、瞳さん」

「そうね、もういかないかもしれない」広がっていく違和感に蓋をするように、瞳はおだやかな声で言う。「だってね、学生たちがいるだけで、責任者はいないし、しかも親は入れないの。もし何か事故があったらと思うと、心配で預けられないわ。若い人たちだけじゃ、どうすることもできないだろうし」

「やっぱり無料のところだと、そんなふうになっちゃうのかしらね。ともかく、もし今度そういうところにコウちゃんを連れていくなら、私にも絶対に教えてね」

居間から茜の泣き出す声がする。瞳はあわててそちらに向かう。寝転がって泣いている茜のわきで、光太郎がにやにや笑いをおさえた顔でそっぽを向いている。

「ちょっとコウちゃん、何したの！」思わず瞳が怒鳴ると、

「ごめんなさい、忙しいときに。また電話するわね」容子は電話の向こうで言った。

「え、容子さん、何か用があったんじゃないの」

「いいのいいの、また連絡する。じゃあね」電話は切れた。

「おいらなんにもしてないよ。あーちゃんが転んじゃっただけだよ」

光太郎は瞳の足元に駆け寄ってきて必死に言う。瞳は子機を床に置き、茜を抱いて背中をさする。光太郎を問いつめることも忘れ、今の電話を反芻《はんすう》する。

妊娠中で不安定になっているのだろう。一俊のことでも思い詰めているんだろう。まわりの子どもが、みんな何かはじめていくような錯覚を持っているのだろう。夏休みで会えないから、よけい心配になってしまうんだろう。容子の言葉ひとつひとつを思い出しながら、そんなふうに思うことで瞳は違和感を押し戻そうとした。容子の気持ちはよくわかる。私だっておんなじようなものだ。何かしなくちゃいけないんじゃないかと思いながら、何をしていいかわからないのだから。容子の気持ちはよくわかる。とくにおなかに赤ちゃんがいるんだもの、いつにもまして不安になってしまうんだろう。

でも——ぽとりとしたたる滴《しずく》のように、瞳はかすかな不安を抱く。でももしかしたら、容子は、好恵と似たタイプの女性なのではないか——。

「茜ちゃん、コウちゃん、おやつ忘れてたね。ママすぐ用意するね」

そんなことあるはずない。千花のように外向的な人ではないが、容子だって自分の考えをしっかり持った母親じゃないか。好恵なんかといっしょにしたら容子に申し訳ない。

茜を歩行器に座らせ、瞳は台所へといく。叱られなかった光太郎が、「おやつ、おやつ、おやつのじかんー」でたらめな歌をうたいながらついてくる。千切ってゴミ箱に投げ捨てた好恵の手紙が、ちらりと瞳の視界をかすめる。

第五章　一九九八年九月――

◇

つわりがないからおとなしい子どもなのではないかと、なんとなく思っていた。きっと女の子だという確信があった。瞳のところの茜や、千花の桃子は、生まれてくる子どものいいおねえさん役をつとめてくれるだろうと思っていた。秋には瞳や千花を誘って、安産の神社にいこうと思っていた。今度みんなで写真館にいくときは、生まれてくる女の子に天使の格好をさせようと思っていた。

容子が稽留《けいりゅう》流産したのは、夏休みも終わり、幼稚園もはじまった九月の上旬だった。一俊とともにいった産婦人科の超音波検査で、先週までは確かにあった心拍が確認できず、翌日あらためて検査にいってみると、やはり心拍はなく、流産であると医師に告げられた。その週末、容子は入院し手術を受けた。真一は病院には付き添ってきたが、手術がはじまる前に一俊を連れて病院を出ていき、容子が麻酔から醒めても姿をあらわさなかった。こわいのだろうと容子は思った。真一にはそういう臆病なところがある。

人が苦しんでいたり、痛みに耐えたりしているのを、見ていることができないのだ。一俊の出産のときにも真一は立ち会いを拒否した。なんと冷たい人間と結婚したのだろうとそのとき容子は思ったが、数年の結婚生活で、冷たいわけではないとじょじょに理解した。こわがりなのだ。小心なのだ。世界はいつも快適で、やわらかく美しいものであってほしいのだ。友だちがうまく作れず悩んでいたとき、きみの話はもう聞きたくないと彼は言ったが、それだって、私を拒否したのではなく、世のなかのネガティブな側面を見たくなかっただけなのだと、ベッドの上、吐き気と腹の痛みをこらえながら容子は考えていた。でも、それでどうなるっていうんだろう。世界は快適で美しくやわらかいものばかりで満ちているわけではない。どうして傍にいてくれないのだろう。この不安と罪悪感とかなしみを、どうしてここで分かち合おうとしてくれないのだろう。彼が手術を受けるわけではないのに。

日曜の午後、退院直前になってようやく真一は病院にやってきた。泣いたのか、眠れなかったのか、目が赤かった。それを見て容子は、臆病な夫を責める気持ちを失った。分かち合わなくとも、手術を受けなくとも、この人は充分に苦しんでいるし痛みを覚えているし、かなしんでいるし自分を責めている、私とおんなじように。そう思った。

自宅マンションに戻っても気分はすぐれず、容子は布団を敷いて寝ていた。真一は一俊を連れてコンビニエンスストアにいき、そこで弁当と菓子を買って帰ってきた。レトルトの煮込みうどんを買ってきたらしく、慣れない手つきで容子のためにそれを作った。食欲はまったくなかったが、容子はなんとかそれを食べてまた横になった。

一俊を真ん中にして布団を並べ、真一が電気を消す。一俊の寝息が聞こえてから、

「ごめんね」容子は謝った。真一に、生まれなかった子どもに。

「またすぐ作ればいいいさ」真一は低く言い、寝返りを打った。

またすぐ作ればいいいさ。真一の言葉を胸の内に転がしながら、私が聞きたかったのはその言葉ではないと、容子はふと強く思った。

「ごめんね」

だからもう一度言った。聞きたい言葉を聞くために。

「だから、もういいって」

くぐもった声はまたしても容子の聞きたい言葉を発しなかった。

「ごめんね」

容子はもう一度言ってみた。今度は返事がなかった。きみのせいではないよと、容子はついぞ聞くことができなかった。

翌日、気分はすぐれなかったが、容子はいつもの時間に起きて朝食を用意した。真一を送り出し、一俊に支度をさせて家を出る。いつもは自転車でいく道を、ゆっくりと歩いた。通勤者や同じような子連れの母親のなかに視線をさまよわせ、容子は瞳の姿をさ

がした。自転車が追い越していくたび、瞳ではないかとうしろ姿に目を凝らした。いつもなら幼稚園の手前あたりで見つけられる瞳の姿は、しかし今日にかぎって見つからない。早く瞳に会いたかった。瞳と二人になりたかった。先週末から昨日までに起こったことを一刻も早く話したかった。

けれど幼稚園にも瞳の姿はなかった。

「ねえ、瞳さん、どうかしたの、いないみたいだけど」

園を出る母親たちの群れに千花を見つけ、容子は近づいて訊いた。

「ああ、茜ちゃんが熱を出したんだって。コウちゃんにもうつってるかもしれないから、大事をとって休ませるって」千花は言い、ぱっと顔を輝かせた。「そういえば、容子さん、おめでとう！」

「え、何が」容子は眉間に皺を寄せる。なぜ瞳は、欠席の連絡を千花にして私にはしなかったのだろうか。

「何がって、やあねえ、おめでたなんでしょ？　容子さんたら教えてくれないんだもの、水くさいじゃない」

「ええ？　それ、だれから……」言いかけ、容子は曖昧に笑う。だれから聞いたかなんて聞くだけ無駄だ。瞳に決まっている。瞳にしか打ち明けていないのだから。

「こないだ、公園で瞳さんに会って聞いたの。よかったねって二人で手を取り合って喜んじゃった。体調とか、どう？　つわり、平気？　私は二人目のときはそんなにつらくなかったんだけど、人それぞれだものね。何かお手伝いすることがあったら言ってね」

なんとなく二人で並んで歩く格好になる。あのねえ千花さん、赤ちゃん、だめだったの。容子は言おうとするが、邪気のない千花の話を遮ることができなかった。今そんなことを言ったらこの人は驚いて傷つくだろうと容子は思った。え、そうだったの、知らなかった、ごめんなさいと、取り返しのつかないことをしたかのように自分を責めて謝るだろう。千花をそんな目に遭わせたくなかった。

「ありがとう」

容子は笑って言った。べつの日に言えばいい。瞳と千花がいっしょにいるときにでも、さらりと打ち明ければいい。二人が傷つかないような言いかたで。

「このあと、千花さんは忙しいの？　お茶、飲んでいかない？」

大通りまで出て、容子は訊いた。毎日というわけでもなかったが、瞳を交えて三人でお茶を飲んでいくことが多かった。今日は瞳がいないが、容子はひとりで家に帰りたくなかった。がらんとした家にひとり帰れば、自分の何が悪かったのか、どんな行動が悪かったのか、詮無いことと知りながら、延々稽留流産の理由を考えて落ちこんでいくのはわかりきっていた。千花の陽気な話を聞いていたかった。まだ赤ん坊がいると信じている千花と話していたかった。

「ああ、ごめんなさい、私ちょっと今日は用事があるの」

けれど千花は言い、容子にはわざとらしく見える仕草で腕時計まで確認している。

「どんな用事？」

容子がそう訊いたのに他意はなかった。どんな用事か詳細を知りたかったわけではなく、会話のつなぎ目として訊いただけなのだ。少しでもだれかと会話していたかったから。けれど、千花は一瞬警戒するような目つきで容子を見、

「どうしてどんな用事か言わなくちゃならないの？」

容子がたじろぐほどの早口で言い、言ってからしまったと思ったのか、照れたように笑ってみせた。「たいした用事じゃないんだけど」

「あ、ごめんなさい」容子はあわてて謝った。「詮索するつもりじゃなかったの。そうじゃなくて」

「わかってるわかってる」と笑いながら千花は容子の弁明を遮る。「妹が帰ってくることになってるの。うちの実家、ひさしぶりなものだからはしゃいじゃって、夜に集まるんだけど、その支度を手伝えって親に言われてるの。こういうことって、人に言うの、なんか恥ずかしいじゃない？　いつまでも親離れも子離れもできない家族みたいで。それで、つい」千花は笑う。はじめて会った日のことを思わず思い出してしまうような笑顔だった。この笑顔に安堵し、緊張を解いたのだと容子はあらためて思う。

「千花さん、妹さんがいたの、ぜんぜん知らなかった」

「ああ、私たち、よく話してるわりには家族構成とか打ち明けあわないものね。でも隠してたわけじゃないのよ。うちの妹、海外に住んでてほとんど帰ってこないし、私たち、あんまり仲良くないから」

「そうなの、海外なんてすごい。どちらなの?」

「ごめんなさい、時間がないからまた今度。容子さん、悪く思わないで。意味なんてないの、急いでるだけだから」千花が明るく言い放った言葉の意味をとらえかね、

「え?　意味がないってどういうこと?」容子は訊き返した。

「だーかーら、本当に急いでいるだけで、わざと答えないとか、隠してるとか、そういうんじゃないってこと。容子さんってすぐそういうふうに考えちゃう人でしょ?　妹のこと、話すともんのすごく長くなるの。厄介な子なのよ。だから、今度またゆっくり説明するわね。それじゃ、またね」

千花は相変わらず邪気のない調子で言い、手をふって容子に背を向け、大通りを走るように去っていった。容子はその場に立ち尽くし、遠ざかる千花の背中を見つめた。わざと答えないとか、隠してるとか、すぐそういうふうに考えちゃう人、私はそういうふうに千花から見えるのだろうか。千花の後ろ姿が見えなくなると、容子はとたんに不安になった。そういう人、と思われて嫌われたんじゃないだろうか。詮索しすぎだと思わ

れなかったろうか。考えはじめるといてもたってもいられないような気分になった。そうじゃなくて、千花のことを何もかも知りたいというのではなくて、会話のつなぎ目として訊いただけなのだと千花に説明したくてたまらなくなる。

とはいえ、千花を追っていくわけにもいかない。家に帰って掃除でもしようと歩きはじめ、けれどそう思いながら容子は大通りにあるスーパーマーケットに足を踏み入れる。スーパーとは名ばかりの、コンビニエンスストアに生鮮品を加えたようなちいさな店だ。黄色いかごを手に持ち、容子は店内をうろつく。

はっと気づいてみれば、買いものかごには必要のないものばかり入っている。一俊に食べるのを禁止しているチョコ菓子の類やスナック菓子、缶詰。容子は買いものかごの中身をぼんやり見下ろし、ひとつひとつ元に戻していく。

お迎えの時間、容子は千花の姿をさがした。さっきは詮索するつもりではなかったと伝えるつもりだった。ただ話したかっただけなのだと、毅然として言っておくつもりだった。けれど千花は見あたらない。門のところで、クラスメイトの母親に連れられている雄太の姿を見つけ、容子は一俊の手を引っ張って彼女の元に走り寄る。

「千花さんは?」

「ああ、ちょっとおうちを抜けられないから、今日はユウくん、いっしょに帰るのよね」母親は雄太に話しかけている。

「うん、あのね、たっくんとこれから遊ぶんだよ」雄太が自慢げに答える。

「たっくんとは遊ばないよ。ユウくんはまっすぐおうちに帰るの。うち、千花さんちは帰り道に通るから、送ってくの。たっくんとはまた今度遊んでねー」母親は、雄太と容子双方に説明する。

「えー、遊ぶんだよなー、おれら」

「そうだよ、怪獣ごっこするんだ」

「じゃ、また明日ー。一俊くん、また明日ね。ほら、ユウくん、遅くなるとママが心配しちゃうよ」

右手を雄太と、左手を自分の息子とつないだ彼女は、容子に一礼して門を離れる。容子はその場に立ち止まって後ろ姿を見送った。ママ、帰ろうよう。ちいさな声で一俊がおずおずと言い出すまで、そこに立ち尽くしていた。

その日、真一と一俊が寝入った十一時過ぎ、容子が橘ユリに電話したのは、だれかと話がしたかったからだった。本当は瞳や千花と話したかった。けれど瞳は子どもが熱を出しているというし、家族で集まっている千花は留守だろう。そうでなかったとしても、十一時過ぎに電話をかけられるような相手ではない。橘ユリはひとり暮らしらしいし、また話を聞かせてくれと言っていたから迷惑がることはないだろう。そう思うものの、こんな遅くになんの用かと訊かれたらどうしようと迷いもした。容子はしばらく子機を握ったまま台所をうろついていたが、思いきって名刺に書かれた番号を押した。

「ああ、このあいだの、久野さん。久野容子さん、でしたよね」

だから電話に出たユリが、陽気な声ですぐに応じたばかりでなく、名字を名乗っただけで名前まで思い出してくれたことに、容子は心から安堵した。

「先日はありがとうございました。またお話ししたいなって思っていたんです。みなさん、お元気ですか？　新学期がはじまって、いろいろと忙しい時期なんじゃないですか？　あ、でも、みなさんは受験とは無関係なんでしたよね。ごめんなさいね、いろんなおかあさまとお話ししているから、話がごちゃまぜになっちゃって」ユリはそう言って笑った。

「こんな時間にご迷惑じゃありませんでしたか」容子は声を潜めるようにして訊く。

「迷惑なんてこと、ちっともないですよ。うれしいくらいです。お元気でしたか？　お子さん……えーと、一俊くんでしたっけ、一俊くんもお元気？　この時期、幼稚園のほうもあわただしいんじゃないですか」

「この時期って、何かあるんですか」

「ええ、俗説らしいんですけど、小学校受験をするなら、年中さんの秋から本腰を入れて、っていうことらしいですよ。幼児教室なんかも、急にレベルアップするんですって。私がお話をうかがっているべつのおかあさまの話ですと、やっぱり幼稚園のほうも、なんだかちょっとかりかりした雰囲気になったとか。でも久野さんと小林さんは受験は考えていないってことでしたものね。そのほうがやっぱりお子さんにはいいのかなあなんて、取材していて思ったりしますよ」

「私ね、橘さん」子機を耳にあて、ダイニングテーブルに座り、そこだけついている流しの下の蛍光灯を見つめて容子はちいさく笑う。「橘さんにお会いしてから不安になって、体験レッスンというものにいってみたんですよ、息子を連れて」

「あら、そうなんですか。不安にさせちゃったなんて、なんだか申し訳なかったです。でも、いかがでした？」

「それが、うちの子、もうぜんぜんだめ。ほかにも体験のお子さんがいらしたんですけど、その子はすぐに慣れて集中できるのに、うちの子は今にも泣き出しそうで、見ていられませんでした。親の意見がどうこうより先に、うちの子はとっても無理です、受験なんて」容子は笑おうとして、けれど実際は泣きそうになっている自分に気づき、あわてて唇を噛む。

「だって最初から久野さんはそうおっしゃっていたんだから、それでいいじゃありませんか。子どもを受験させるって息巻いているおかあさまは、ご自分がそういう世界しか見ていないって言いたいからそうしているだけだって、あのとき久野さんがおっしゃったのを聞いて、私、なんてしっかりした考えをお持ちなんだろうって思ったんです。そういうふうに客観的に見ることのできる方は、やっぱり少ないですからね」

「そんなことはないですけど……」

瞳と話したときは、瞳が言ってほしいことを言ってくれていると感じた。ほかの子と比べて遅れていると言うなんて脅しだと、瞳はそう言って怒ってくれたのだった。でも本当は、そんなことじゃなく、私はこう言ってほしかったのだと、ユリの言葉を聞きながら容子は気づく。しっかりした考えがあるんだから、体験レッスンなどいく必要はないじゃないかと言ってほしかったのだ。

「いっしょにお話うかがった高原さん、あのときはまだ受験するかしないか決めかねているみたいでしたけど、やっぱりする方向に決めたんですってね。あの方、はきはきしてらっしゃったけど、久野さんのようにはしっかりしたお考えはないんだろうなって、私なんとなく思っていたんです。受験組のおかあさまがたを見ていて、揺れていらっしゃるんだろうなって」

「えっ、高原さんって、千花さん？」

「ええ、あの、六歳のときご自分で学校を決めたとおっしゃっていた」

「ユウくん、受験するんですか」

「かおり……あ、あの日リビングを貸してくれた江田かおりって覚えてます？　彼女の娘は今私立小学校ですけど、いろいろ相談を受けているんですって。かおりは娘の受験のとき、そりゃもうがんばってましたから、そのへんのいいかげんなスクールに通わせるより、彼女の体験談を聞いたほうがよっぽどいいんじゃないかっていうくらい、あれこれ詳しいんですよ。そのかおりに相談なさっているんだから、もうそっちで決められたんでしょうね。あら？　久野さんはご存じなかったんですか」

「ええ、今はじめて知りました。そんな話、千花さん、ちっともしてくれないから」

妹の帰国なんて嘘だったのではないか。容子は、あわただしく背を向けた千花の姿を思い出す。

「やっぱり、なかなか厳しい世界なんですね。私の取材しているべつのおかあさまでも、お友だちにはいっさい内緒で受験の準備をさせている方がいて、でもほら、情報のためのネットワークも必要なわけだから、ほんの数人で内密に情報交換をしあっているんですって。秘密結社みたいですねって、思わず言ってしまったんだけれど……」

容子は子機の向こうで続くユリの話に適当に相づちを打ちながら、めまぐるしく考えをまとめようとする。今日、千花の妹が帰国したというのは嘘だろう。千花は、かおりと会うか、もしくは受験の関係でどこかにいく用があったのだろう。そんなこと、言ってくれればいいのに。私はそんなことで千花が裏切ったと思ったりはしないし、ましてうちの子もそこを受けるなんて言い出したりしやしないのに。千花はいったいどんなふうに私のことを誤解しているんだろう？　そんなふうに考えちゃう人、なんて、どうして千花は思いこんでいるんだろう？　違うんだと彼女にわかってもらう機会はないだろうか。人は人、私は私、と割り切ることを二十歳のときにすでに習得したのだと、どうすればわかってもらえるだろう。

「瞳さんは？」まったく聞いていなかったが、ユリの話が一段落したところで容子は声を出した。「瞳さんも受験するって言ってました？」

「いえ、かおりが言っていたのは高原さんのことだけでしたけど。この時期になると、本当に仲良しのおかあさま同士でも、そういう会話はなさらなくなるんですね。でも久野さん、あまり気になさらないほうがいいですよ。久野さんはしっかりとしたお考えを持っているんですから、自信を持って。今は多少外からの影響もあってぎくしゃくしたとしても、そんなの、二年たてばなんてことないですよ。小学校入学を終えてからのほうが、かえって親しいお友だちづきあいができるんじゃないですか」

電話を切り、容子はダイニングテーブルに座ったまま、蛍光灯に照らされる流しを見つめた。夕食に使った皿は洗いかごにおさまってやわらかく光っている。銀色の水道の蛇口から、ぽたりと水滴が一粒垂れる。小学校入学後にまた友だちづきあいができるなんて、あるはずがないと容子はぼんやり思う。子どもたちが違う小学校にいけば顔を合わせることもなくなるだろう。もし雄太と同様、光太郎も受験の必要な学校に進んだとしたら、私はまた一からはじめなければならない。新聞の読者相談欄に投書しようかと思い詰め、真一にそういう話は聞きたくないと言われるところから、またはじめなくてはならない。

どうして私の子はおなかのなかで呼吸を止めてしまったんだろう。女の子を産んでいれば、まだ千花や瞳と共通点が持てたのに。じっと見据える蛍光灯の光が、容子の視界でにじんでいく。台所は白く染まる。

◇

打ち明けたのは失敗だったかもしれないと、夕食の支度をしながらかおりはいらいらと考える。千花にははじめて会ったときから好感を持った。話が合うかもしれないと思った。ユリの図々しい質問に果敢に挑んでいくところも見ていて爽快だった。千花から話を聞きたいと連絡があったとき、少しためらったのは、単純にそういうつきあいを今まで避けてきたせいだった。母親、というだけで親しくなったりつるんだりするのはごめんだった。けれど断らなかった。千花の好印象もあったし、千花の息子と衿香の年齢が離れているせいもあった。いわゆるママ友になることはないだろうと思ったのだった。

だが実際千花が訪ねてきて、そうじゃない、私は話がしたかったのだとかおりは気づいた。

世間で言われているようなママ友を、かおりは意識して作らなかった。公園デビューやママランチなんて馬鹿らしいと思っていた。すぐに働くつもりだったし、同じ時期やもっと早くに子どもを産んだ学生時代の友人とも密に連絡を取り合っていた。けれど慌ただしさにまぎれて再就職がどうでもよくなり、育児に追われて友人たちと会うことはおろか電話をし合うことも減り、気がついてみれば、会話らしい会話をするのは大介だけになっていた。もちろん護とも会話はする。けれど衿香が生まれてからは、ほとんど衿香の話題が中心だった。しかしそれも、受験云々で言い合いをくり返してから後、めっきりと減ってしまった。何か意見を言うたび言い負かされて辟易したのか、護は最近、自分はこう思う、こうしたいと言わなくなった。かおりの話は聞くし、かおりがこうしたいと思うと言えば、それに対して返事はするが、何かこう、会話の芯がなくなってしまったようにかおりは感じていた。護は、兄、姉のいる末っ子で、争うのが何より嫌い、険悪な雰囲気には耐えられないようなところがある。結婚前は、それが途方もない寛容に思えた。けれど受験のことで言い合った後、寛容ではないらしいとかおりは理解した。臆病で小心のことなかれ主義者なのだ。そう理解したからといって、護を嫌いになったわけではもちろんない。その臆病さと小心のせいで、事業をはじめたいとか田舎暮らしをはじめたいなどと馬鹿げたことを、この人は言わないだろうという安心感もある。ただ、頼りにならない人だとかおりは決めつけただけである。やさしくて、繊細で、臆病で、そして経済以外では頼りにならない人。

千花と話しているうち、自分がいかに会話に飢えていたか、かおりは気づかされた。大介の妻を馬鹿にしたかった。本気でではない、ちょっと見下して笑えればすっきりするのだと気づいた。働きたいと本気で思っていたことも、けれど生活に屈したことも、そういうことにまだ折り合いをつけられていないことにも気づいた。友だちを作らず、マスコミの情報に流されずに子育てをしてきた自分を褒めたいと思っていたことにも気づいた。心地よかった。それでつい、しゃべりすぎた。もちろんしゃべってから、何よりも大介とのことを話したかったのかもしれないとかおりは思ったのだったが。大介といつどこで出会ったのか。どのような交際をしてきたのか。結婚を経て、どのように関係が変わってきたのか。恋愛のことで何時間でも女友だちと話していられた高校生や大学生のころのように、ただ、話したかったのかもしれないと。

スイートバジルと松の実、にんにくとオリーブオイルに塩を加え、フードプロセッサーのスイッチを入れる。突然の轟音に、ソファで本を読んでいた衿香が驚いて顔をあげる。

「ママ、今日のごはん、何？」

「今日はパスタよ。緑のパスタとお魚」

「お手伝いすることあったら言って」衿香は言いながら本に顔を戻す。

「あとで頼むかもしれないけれど、今はいいわ」フードプロセッサーから緑色のソースをかき出しながらかおりは答える。じゃが芋を電子レンジに入れ、ガスコンロにかけた鍋のスープをかきまわす。衿香は幼稚園のころから台所に立って、子ども用の包丁で野菜を切ったり、台にのって鍋をかきまわしたりしていた。小学校の入試に備えてかおりがやらせるようにしていたのだった。けれど実際のところ、幼い衿香に台所をうろちょろされるよりも、ひとりでやったほうが安心だし、断然早い。大介の娘が通っている第一希望の学校は落ちたが、第二希望の私立小に受かった時点で、かおりはもう衿香に手伝いをさせなくなった。小学校の入試直前、かおりは受験に関する本を読みあさり、これはやっておいたほうがいいと書かれていることはなんでも衿香にやらせた。護の靴磨きまでさせたのだ。嫌だと言っても許さなかった。あなたのためだと叱りつけてやらせた。それまではなんともなかった衿香に、急に指と瞼《まぶた》にアトピー症状が出た。受験が終わるときれいに治ったのだから、ストレスだったのだろうと今かおりは思う。アトピーは治っても、どことなくびくびくした様子で「手伝おうか」「お掃除しようか」「ママ、何かやることある?」と衿香が訊くのは、あのころの名残なのだろうとかおりは思う。そう思ったあとで、でも、それは悪いことではないと、必ず言い訳のようにつけ加える。

レンジでふかしたじゃが芋をつぶし、こし器で裏ごしし、生クリームを混ぜる。パスタを茹でるための湯を大鍋に沸かし、それから塩を振っておいたカジキマグロに小麦粉をまぶす。手がすべり、大量の小麦粉が魚を覆い尽くし、かおりは舌打ちをしそうになる。小麦粉を流しではたき落とし、フライパンをガスコンロにかける。

あの日、大介の話をはじめてみれば、我を忘れるくらい夢中になってしまった。今でも週に一度か二度は会うことも、性的な相性が夫より断然いいこともしゃべっていた。途中大介から電話がかかり、来客中だと思わせぶりに言って切ったことも、かおりの気分をよくさせた。千花は興味深げにかおりの話を聞いていた。なんだか自分ばかりしゃべっている、と三十分も話したあとでかおりは気づき、「千花さんはそういうことないの?」と、水を向けてみた。興味があるというよりも、自分が打ち明けたぶん、千花の秘密も知っておきたいような気がした。千花だって何かあるだろうと思った。昔の恋人がじつは忘れられないとか、一度くらい浮気をしたことがあるとか、ありきたりな話でも。けれど千花は、

「その人の娘さんがいっている小学校って、そんなにいいところなんですか?」と訊いてきた。それればかりか、どこのなんという小学校か、どんな試験だったのか、倍率はどのくらいだったのかなどと、千花はそんなことばかり訊いてきて、話の途中、大介の娘が通う小学校に衿香を入れたかったことまで打ち明けたことを、かおりは少々後悔したほどだった。たいした学校じゃないわよ、とかおりはそのとき言った。男の人ってほんと、熱心に関わるか関わらないかのどっちかじゃない。大介みたいに関わらない人は、

とりあえずなんでも褒めるのよ。いい学校だ、いい学校だって言ってるだけで、内実なんか知りゃしないのよ。それを本気にした私も私だったけどね。そんなふうに言った。その日はそれだけだった。千花も、それ以上その話題を続けることはしなかった。

けれど今日の午後、千花から電話がかかってきたのである。かおりさんが今度田山さんにお会いするとき、ちょこっとでいいので私も同席させてくれないか、と言うのである。え？　といぶかしげな声を出すと、小学校の話を聞きたいだけなのだと、懇願するような口調で千花は言う。かおりさんに話を聞いて、やっぱり雄太の私立進学も視野に入れようって強く思った、だからできるだけいろんな人に会って生の声を聞きたい、と千花は言うのだった。

　断ることもできたはずだった。それはちょっと困るわ、と笑えば、千花は納得して引き下がっただろう。非常識な人ではないようだし、強引なタイプにも見えない。いいわよ、と答えてしまったのは、秘密を打ち明けてしまった負い目もある。千花の追いすがるような熱心さに、衿香の受験前の自分を見るような気持ちもあった。励ましたいような、力になってやりたいような、同時に、そんなにうまくいきっこないとわからせたいような、複雑な気持ちではあったが。

　焦げ臭いにおいに気づき、かおりはあわててガスの火を止める。フライパンの魚は半身が焦げている。かおりはちいさくため息をつき、スープをあたため、茹で上がったパスタにソースをからめる。ワインのコルクを抜き、グラスに半分ほどつぐ。

「衿ちゃん、ナイフとフォークとスプーンを並べてくれる?」

声をかけると、衿香はぱっと立ち上がり、台所に入ってきて流しの引き出しを開ける。

「ちょっと、手を洗ったの」

衿香はびくりと肩をふるわせ、かおりは自分が尖った声を出したことに気づく。「洗面所で手を洗ってからお手伝いしてね」しらじらしいほどやさしい声で言いなおす。衿香はぱたぱたと洗面所に駆けていく。衿香は、これをしろと言えばすぐにやるが、なんにでも時間がかかる。手も、きっとていねいに(かおりが受験前にしつこく教えたように)石鹸を泡立て、指のあいだから爪のあいだまで洗っているのだろう。衿香が戻ってくるより先に、食卓の準備は調ってしまう。

洗面所から戻ってきた衿香は、すべて揃った食卓を見て、ほんの少し傷ついたような顔をする。かおりは気づかないふりをして、

「さあ、じゃあお夕飯にしようか。衿ちゃん、座っていただきますのご挨拶してちょうだい」陽気な声を出す。衿香が席に座り、いただきまーす、と声を出したとき、インターホンが鳴った。

「衿、食べてていいわよ。もしかしてパパ、遅くなるって言ってたけど、早くお仕事終わったのかもしれない」

かおりは立ち上がり、玄関まで走る。予定が変わったのなら電話くらいしてくれればいいのに、これからまたひとりぶん作らなくてはならないと、面倒に思いながらドアを開けると、立っていたのは護ではなく怜奈を抱いた繭子だった。

「夜分にごめんなさーい」と、ちっとも悪びれていないように言う。

「どうしたの？」呆気にとられてかおりは言った。

「あー、なんかいいにおーい。もしかしてごはんどきだった？」

「ええ、ちょうど今食べはじめるところだったのよ」この時間の訪問は迷惑だと遠まわしに言ったつもりが、繭子はまったく意に介さず、

「そうなんだー。ね、ちょっとおじゃましてもいい？　あ、ごはんはね、いいの、食べててくださいな、待ってるし」と、けろりとして言う。

「それなら食べ終えてから、私がそちらにうかがいましょうか？　それか、あと三十分後にきていただければ……」

「いいって、私たちにかまわずお食事続けてくださいな。この子はおっぱい飲んだばっかりだし、私はね、お昼遅かったから。ぜんぜん気なんてつかわないで」そう言いながら、繭子はずいずいと部屋に上がってきてしまう。しかたなくかおりはスリッパを用意し、二人をリビングに通す。食べるのを待っていたらしい衿香が、びっくりして繭子を見る。

「あー、衿ちゃんこんばんはー。ほら、怜奈、おねえちゃんこんばんはって。ちょっとおじゃまするね。ごはん食べてて。うわー、やっぱりマダムんちってごはんからしてすごくお洒落。なんかレストランみたい。ワインまであるし！　衿ちゃん、すごい、こんなにちっちゃいのにナイフもフォークも使えるのお？」

怜奈を抱いたまま、ダイニングテーブルを無遠慮にのぞきこんで繭子は言う。

「衿、食べていてねって言ったじゃない。ママ、ちょっとまだやることがあるから、先に食べちゃってちょうだい」できるだけ苛立ちを声に含ませないように言い、かおりは台所で手を洗い、やかんに湯を沸かし、ポットに紅茶の葉を入れる。こんな非常識な時間にやってきて、いったいなんの用だというのだろう。何もいらない、待っていると言われたって、はいそうですかと自分たちだけ食べるわけにはいかない。魚はあと一切れしかないから、とりあえずスープをあたため、ひとりぶんのパスタを茹でる。明日の朝食用に買ってあったパンを皿にのせる。衿香は台所にいる母親と、突然の来客を、落ち着きなく交互に見ながら食事をしている。空腹も手伝って苛立ちが募る。

「こんな時間に突然訪ねてくるなんて、どんな急用なの？　電話じゃ言えないようなことなのかしら」できるだけ嫌みが嫌みとして伝わるように言ってみる。

「それがねえ、うわー、ほんとに衿ちゃん、うまいことナイフとフォーク使うのねえ。筋金入りって感じ。やっぱりさあ、子どものうちからこういうの慣らさしといたほうがいいのかなあ。おいしい？　衿ちゃん」

「はい、おいしいです」

「うーん、そうかあ。いい子だなあ、衿ちゃん。お料理のお上手なママがいてよかったねー」

「これ、もしよければ、あたためたので、どうぞ。今パスタも茹で上がりますから」

かおりはスープとパンと紅茶カップを、わざとダイニングテーブルにではなくソファテーブルに運んだ。

「えええー、いいの？　なんか悪いなあ。でもすっごくおいしそう」おなかは減っていないと言った繭子だが、そうしてかおりが用意をすると、手を洗うでもなく、いただきますを言うでもなく、いきなり食べはじめる。「なに、このパン、すっごいおいしい！　チーズが濃厚！　どこの？　ここいらのじゃないよね」口にものを入れたまま、大声で叫ぶ。

茹で上がったパスタにソースをからめ、それもまたソファテーブルに運ぶ。「うわー、うれしいー。ねえ、マダムって料理が上手なのねえ」

かおりははしゃぐ繭子を無視し、ようやくテーブルについて自分の食事をはじめる。スープは冷め、魚は脂が浮いている。かおりはワインで流しこむようにそれらを食べる。すでに食べ終えてしまった衿香が、

「ママ、ワイン、衿、つごうか」と声を潜めて訊く。

「うん、お願い」かおりはにっこりと娘に笑いかける。衿香はようやくほっとした顔つきで台所に入り、ワインの瓶を手に戻ってきて、両手で支えながら器用にワインをつぎ足す。

「まあ、衿ちゃんソムリエみたい！」ソファで繭子が大げさに叫ぶ。

「衿、瓶はここに置いておいていいわ。あと、食べ終わったのならお部屋に戻って宿題したら？　ママ、あとで見にいってあげるから」

衿香はこくりとひとつうなずくと、「じゃあ私、お部屋にいってます」と繭子にお辞儀をし、そのまま廊下に出ていった。繭子はソファで食事を続けながら、衿ちゃんって気味悪いくらいお行儀がいい、だの、このパスタ売れるくらいうまい、だの、かおりが返事をしてもしなくてもひとりで騒ぎ、かおりは急に根負けしたようにおかしくなって、ワイングラスの脚を持ったまま、笑い出す。本当にこの人、なんていうか天晴《あっぱ》れだわ。

かおりがなぜ笑っているのかわからないながらも、「てへへへ」と繭子もいっしょに笑い、「ひょっとしてごはんのときテレビつけちゃいけないの？」と、灰色のテレビ画面を眺めて言う。

「テレビって騒々しいでしょ、禁止ってわけじゃないけど、食事のときはあんまりつけないわね」

「へえー。うちもそうしようかな」

「それで、ご用件ってなんだったの」

スープもパスタも半分ほど残し、ワインだけ飲みながらかおりは訊く。パンを口に入れたところだった繭子は、待ってて、と仕草で示し、大げさにパンを飲みこんでみせてから、

「あのね」と、上目遣いにかおりを見る。繭子に抱かれた怜奈がちいさく何か言っている。「おまえも報告したいんでちゅねー」繭子は怜奈に話しかけ、「この子、モデルになるの」とかおりに目線を戻して言った。

「え？」

「今日ね、スカウトされたんだ。新宿歩いてたら。最初、私をスカウトしてくれてるのかと思ったら、違くて、しっつれいな話なんだけど、お子さんを赤ちゃんモデルにしませんかって言うの。すごくかわいい、こんなかわいい赤ちゃんはめずらしいからって、あんまり褒めてくれるし、事務所が近所だって言うから、ついてって、話聞いたの」

「ついてって……」

「私も最初はやばいかな？　と思ったけど、でもこんな赤ん坊連れの女に悪さなんかできないだろって思って、いってみたの。そしたらけっこうまともな事務所でさー、所属タレントとか見せてもらったら、けっこう知ってる顔があるんだよね。ほら、おむつの

コマーシャルとか、あと、シャンプーのコマーシャルで見た子とか、けっこういて。それでね、登録だけしておけば、オーディションの連絡とかしてくれるんだって。もうすこしおっきくなれば、ドラマとかにも出られるかもしれないんだって」

繭子は勢いこんで話すが、けれどかおりは、それがどういう種類の事務所なのかわかりかね、ただ相づちを打つにとどめる。

「あーおいしかった、ごちそうさまでした。それで、うち、ちょっと家計的に苦しいからさ、ほら、なんかみんな、このへんの人ってお金持ちっぽいじゃん。つきあいとかもなんかたいへんそうだなーとか、千花りんの話とか聞いて、幼稚園ってお金かかるんだなーとかいろいろ悩んでたところだったから、なんていうの、あっ、そうか！　って。この子にも働いてもらえばいいんだって、急にひらめいて、そんでちょっと気が楽になったっていうか」

「たしかに、怜奈ちゃんはかわいいものね」

「うん、私、すっごくうれしくなっちゃって。あ、この子が稼ぐってことがじゃなくて、知らない人にそんなこと言ってもらったことないから、すっごくうれしくなっちゃって、だれかに言いたくって、でも祐輔、あ、ダンナだけど、このところ帰り遅いし、それでマダムに聞いてもらおう！　って思ったらじっとしていられなくって、それで押し掛けちゃったんだ」

かおりはダイニングテーブルから離れた位置に座る繭子を見る。ひっきりなしに何か言っている怜奈に顔を近づけ、頬ずりをしている繭子を見ていたら、この人、ものすごく孤独なんだと、かおりはふいに思い至った。橘ユリの話をしたとき、繭子は、私には友だちが何人もいるし、みんないい人だから紹介する、と得意げに言ったけれど、千花とも、それからあの二人の主婦とも、あまり話は合わないのだろう。一度家に上がらせてもらったことがあったけれど、たしかに、「家計的に苦しい」ことがまざまざとわかる部屋だった。言ってみれば、自分がずっと嫌悪していた暮らしだ。さっき繭子の突然の訪問に苛立った自分が急にはずかしく思えてくる。かおりは手近にあったワインの瓶を引き寄せ、繭子にもつごうとし、彼女が授乳中であることを思い出して自分のグラスにそっとつぎ足す。

「よかったじゃない。怜奈ちゃん、きっと売れっ子モデルになるわ。私たちがテレビや雑誌で『あっ、怜奈ちゃん』って言う日もきっと近いわね」かおりは言った。

「そうかな。本当にそう思う?」さっきまであんなにうれしそうだった繭子は、急に不安げな顔でかおりを見る。その顔が、母親の機嫌をうかがう衿香の表情とだぶってかおりには見える。

「だって、事務所はちゃんとしたところなんでしょう? 実際に仕事をしているお子さんも多いんでしょう? オーディションなら、絶対に楽勝で怜奈ちゃん通っちゃうわよ」

「マダムにそう言ってもらえると、なんかすごくうれしい。ほっとする。言いにきてよかった」繭子は笑う。独り言を言っていた怜奈がぐずりはじめ、繭子はあわてて立ち上がり、体を揺すってあやしはじめる。おーよちよち。おまえ、仕事するんだからそんなにふがふが言ってたらだめでちゅよー。小声でささやいている。

「きっと旦那さまも喜ぶんじゃない？　よかったわね、繁田さん。何かお仕事決まったら教えてね」かおりは言った。正直なところ、かおり自身は、子どもを芸能人にさせようと目論《もくろ》んだり、スポーツ界で活躍させようとスパルタ的なクラブに参加させる母親を軽蔑していたのだが、そんなふうに喜んでいる繭子を見ると、軽蔑する気も起きず嫌悪感も感じなかった。怜奈が売れっ子になるとか、登録だけで終わるとか、そんなことにも興味は持てなかったのだが、純粋に応援したいような気持ちになった。

「そういえば、マダム、この子が生まれたばかりのころ、お洋服たくさんくれたじゃない？」

急に繭子が言う。どこから出したのか、怜奈はおしゃぶりをくわえていて、泣き出すのは免れたようだ。

「え？　ああ、そういえば、そうだったわね」

「あれ、すごーく助かったなあ。だってさあ、うちの親なんて、私が実家に帰れば怜奈の服とかたまに買ってくれるけど、それも安売り店とかスーパーのだし、でもそれさえも私がこっちにいれば送ってくれたりしないんだよ。うち、ほんと節約家族だからさ、この子の服買うのもたいへんで、でもすぐ服はちっちゃくなっちゃうし。それにね、千花りんとかコバちゃんとか、なんかぱりっとしたもの着せてるじゃない、恥ずかしくってさ。だからみんなに会うときは、マダムにもらった服を着せるの。そうするとみんな、わーかわいいとかって言ってくれて、私もちょっと鼻が高い感じ。そのたんび、マダムに心のなかで手を合わせてたんだ」

「手を合わせるなんて、そんな」かおりは笑いながら、はたと思いつく。もしかして、この人、また洋服をもらいにきたのかしら。まさか。モデルのことを言いたかっただけに決まっている。かおりは立ち上がり、衿香と自分の食べ終えた食器を流しに運ぶ。それを見て、もうお暇するわと繭子が言うのではないかと期待するが、繭子はおとなしくなった怜奈を抱いたまま、ソファにどさりと腰を落としてしまう。

「そういえば、マダムって仕事しているんだよね」

「え、どうして？」

「ほら、前にデパートで会ったことあるでしょ。すっごく前。私、一度会ったときからマダムにあこがれてたから、マダムが何買うのかちょっと見ちゃったの。私も怜奈に本とか買ってあげたいんだけど、私自身が本読んだことないから、何買っていいのかわかんなくて。そんでそのとき、もう一回会ったの覚えてる？　マダムはなんかちょっとかっこいい、仕事のできそうなお洒落な感じの男の人といっしょにいて、仕事中って言ってたから。やっぱ、子どもに服とか本とか好きに買ってあげるには、私も仕事しなきゃだめかなあ。でも、私、特技とかあんまりないし、採用される気がしないんだよな。レジ打ちとかじゃ、そんなにお金にならなさそうだし」

かおりは台所からテーブルに戻り、グラスにワインをつぎ足す。手が震えていることに気づく。デパートで会った日のことを、急激に色鮮やかに思い出す。大介といっしょにいたのだ。それで仕事と口走ったのだ。でも、なぜそのときのことなど言い出すのだろう。なんの意味があるんだろう。

「仕事と言っても」かおりは声が震えないよう、グラスのワインをほとんど一気に飲み干してから、言う。「社員ていうわけじゃないの。ときどきアルバイトみたいに頼まれるだけ」

「へえー。それっていいな。どんな仕事なの？」

かおりは言葉に詰まる。繭子がここにきた本当の理由はなんなのだろう。

「校正とか、ちょっとしたチェックとか、そういうかんたんな……」千花と繭子が私について話すことはあるのだろうか。あら、あの人専業主婦よ、と千花が繭子に言うことはあるだろうか。私にはアルバイトしてるって言ってたよ、デパートで仕事相手の人といるのを見たことがあるし、と繭子が千花に言うことがあるだろうか。

「え、コウセイって何」

「ほら、間違った漢字をなおしたり、脱字をチェックしたり」千花と繭子はどの程度仲がいいんだろう。そしてウマが合うように思えた千花は、どのくらい口が固いんだろう。もしかして、もうすでに二人は私について何か話しているんだろうか。私、知っているのよと、繭子は暗に伝えにきたのだろうか。そんなことがあるはずはないが、でも。

「繁田さん、本、いらないものをあげましょうか。まだ怜奈ちゃんはちいさいから、文字のない本がいいと思うわ。ブルーナの絵本とか、たくさんあるから持っていく?」

「えっ、いいの、もらっても」繭子はぱっと立ち上がる。

「ちょっと待っていて。すぐ戻るから」

かおりは小走りにリビングを出、衿香の部屋のドアをノックせずに開ける。衿香は勉強机で漢字の書き取りをしていた。

「衿ちゃん、ちいさかったころの絵本、ちょっと見せてね。怜奈ちゃんにあげてもいいわよね」

壁際の本棚に近寄り、かおりは数冊抜き取っていく。それからクロゼットに入り、もう衿香の着なくなった服もさがす。

「ママ、かえるの絵本はあげないでくれる? 私、あの絵本が大好きだから」

漢字の書き取りをしながら衿香が言う。わかったわ。かおりは答え、引き出しを次々と開けていく。服を引っぱり出し、これは今も着ている、これはもうちいさい、とあわただしく分けていく。

「ごめんね、ちょっと散らかしちゃったけど、ママあとで片づけるから」

かおりは服と本を抱え、衿香に笑顔を見せて子ども部屋を出る。向かいにある家族用のクロゼットに入り、不用品を詰めこんであるボックスを開き、中身をひっかきまわして衿香の子ども服をさがす。何着か選んだのち、もうずいぶん着ていない自分の服ものなかに交ぜた。クロゼットの隅にまとめてある紙袋にそれらを詰め、リビングに戻る。

「本と、あと、お洋服も入れておいた」かおりはゆったりと笑いかける。

「わー、すごい！」繭子は歓声をあげ、怜奈をかおりに押しつけるようにして紙袋を手にし、中身をその場に広げて見入る。「きゃーすごいかわいい、これもらっていいの？　まだこんなにあるなんて嘘みたい！　私ね、オーディションとか本当にきたら、怜奈に何着せようかって考えて、マダムに借りようかなって本気で思ってたの。でも、またもらえるなんて夢みたい！　あれ、マダム、マダムの服も入ってるみたい」

「ええ、私はもう着ないものだから、ちょっとかたちが古いけど、品《しな》はいいしクリーニング済みだから、もしよかったら着てちょうだい。好みじゃなかったら悪いんだけど」

「ううん、だってこれ、フェンディだよ？　こっちはラルフローレンだし……。すっごいうれしい！　ありがとう、マダム！　オーディションあったら、ぜったい怜奈にもらった服着せていくからね」

藺子は広げた服を手早く袋に戻し、かおりから怜奈を受け取り、

「ほんとありがとう。すっごいうれしい。それに、今日の話聞いてくれてありがとう。マダムに聞いてもらってほんとよかった。勇気出た。オーディション決まったらすぐ報告するからね」

と、さっきまでぐずぐずしていたのが嘘のように、さっさと玄関へと向かう。

「オーディション、早く決まるといいわね。怜奈ちゃんなら絶対大丈夫よ」

藺子が帰ることにほっとしつつ、かおりはあとについていく。

「うん、登録料払って、維持費とかも払ってからだから、実際にすぐってわけにはいかないと思うけど、でもマダムの言葉で勇気出たから、早くそんなお金なんとかして、仕事もらうようにするよ」

靴を履きながら藺子は言い、かおりはその言葉にひっかかる。登録料だの、維持費だのって、それはいったいなんなのだろう。訊いてしまいそうになるが、しかし、訊いてはいけないと本能が告げている。

「その事務所、本当にだいじょうぶなのね？」笑顔のままかおりはそれだけ訊いた。

「登録子役のファイル見たらすごかったもん。大丈夫大丈夫。すぐにこの子が一家の大

黒柱になるかもね。じゃあ、マダム、本当にありがとう。また連絡するね。ごちそうさまでした。おやすみなさーい」

あたりに響くような声で言うと、盛大に片手をふって繭子は玄関の戸を閉めた。急に部屋のなかは静まり返る。

かおりはその場に突っ立ったまま、脱ぎ散らかされたスリッパと、たった今閉ざされた玄関の戸を交互に見た。エレベーターきまちたよー、とちいさく繭子の声が聞こえ、やがて玄関の外もしんと静まり返る。濁った水たまりに足をつっこんだような、汚れた水がストッキングを通してどんどん上へと染みていくような感覚をかおりは覚える。じわじわと布地越しに広がる汚水のような予感に、けれど気づかないふりをして、かおりはリビングへと戻る。繭子の使った食器を流しに運び、表面だけ水で流し、食器洗浄機へと入れていく。洗剤を入れ、蓋を閉める。食器洗浄機の窓から、勢いよく出る水が見える。かおりはぼんやりとそれを眺める。

思い過ごしだわ。千花が繭子に私の話を言うわけがないし、繭子は言葉どおり、スカウトされた話をしたくてここにきたのだ。あわよくばまたお古をもらいたかった気持ちもあったろう。それだけだ。それに、怜奈の話だって私には関係ない。あの子がどんな事務所に入ろうが、関係ない。登録料と維持費が必要だからといって、何か詐欺まがいの事務所と決まったわけでもないのだし、繭子だって子どもではないのだから、いい悪いの区別くらいつくだろう。これからしょっちゅう訪ねてこられたら困るけれど、今度から忙しいときはちゃんと断ればいいだけだ。そう、そうだ。悪い予感なんてただの思い過ごし。かおりはその場を離れ、衿香の部屋へと向かう。

「衿ちゃん、今日はごめんなさいね、ママ、お昼にプリン作ったの忘れてた。いっしょに食べない？」今度はドアをノックしてドアの前でそう告げる。食べる！　という声がして、勢いよくドアが開く。

◇

ねえ、帰りに時間をとってもらえない、と容子からささやかれたとき、瞳はほんのかすかだがいやな予感がした。千花が席を外したときにそうささやいたのだから、彼女抜きで、ということだろう。受付の女性と何か話していた千花は、胸に封筒を抱えて戻ってきて、

「お待たせ。みんなのぶんのパンフレット、一応もらってきておいた」

と、瞳と容子に封筒を渡す。「じゃ、今日は帰ろうか」雄太の手をとって歩き出す千花に、

「千花さん、みんなでお茶でも飲まないかって、容子さんが」

思いきって瞳は言った。容子がさっと視線を送ってくるのがわかるが、二人でこそこそ話をするようなことはしたくなかった。いや、本当のところは、容子と二人になりたくなかった。けれど千花は、

「うーん、お茶飲んでいきたいけど、私、四時前には桃子を迎えにいくって母に言っちゃった。だから、悪いけど私はお先に失礼するね。最近、母、機嫌悪いのよ。時間に遅れるとすぐ文句言うの」早口で言って、「ほら、ユウくん、みんなにバイバーイって。また月曜日ねー」雄太に手をふらせ、さっさと後ろ姿を見せて歩き出していく。何かおもしろくなかったのだろうか。ついそう思ってしまうような素っ気なさだった。

「よかったわ。私が話をしたかったのは瞳さんだから」

千花の後ろ姿を見送って容子は言う。容子と二人で話したくない気持ちはあるが、千花の素っ気ない態度になんとはなしに不安を覚えた瞳は、「どこにいく？」と容子に訊く。「うちの近くまで戻ったほうがいいかしら」

「このあたりでいいわよ、そのへんの喫茶店で。近所だと知り合いに会わないともかぎらないし」容子は一俊の手をとって、千花が去っていった方向と反対に向かって歩き出す。瞳もベビーカーを押し、光太郎を連れてついていった。大通りと垂直に走る路地は陽が届かずに薄暗く、シャッターの閉まった居酒屋が並んでいて、それらに挟まれるようにして一軒、営業中の喫茶店があった。薄暗い窓ガラスは曇っていて、十一月になる

のに色あせた「氷はじめました」という貼り紙が貼られたままになっている。あまり雰囲気のいい店とは言えなかったが、容子はふりむきもせずその店に入っていく。

夏にみんなでいこうと言い合った幼児教室の体験レッスンは、十一月に入ってようやく実現した。先週の土曜日は、世田谷区の住宅街にある個人経営の幼児教室で、今日は、大塚にあるもう少し規模の大きな教室だった。どちらも、千花が水泳教室や幼稚園の母親たちから評判を聞いて選んだものだった。

店内も路地と同様に薄暗く、壁は煙草の脂《やに》で真っ黄色に汚れている。壁際には漫画雑誌が雑然と積み置かれ、カウンターで若い男が漫画を読みながらスパゲティを食べているほかに客はいない。容子は窓際の四人掛けの席に座り、一俊の靴を脱がせて椅子に座らせている。瞳はその向かいに光太郎と並んで座り、眠ってしまった茜はベビーカーに座らせておいた。

「注文、何?」カウンターの内側から、化粧の濃い年輩の女性が声をかける。

「紅茶とオレンジジュースお願いします」容子が言い、

「じゃあ、コーヒーとオレンジジュースをもうひとつ」瞳も注文する。「おいらもコーヒーがいい」光太郎がテーブルに身を乗り出して言い、容子が声をあげて笑った。

「話って? 私、三十分かそこらしか、時間とれないんだけど、それでもよかった?」

容子と距離を置きたいわけではなかったが、好恵のように頼られるのはこわかった。だから、瞳はできるだけ事務的に聞こえるように、でも冷淡にはならないように、慎重に言った。

「私もあんまり長居はできないから平気よ。我らが主婦はいつなんどきもごはんの支度があるもんね。それにしても今日はすごかったわね、コウちゃん。やっぱりしつけがいいのね」

千花がいたときはほとんどしゃべらなかった容子は、急に明るい表情でそんなことを言う。そう言われると、瞳はやっぱりうれしくなる。

「え、おいら何がすごかった？」最近なんにでも口を挟みたがる光太郎が言い、

「あんたは黙ってなさい」注意しながらも頬がゆるんでしまう。

「先週いったところ、雰囲気はいいけどちょっと気取り過ぎって気もする。それに、自分の子はなかなか客観的に見られないけど、コウちゃん見てたら、向き不向きがあるのがよくわかった。今日みたいなお教室がコウちゃんには合うよね」

「そうかなあ」

注文したものが運ばれてくる。エプロンを掛けた年輩女性は、コーヒーやオレンジジュースをひととおり並べると、ベビーカーをのぞきこみ、「まあ、べっぴんさん」と茜の頬をつついてカウンターに戻っていく。

先週三人でいった幼児教室は、ペーパーテストと運動能力といった、まるきり小学校

受験を目的にした教室で、体験レッスンでも子どもたちがやらされるのはそういったことばかりだった。

マンションの一室に集まった五人の子どもたちは、みな体験レッスンで、ダンスやボール遊びはできる子とできない子にはっきり分かれたが、記憶力や判断力を測るペーパーテストは、五人とも揃ってできなかった。そのなかでも光太郎はじっと椅子に座っていることすらできず、わざと鉛筆を落として瞳を見たり、隣の雄太にちょっかいを出されるまま遊びはじめたりして、見ている瞳は気が気ではなかった。この子に受験なんてぜったい無理だと心底思った。

けれど今日の体験レッスンで先生が子どもたちにやらせたことは、そういったテストではなかった。六人の子どもたちに、先生がひとりずつ日常生活についての質問をしたり、六人全員でレゴブロックを組み立てさせたり、お店屋さんごっこをさせたりするのである。そして親の贔屓目《ひいきめ》でなくとも、光太郎は「できる」側の子だった。「どんなお手伝いが好き?」という質問に対し、「おかたづけ」「お靴」などと単語だけで答える子どもが多いなか、光太郎ははきはきと「ごはんのあとでお茶碗を運んで、洗ったものを拭くことと、あーちゃんに本を読んであげるのが好き」と答えたし、レゴブロックでは癇癪を起こした雄太をなだめ、彼のいいようにブロックづくりをした。お店屋さんごっこでは仲間に入れない子ども――それは一俊だったのだが――とあえてペアになってお店屋さんになったりした。帰り際、瞳は先生に呼び止められて褒められたほどだ。

幼稚園以外の世界をまったく知らない光太郎が、そんなふうにきちんとできたということは、家庭でのしつけや教育は間違っていないということだ、と瞳は考えたのだが、容子や千花の手前、手放しで喜ぶわけにもいかず、だから容子にそんなことを言ってもらってうれしかった。容子と二人になりたくないとさっき思ったばかりなのに、お茶を飲みにきてよかったなどと現金にも思ってしまう。

「それに比べてうちの一俊ったら……。本当に、この子はああいうのが向かないんだって思っちゃうわ」紅茶にミルクを入れ、スプーンで執拗にかきまわしながら容子はため息をつく。

「そんなことないじゃない、カズくん、先週のところではきちんと座ってお話聞いて、えらかったじゃないの」

瞳は言う。けれど実際一俊は、雄太や光太郎のように暴れることはないが、人のなかに入っていこうとしない。先週は二人一組のダンスができずにしくしくと泣き出し、今日のお店屋さんごっこでは光太郎に誘われるまで隅に突っ立っているだけだった。以前はもう少し表情が子どもらしく変わった気がするが、なんだかぼんやりとした無表情が多くなったように瞳には思える。瞳や千花が話しかけても、すぐに答えず、ときには目も合わせない。カズくん、何かあったの？　と容子に訊きたいが、下手なことを訊いて刺激させたくはない。だれだって自分の教育方針に口出しなどされたくないのだ。

「それで瞳さんはどうするの、あそこに決めるの？」

瞳は少々うんざりしながら容子を見る。

「まさか。そんなことまだ考えてないわ。夫にも相談しなくちゃいけないし」

けれど容子は、瞳の返答を聞かなかったかのように続ける。

「でも注意したほうがいいわね。たぶん千花さん、本当にいいところは私たちには教えてくれてないだろうから」

「え、どういうこと」

「千花さん、ユウくんを受験させることにしたみたい。私たちには教えてくれないけどね。受験するとなったら、ほら、倍率とかあるし、私たちも受験するなんて言い出したら厄介じゃない？ だから内緒にしてるのよ。千花さん、二校お教室をさがしてきてくれたけど、きっと自分ではべつのところにユウくんを通わせるってもう決めてるんだと思う。そこは私たちには紹介してくれないと思うわ」

瞳は容子が何を言っているのかさっぱりわからなかった。容子は続ける。

「ユウくんのこと、ほかの人から聞いてちょっとショックだったわ。だって私たち、友だちだと思ってたから。あ、千花さんには友だちでもなんでもなかったんだなって思っちゃった。でも、あれよね、千花さんってユウくんを叱らないでしょ？ だんだんユウくんも手におえなくなってきてたいへんよね。前から元気のいい子だったけど、あれは問題よね。今日なんか、知らない子にブロック投げつけちゃって。ああなっちゃったら、ふつうのスクールでは難しいでしょうね。きっとスパルタに通わせるんじゃないかしら」

容子が、千花の子育て批判まではじめるのを瞳は驚いて聞いていた。たしかに雄太はほかの子よりもやんちゃで、すぐ手が出るけれど、「問題」とされるほどでもないように瞳は思っていた。自分の子をけなされたわけでもないのに、おもしろくない気持ちがふつふつと湧き上がる。人んちの子のことをあれこれ言う前に、カズくんの無表情に気がついたらどう？　と、言いたくなってしまう。しかし瞳は、

「容子さん、それ、だれから聞いたの、ユウくんのこと」とだけ、訊いた。

「だれとは言えないけど、たしかな情報なの」容子は、どこかもったいぶって見える仕草で紅茶を飲む。「先週も今日も、ほかのママたちから評判のいいところを聞いてくれたってことになってるけど、それもあやしいわよね。案外、あんまりよくないって評判のところかもしれないし」

「そんな。べつにへんなところではなかったじゃない。入室を迫ることもなかったし、レッスンだってちゃんとしていたと思うけど」

「私、もしべつの学校に通うことになっても、みんな友だちでいられるって思ってたか

ら、がっかりしてるの。でも、私たちも決めなきゃね。私はユウくんと一俊をおんなじ学校に入れたくないって最近思うようになったの。だから、公立校は避けたいなと思うようになって。だって、ユウくん、私立落ちるかもしれないじゃない？　そうしたら必然的に公立になるだろうから、いっしょになっちゃう。でもそれはいやなの。それに、この子にはああいうお教室は合わないってよくわかったし。だからね、私、一次試験が抽選の、大学附属を受けさせようかなって思ってるの。それがこの子の未来の幸福だとか、もちろんそんな理由じゃなくてね。ねえ、瞳さん、どう思う？」

「どう思うって……」

容子のいきなりの饒舌に瞳はまったくついていけず、ただぽかんと容子の顔を眺める。今日、先生に光太郎が褒められたときは、もしかしてこの子に受験させたらうまくいくのではないかと、ちらりと考えたには考えた。けれどひとりで決められることではないし、今の今から受験の準備をはじめようと意気込むつもりもなかった。それでも同時に、容子の話を聞いていると、そんな自分がのんきすぎるようにも思えてくる。

「抽選なんてあるのね。知らなかった。いいんじゃない？　お教室に通わせるのは、お金もかかるし送り迎えだってあるし、たいへんだものね」話を合わせるように言うと、

「べつにお金がないとか、送り迎えをしたくないなんて言ってないけど」

ぴしゃりと容子は言い、瞳はもう何も言えずただ容子を見つめる。

「カズくん、やさしいから、人を押しのけてって感じじゃないものね」

かろうじて思いついたことを口にする。

「そうなのよ。この子は自分は最後でいいって人に譲るタイプだから、ユウくんみたいな我《が》の強い子といっしょだと、譲ってばっかりになっちゃうの。だれかに勝つとか負けるとか、そんなこともちいさいうちから教えこみたくないわ」

テーブルの下にもぐりこんで遊んでいる光太郎を叱り、椅子に座らせてから瞳はコーヒーを飲む。茜はまだぐっすりと眠っている。そろそろ起こさないと、夜に眠れなくなってしまいそうだが、今起こせば泣き出すだろうから、そっとしておこうかと瞳は考え、紅茶を飲む容子と、おとなしくジュースを飲んでいる一俊を交互に見る。

「そういえば容子さん、赤ちゃん、どう？　お医者さん、どこにいってるの？」

話題を変えたくてそう口にしたが、顔をあげ、ぼんやりした表情をこちらに向けた容子を見て、まずいことを訊いてしまったと一瞬のうちに瞳は悟る。

「あ、ごめんなさい、もしかして……」

「だめだったの、赤ちゃん」

「えっ、本当に？　やだ、いつ？　私、なんにも知らなくて……」

「知らなくて当たり前よ、だって私言わなかったんだもの。夏の終わりにね。言おう言おうと思ってたんだけど、なんだか言いそびれちゃって。だって瞳さん、自分のことのように喜んでくれたし」

唇を横に広げ、容子は笑みを作ろうとしているが、そう話すうちに両目が湿り気を帯び、右目からほとりと水滴が落ちる。一俊にちょっかいを出していた光太郎が驚いて瞳を見上げる。

「それに、瞳さん、千花さんにも話したんでしょう。彼女もすごくうれしそうにおめでとうって言ってくれて、それでなおのこと言えなかったの。ねえ、このこと、千花さんに言わないで」

「言わないでって、でも……」

「いつか私から言うから、あなたからは言わないで」

妊娠を千花に言ったことを怒っているかのような口ぶりなので、

「ごめんなさい」あわてて瞳は謝る。

「もしかしてうちはひとりっ子のままかもしれない。だとしたら、私は自分のできることのぜんぶをこの子にしてあげるつもり。産んであげられなかった子のぶんまで」容子は窓の外にぼんやりした目を向けて言う。

「それで、でも、結論としてどうするの、容子さん、カズくんはやっぱり私立にってことに決めたの？」と、思わず瞳が訊いたのは、単純に、容子の話がよくわからなかったからだ。以前は「ブランドのバッグ」を持ち歩くような感覚の母親たちを軽視すると言っていたのに、この数カ月で考えを変えたのだろうか。だとしたらなぜ、何がきっかけで、どんなふうに変えたのか。ただそれを知りたかっただけなのだが、窓から瞳に視線を移した容子は、くすりと笑い、言った。

「私立なんてうちは無理。さっき言ったところは国立よ。それに、瞳さん、心配しないで。私は千花さんのように隠したりしないで、決めたらちゃんと言うから」

瞬間、かすかな不快感が湧き上がる。

「そうじゃなくて」瞳は言いかけるが、

「瞳さんにはなんでも言うわ。だから安心してよ」容子は遮るようにくり返し、バッグから財布を出している。「もっと話したいけど、ゆっくりもできないものね」

そんなことじゃない、どの小学校にするか教えろなどと言っているのではなくて、私が知りたいのは、なぜ考えを変えたのかということだけだ。雰囲気にはのまれない、自分は自分の教育方針を貫くと、前はあんなに強く言っていたのに、抽選は楽だからという理由だけで国立校を目指すことにしたのか、そういうことを訊いているのに。そう思いながら、けれどそう訊いたところで容子はまたへんに誤解した返答をよこすだけの気がして、瞳は何も言わず、またしてもテーブルの下にもぐりこんでいる光太郎に「帰るわよ」とだけ言った。

やっぱりこの人とは少し距離を置いたほうがいいかもしれない。帰りの電車のなか、光太郎と茜を見つめて瞳は考える。ベビーカーのなかの茜に、光太郎はいないいないバアをくり返し、そのたび茜は飽きずに澄んだ笑い声をあげている。なんとなく嫌な予感がする。これ以上親しくつきあわないほうがいいような気がする。あくまでも気がするだけだが。

容子は瞳の隣に立ち、夕飯のおかずについて話しはじめる。そういえば、今日はお肉がぜんぶ二割引だってチラシで見たわ、瞳さん、スーパーに寄っていく？　うち、昨日も肉料理だったたから。そんなふうに答えながら、瞳は既視感を覚える。あれはいつだったか、やっぱりこんな会話を電車のなかで容子と交わした。そんなに昔のことではないはずなのに、もう何年も前のこと、小学生のころの記憶のようだと瞳は思う。

◇

もちろん少しは知識はあった。幼稚園のほかの母親たちからも聞こえてくるし、都内の小学校の特集を組んだ雑誌を買ったこともある。文教地区と呼ばれているこのあたりで、多くの母親たちに人気の私立校はどこであるかも知っているし、公立校に関してはもっと詳しく、たとえばどこにどのくらいの規模の小学校があり、一学年の生徒数は何人で、学校の掲げる理念はなんであるのか、中学受験率がどのくらいなのか、そういうことなら頭に入っていた。けれど買ってきた数冊の雑誌や本を読むと、自分は何も知らなかったのだと思わざるを得ない。茜と光太郎にアニメのビデオを見せ、瞳は夕食の後片づけもせず、雑誌や本のページを次々とめくる。このあたりの母親たちが、子どもを通わせたいと願っている人気校の入学金は三十四万円、年間の授業料が百万円近くかかり、さらに維持費や雑費が年間で三十万、それに加え寄付金が五十万とある。受験するだけで三万円かかる。それに比べ国立校ならば、受験料は三千円前後、入学金が初年度は二十五万円程度、翌年以降はもしかかったとしても五年間の合計で十万から二十万円ほどである。さらに、一口に試験といっても、偏差値やＩＱが問題になるところもあれば、面接重視のところもあり、容子が言っていたようにペーパーテストがなく、集団行動を見るだけのところもある。また、通学時間の制限を持つ学校がほとんどで、四十分以内、一時間以内に通学できる地区、あるいは指定地区のみ入学可となっている。

『お子さまのための受験』『小学校受験必勝法』『のびのびキッズ　お受験特集』『両親のための名門校受験』、手当たり次第買ったそれらの本に書かれていることは、ひとつひとつが驚きで、そうして驚くたび、瞳はかすかな罪悪感を覚えた。私、この子のことを考えているようで、なんにも考えてあげてなかったじゃないか。こんなに何も知らずにのうのうとした母親なんて、少なくともあの幼稚園には私のほかにいないのではないか。夏前には、千花や容子といっしょになって、いい学校にいかせることがイコール子どものしあわせではない、とか、私たちはきちんと意見を持っているのだから他人に巻きこまれたりしない、とか、意気込んで言っていたけれど、何を得意になっていたのだろう。何も調べもしないで、知ろうともしないで、どんな意見を持っていたというのだろう。受験に熱中する一部の母親たちを見て、彼女たちのようにはなりたくないと思っただけではないか。子どものことなんか、本当には考えていなかったんじゃないか。受験をさせないと決めるとしても、私立校、公立校、国立校のいいところも悪いところもすべて調べてから、それがいいと決めるべきなのだ。

　玄関の鍵を開ける音が聞こえ、ようやく瞳は手にしていた本から顔をあげる。あわててキッチンに向かい、食べ終えたままになっている皿や茶碗を片づける。ただいまー。間延びした声で言いながら栄吉がキッチンにあらわれる。おとうさーんおかえりいー。テレビの前に座っていた光太郎が弾けるように駆けてくる。

「おかえり。お夕食の準備、すぐするからね」瞳は言いながら、栄吉のぶんの鯖をグリルに入れて火をつけ、煮物を盛った皿を電子レンジに入れる。栄吉はまっすぐ居間に向かい、「あーちゃん、帰りまちたよー」高い声で言って茜を抱き上げている。

「なんだこれ、どうしたの、こんなに」足元に散らばった本類に気づいたらしく、栄吉は居間から声をはりあげる。

「ああ、もらったのよ、千花さんに」瞳は咄嗟に嘘をつく。

「全部受験関係の本じゃないか。高原さんのところ、受験するのか」

「そうねえ、するみたい」味噌汁の鍋をガスコンロにかけ、グリルをのぞきこんで瞳は答える。

「へええ」興味なさげな声が返ってくる。おとうさん、あのね、今日ね、おいらコーヒー飲んだんだよ、それでね、今日はね。茜の笑い声とともに、ひっきりなしに父親に話しかける光太郎の高い声が重なる。今日はね、カズくんとユウくんとね、学校にいってレゴでね、おいらよくできましたって言われてね、光太郎は夢中で話している。あ、しまった、と瞳は思うが、知らんぷりしてグリルの魚をひっくり返す。学校ってなんだよ？　えーとだからお勉強するところだよ。それでね、こないだはおいら、すっごくつまんなかったんだけど、今日はよくできましたって言われたんだよ。ええ？　コウの話はいっつも急ぎすぎなんだよ、落ち着いて話せ、落ち着いて。二人の会話に耳をそばだてながら、瞳はレンジから皿を取り出し、味噌汁をよそう。

「おとうさん、手、洗ってきて。ほら、コウちゃんもまとわりつかないの。おとうさん腹ペコなんだから」

栄吉は言われるまま洗面所にいき、戻ってきて食卓に着く。瓶ビールをグラスにそそぎ入れ、瞳は栄吉の前に置く。一気に飲み干し、ふー、と猫が唸るような声を出し、栄吉は食事をはじめる。

「光太郎が言ってるのは何？　小学校の見学でもいった？」

煮物に箸をのばして栄吉が訊く。冷蔵庫からサラダを出してテーブルに置き、グリルから魚を出してそれも置き、漬け物を皿に移し、せわしなく動きながら、瞳はできるだけさりげなく話す。

「ううん、ちょっと誘われてね、幼児教室っていうの？　ほら、受験する子どもにあれこれ教えるところに体験入室させたの。私はね、べつに光太郎は公立でいいと思ってるんだけど、ほら、千花さんも容子さんもみんな受験を考えてるっていうから。それでねえ、あなた、コウちゃんなんて幼稚園以外なんにも習いごとさせていないし、そういうお教室なんかもいったことないでしょ、みんなの足をひっぱるだけなんじゃないかと思ったら、この子、すごかったの。先生の質問にはだれよりもはきはきと答えて、集団行動ではほかの子の面倒まで見て、先生に褒められたのよ。そのお教室に通ってる子どもだってできないことが、コウちゃんにはちゃんとできたの。ねえ、すごいでしょ」漬け物を出してしまうと、とたんにやることがなくなる。けれど栄吉の向かいに座って話すのがためらわれる瞳は、冷蔵庫を開け卵を取り出し、フライパンを熱しはじめる。卵を菜箸でかき混ぜながら続ける。「それでね、千花さんに本もらって読んで、もしかして、べつに最初から公立って決めなくてもいいかなって思ったのよ。私立や国立も視野に入れてみてもいいんじゃないかなって。千花さんたちもね、もったいないって。コウちゃんならもしかして、塾やお教室なんて通わなくても合格するんじゃないか、って。私ね、べつに人と比べてどうこうっていうんじゃないけど、ほら、客観的に自分のしつけとかコウちゃんのこととか、見たことないから、やっぱり褒められてうれしかったのよね」

「うーん、でも受験はいいんじゃないか。たしか瞳も前はそう言ってたろ」

「ええ、でもね」瞳はフライパンに卵を流し入れる。じゅっ、という大仰な音が広がる。「でも、最初から決めつけることもないと思うのよ。本で読んだら、国立校なんかは学費も安いし、しかも受験は抽選だったりして、公平っていうかね」

「だけど、落ちたときのこと考えろよ。こんなにちいさなうちから、合格しただの、しなかっただの、なんかかわいそうな気がしないか。それにたいへんなんだろ、受験するとなったら。おれ、聞いたことあるよ。子どもばかりじゃなくて夫婦揃って模擬の面接したりするんだろ。受け答えの善し悪しばかりじゃなくって、服装から髪型から馬鹿みたいに注意されるって」

「そういう特殊な試験が必要なところばかりじゃないみたいだし、それに、そんな模擬面接をやらせるような塾に通わせたりはしないわよ」

卵焼きを作ろうとしたがうまくまとまらず、瞳は菜箸でかきまわして卵を崩す。ところどころ焦げた炒り卵を皿に移してから、味つけを忘れたことに気づく。

「本気?」

ケチャップをかけた炒り卵をテーブルに置くと、のぞきこむようにして栄吉は訊いた。

「え、本気って何が」

「本気で受験させたいと思ってるかってこと」

「考えてもいいと思う。少なくとも、ぜんぶ視野に入れてから本気で決めるべきだと思う」

「でもなあ、瞳もわかるだろ。そうやって苦労して学校に入れても、合わない場合だってあるんだから。受験させるってのは、子どもにプレッシャーをかけるってことで、子どももそれを敏感に感じ取るもんだから、いざ学校入って合わないのに合わないって言えなくて、それで洒落にならなくなった子を、たくさん見てきたからなあ」

「合わなくなるって最初から決めつけるほうがおかしいわよ。光太郎にだって失礼よ。それに、あなたみたいな人がおとうさんなんだから、大丈夫だと思うけど」

テーブルのわきに立ち、すべきことを懸命にさがしていた瞳は、そう言いながら、洗いものがあったと思い出して安堵する。テーブルに背を向けて、さっき片づけた食器類を洗いはじめる。

「やっぱり環境ってあるんじゃないかな。千花さんの話とか、あと本読んだりしてると、やっぱり、大学附属の国立校っていうのは、勉強できる環境が整ってるのよね。個性ものばせるっていうのかな。宇宙のことを勉強したいって思ったら、できるようになってるんだと思うの。それが公立校だと限度があるでしょ？　私の実家のそばにあった公立小は、卒業するときにはどんな子も勉強意欲みたいなのを削がれちゃうのよね。田舎だからってのもあると思うけど、みんな卒業後は近くの公立中学にいって、暴走族に入る子もいるし、高校にもいかない子だっている。大学進学なんてまずないわね。みんなそうだからそうなっちゃうのよね、きっと」

「でもきみ、合わなかったんじゃない、私立校に」

瞳は水道の蛇口をひねって水を止め、大きく深呼吸をしてから、声が震えないよう慎重に言う。

「だけど公立校だったらもっと悲惨なことになってたと思う。私、親とうまくいってないし、いろいろあったけど、でも、あの学校に入れてもらってよかったとそれだけは思ってる。さっき私立校の学費を見て驚いちゃった。考えたこともなかったけど、あんなに高い学費を、私の両親は払ってくれてたんだなって」

居間から茜の泣く声が響いてくる。瞳がそちらを見遣ると、「いいよ、おれが見てくる」と、栄吉が食卓を立って居間に向かう。肩越しにふりかえると、栄吉は茜を抱っこして高い高いをしている。おいらも、おいらも、おいらもー。光太郎は両手をあげて栄吉の太腿にまとわりついている。

栄吉にはじめて会ったとき、瞳より六歳年上の栄吉はすでにマザーアースの主要メンバーだった。集会の説教もしていたし、全国各地の集会を巡回してもいた。一年で仕事を辞めて長野にいった瞳には、すでにマザーアースに必要な人材として働いている栄吉が、とんでもなく大きな人間に見えた。ほかの多くの主要メンバーが行う、過去生や現在生といった集団内の言語を駆使する説教と違って、まだ年若い栄吉のする説教は、もっと身近でリアルだったし、マザーアースの理念をどこか遠くから眺めているような客観性があった。子どもが先生にあこがれるような、少女が映画スターにあこがれるような、アマチュアのスポーツ選手がオリンピック出場者にあこがれるような、そんな気持ちがあった。だから、栄吉と交際をするようになったとき、そのことが瞳はうまく信じられなかった。栄吉に対して、弟子が師匠に接するように接した。わからないことがあれば教えを請い、その教えを忠実に守るような。マザーアースとは関わりがなくなり、結婚し、子どもが二人生まれた今も、その関係性は未だに残っていると瞳は思う。今、瞳は自分の夫が、聖人でもなく自分の師匠でもないことを知っている。けれど相変わらず、夫に自分の意見を言うときは気分が悪くなるくらいどきどきする。それは間違っていると断言されることをおそれている。説得させられることを、ああやっぱり私は間違っていたんだなと、条件反射のように思ってしまうことを、恐怖している。

栄吉の目に自分は、マザーアースに駆けこんだときのままの姿で映っていると、瞳は思うことがある。あるいは、拒食症になった高校生のままだと、東京で強迫観念に脅えていた二十代のままだと。妻になったと、母になったと、強くなったと、精神的に自立したと、成長したと、実感として栄吉はわかっていないのだ。だから、栄吉が自分に対し、何か諭すようなもの言いをすると、こちらもまたそんな気持ちになってしまうのだと瞳は思う。つまり、自分はまだ非力で、無知で、脆弱《ぜいじゃく》で、不安定で、間違ったことばかりを主張している子どものような気分に。

「ねえ、でも、少し考えさせて。国立はだめだとか、私立は無理だとか、まだ決めつけないでもらえる?」食器を洗いながら、瞳は居間にいる夫に向けて声をはりあげる。

「ああ、まだ時間はあるんだし、ゆっくり話し合って決めようよ。コウにとって、おれたちにとって、何がいちばんいいのか」

居間から、栄吉の深く安定感のある声が返ってくる。ああよかった。皿を洗いながら瞳はつぶやいてみる。ああ、よかった、全面的に反対というわけではないみたい。頭ごなしに否定しているわけではないみたい。ああ、よかった。そういう思いとは裏腹に、なぜか瞳は、手にした食器を床に思い切り投げつけたいような、荒々しい衝動をこらえている。

女性誌のページで笑う女性を、千花は凝視する。よく知っている顔なのに、まるで知らない女みたいに笑っている。じっと見ていると、倒れたコップから水がこぼれるように、不安が広がりはじめる。雑誌を閉じてしまえばいいとわかっているのに、そうすることができない。

◇

新鋭宝飾デザイナーとして紹介されているのは、妹の茉莉《まり》だった。

二歳年下の妹、茉莉は今ドイツで暮らしている。茉莉はあらゆる意味で千花と対極の人間だった。保守を嫌い、安定を嫌い、千花から見ればでたらめで支離滅裂な人生を歩んでいるとしか思えない。幼いころは仲のいい姉妹だった。中学に入ったころから、茉莉はだんだん千花と距離を置きはじめた。それと同時に、親の買った服を着なくなり、門限を破るようになった。挙げ句、千花とともに一貫教育の女子校に通っていたのに、勝手に都立高校を受験して両親を激怒させた。高校を出てからはひとり暮らしをはじめ、大学卒業後のほとんどを海外で過ごしている。何かやりたいことがあるわけではなく、ただ逃避型なだけだと千花も両親も思っている。

民族学のフィールドワークだと言ってラオスに住み着いたかと思えば、早々と飽きてフランスの製菓学校に通うと言い出し、しかし二年後、茉莉の趣味は美術に移り、またしても両親にお金の無心をして美術学校に入り、その後、どういう経緯だかまったくわからないが、今現在の茉莉はドイツに住んで、アクセサリーデザインの工房で働いている。たまに帰国するが、数日実家に滞在するだけで、あわただしく帰っていく。先だっても、茉莉が実家にいたのは四日ほどだった。

鍵をまわす音がして、賢が帰ってくる。千花は救われたような気分でようやく女性誌を閉じ、古新聞入れの奥深くに雑誌をしまいこむと、リビングから廊下に出る。子ども部屋に直行したのだろう、ドアが開いている。賢は遅く帰ってくると、まず雄太と桃子の寝顔を見にいく。開いたドアからのぞく暗闇を見ていると、賢が出てきた。

「おかえり」

「悪い、ごはん食べてきちゃった」言いながら、向かいにある寝室にいく。数分もかからずジャージ姿で出てきて「ビール飲もうかな」千花に言う。

千花が台所にいくと、「やっぱりお茶漬けかなんか、もらっていいかな」と、おずおずと声をかけた。

千花はまずビールとグラスを賢の前に置き、解凍したごはんに塩昆布と梅干しをのせ、急須にいれたほうじ茶とともにテーブルに運ぶ。冷蔵庫から漬け物の入ったタッパーウエアを取り出し、小皿に移す。

「あれ、どうなった、雄太の教室」お茶漬けをすすりながら、賢が訊く。

「うん、叔母さんはね、グロリア会ってとこがいいって言うの。合格率が抜きん出てるんですって。月謝は高いみたいだけど」

「月謝は高くても、いいところのほうがいいよな。桃子も入れたら？　一歳児じゃまだ無理か」

「グロリア会はいちばんちいさい子で二歳からですって。でも二歳になったら入れてもいいかも」

「桃子は幼稚園から附属に入れてもいいかもしれないな。女の子だし」

「そうねえ」

「そういえば、茉莉ちゃんってもう帰ったんだっけ」

「やだ、茉莉がきたのはもうずいぶん前じゃないの」

千花は漬け物を運び、賢の向かいに座る。

理想の夫とはこういう人を言うのだろうと、賢を見つめて千花は思う。この人は理想の夫になると思ったから結婚したのだ。友だちの結婚式の二次会で賢と知り合い、一年半の交際を経て結婚した。二十六歳のときだ。千花より二歳年上の賢は、交際当時、勤めていた設計事務所から独立したばかりだった。賢の興した会社は建築ではなく、造園やエクステリア専門の設計事務所だった。独立後、経営が不安定ならば結婚は考えないほうがいいと千花は思っていた。

総合職ではなく一般職として商社に勤めていた千花は、同期の一般職入社の女たちのだれもがそうするように、結婚退社を前提に働いていた。だから、経済的に不安定な人と結婚するつもりなど毛頭なかった。ところが賢の事務所は窮することもなく成長し、バブル経済が崩壊したあとでも、さほど打撃を受けることもなかった。賢が結婚を申しこんできたときには、千花の知る同世代の男性よりもよほど多くの収入を彼は得ていた。もちろん結婚を決めたのは収入のことばかりではない。それは大事な要素だったが、何より千花は賢が好きだった。すらりと背の高い賢の外見も、二十代で独立を決めた行動力も、千花への気遣いもやさしさも好きだった。そしてたぶん、そのときの千花が何より好ましく思っていたのは、賢の上昇志向だった。賢は自分の生まれ育った東北のちいさな町を毛嫌いしていた。それと反対のものごと、そこにはなかったものをことごとく愛していた。それはたとえば外国産の車であり、高級レストランの常連客という立場であり、都心の住まいであり、飛行機のビジネスクラスであり、生活感のない洒落た部屋だった。賢とは異なる意味でそうしたものを愛していた千花は、賢が、たとえば急に田舎暮らしをはじめたいとか、自分の両親と同居してほしいとか、言い出すはずがないと思った。この人となら、どちらかが無理をしなくとも、自分がしたいと願う暮らしをごく自然にできると思った。

実際、賢は理想的な夫だと千花は思う。この人と結婚したのは正解だったと、四六時中思っているわけではないが、ふとした隙に考える。子育てに協力的で子煩悩で、千花の誕生日にも結婚記念日にも贈りものを欠かさず、盆暮れに東北の実家に帰ることを強要したりしない。雄太や桃子を受験させたいと言ったとしても、反対どころか、むしろ積極的に支援するだろう。多忙すぎて平日の帰りが遅いこと、土日も接待や仕事でつぶれることがあるが、自分たちが何不自由なく暮らせるのはそのおかげだと千花は思っている。

「ああ、うまかった、ありがとうな。風呂入ってくる」

賢は立ち上がり、リビングを出ていく。千花はテーブルに近づき、そこに置いてある茶碗を見下ろす。米粒のひとつも残っておらず、茶碗の内側はつるりと白い。箸の先に一粒、米がついている。なんの予告もなく虚しさが湧き上がる。千花はそれに気づかないふりをし、急いで食器をまとめキッチンに向かう。ゴミ箱のわきに置いてある古新聞入れに目がいく。雑誌を開かずとも、茉莉の笑顔が目に浮かぶ。

茉莉が距離を置くようになったのは、姉のことをよく思っていないからだと千花は大人になって気づいた。思い起こせば十代のときから、茉莉は千花を反面教師にしている。一貫教育の女子校に千花が進めば、茉莉はわざと親に反対されそうな共学校を選んだ。千花が将来有望な好青年を恋人に選べば、茉莉は得体の知れないミュージシャンやアーティストばかりと同棲まがいの暮らしをした。千花は未だに忘れることができない。賢との結婚式に参列するため帰国した茉莉は、控え室で両親に向かって言ったのだ。

「これで私には何も期待しなくなるよね。結婚や出産なんていう月並みなことは、千花ちゃんがぜんぶやってくれるから。私は男に頼って生きるのなんてまっぴらごめん」と。

この子にはきっとなんにもできないんだろうなと、そのとき、悔し紛れでは決してなく、至極冷静に千花は思った。あっちにいきこっちにいき、何かはじめては飽き、何もできず何ものにもなれず、平凡から逃げ続けているつもりで、ある種の平凡に埋没していくんだろうな。月並みなことのただひとつだって、できないんだろうな、この子には。

あの子のことはもう諦めた、あなただけが私たちの希望だと、両親は口を揃えて言うくせに、茉莉が頼ってくればほいほいと送金し、帰国すれば必ず彼らは食事会を開く。千花の結婚後も出産後も、茉莉は幾度か帰国し、そのたび千花と賢と子どもたちは招かれた。相変わらず茉莉はちゃらんぽらんで支離滅裂で、何ひとつものにできていないように思えた。それなのに、なぜか茉莉と会ったあと、千花は虚しさに襲われるようになった。あわただしく茉莉が海外に帰っていくと、理想のはずの生活がとたんに色あせる。理想のはずの夫の、食べ残しだとか、シャツについた汗染みだとか、ときにはものを咀嚼する音までが、無性に気に障る。茉莉は千花に対してもう何も言ったりはしない、雄太も桃子もかわいがってくれる。けれど茉莉の存在そのものが、千花の今の暮らしを否定していているように思えてしまう。

そしてだんだんと、千花はある不安を覚えるようになった。もし茉莉が、何ものかになったらどうしよう。もし茉莉が、何かの分野で成功したらどうしよう。もし茉莉が、私が逆立ちしてもできないような方法で、ひとりで生きていけるようになったらどうしよう。

そんなふうに思ってしまうことを、千花は恥じてもいる。ただの嫉妬だ。なんにも持っていない茉莉に、なぜ私が嫉妬しなくてはいけないのだという思いもある。それでも、不安は知らんふりすることが不可能なくらいに膨れ上がった。

そして二カ月前、その不安が現実になりつつあると千花は知ったのだった。実家で行われた食事会の席で、茉莉は得意げに日本の女性誌を取り出し、「見て、これ私」とページを広げてみせたのだった。千花もときどき購入するその雑誌の、「海外で成功した女性たち」という特集で、ドイツの新鋭宝飾デザイナーとして茉莉は紹介されていた。東京のセレクトショップですでに茉莉の作品が扱われていること、デパートに期間限定でショップを出す話があることなどを茉莉は嬉々として話した。

すごいじゃないか、いやだ、本当に茉莉だわ。両親と、呼び出された数人の親戚は口々に言った。ちょっと、すごいわ、茉莉ったら。隣に座る母親から雑誌を手渡され、ほんと、すごいわ茉莉ちゃん、と言おうとしたものの、声が出なかった。動悸が激しくなり、目の前がちかちかと点滅した。ああもう何もかも終わりだと、そのとき千花は思っていた。

千花は、よく見もしないまま実家に置いてきた雑誌を、茉莉がドイツに帰ってからコンビニエンスストアで買った。特集の「海外で成功した女性たち」に登場する女性は八名。ロサンジェルスで活躍するネイリストや、イタリアで児童福祉に関わる女性、夫の転勤先の韓国でスパを開業した主婦などで、四人ほどは一ページで紹介されていたが、茉莉はページの下半分だった。千花は記事をくり返し読み、動悸を速めなければいけないほど、もう終わりだと悲壮につぶやくほど、茉莉が世界的に成功しているわけではないことを知った。ドイツに茉莉の作品だけを並べたショップがあるわけでもなく、彼女の事務所や工房は、ほかのデザイナーと共同らしかった。商品化されたものは日本で紹介されてはいるが、セレクトショップで試験的に置いてもらっているのが現状のようだ。文字という文字から、千花はそんなような安心材料をさがし出し、でもやっぱり、あの子が成功を手にするのは時間の問題だろうとも思った。「あなたももう少ししっかりして」と、近ごろ母親が言うようになったせりふを思い出す。諦められていたはずの茉莉は、もう両親に認められているのだ。たかだか雑誌に一度載ったくらいで。

千花はあらたにじりじりとした焦りを感じはじめる。雄太や桃子を預けるとあれほど喜んでいた母は、茉莉がこのあいだ帰国して以来、ちらりとだが迷惑そうな顔を見せるようになったと千花は思う。あの子がドイツで成功して、有名になって、両親があの子ばかりを自慢するようになって、今まで褒めそやしてきた長女を平凡な主婦と位置づけ、気にもかけなくなったら。両親にまで「月並みな」ことしかできない娘と断じられたら。

千花はそんなことを考えながら、作動する食器洗浄機をじっと見据える。大げさな音をたてながら水が上下している。

「先、寝るけど、いい？」

リビングに賢が顔を出す。千花は顔をあげ、

「うん、おやすみ」

笑顔を作った。部屋を出ていく賢の背中を見送り、決めた、と千花は心のなかでつぶやく。

時計を見上げる。十一時を過ぎている。電話をするには、いくらなんでも遅いだろう。明日の昼ごろにでもかけてみよう。

風呂の追い焚きスイッチを押し、ダイニングテーブルを拭き、ソファや床に散らばった絵本や新聞を片づけて、決めた、と千花はもう一度、口に出して言う。

雄太、うんといい学校に入れよう。ふつうの公立校なんてやめよう。だってふつうの公立校にその他大勢といかせるなんて、それこそ「月並みな」ことだもの。すごいわ、雄太、よくがんばった。父や母や親戚たちが、そう言わざるを得ないような学校に入れ

よう。制服を着、校章の入ったランドセルを背負う雄太と桃子の姿が、すでに見たように思い浮かぶ。はしゃいでシャッターを切る母や、ビデオをまわす父や、誇らしげに着飾った自分と賢の笑顔すらも。

明日はかおりさんに電話をして、いろいろ相談してみよう。たしか、かおりさんの秘密の交際相手の娘も、ずいぶんいい学校にいっているのではなかったっけ。そんな話も。決めた、決めた。千花は歌うようにつぶやきながら、風呂に向かう。雄太の進学。桃子の進学。雄太の未来。桃子の未来。私も茉莉も手に入れられなかったものを、あの子たちはきっとつかんでいくはずだ。いったんあらわれると、いつもはなかなか消えない虚しさが、湯船に浸かるころにはすっかり消えていた。何もかも、すべてうまくいくと思えた。いかないはずがないように思えた。

◇

かおりに紹介された大介を、さしていい男だとは千花は思わなかった。かおりのようなすてきな女性が、なぜこんな男と関係が切れないのか、不思議でもあった。もの知りで、振る舞いはスマートだが、どことなくものほしげで、浮ついた中年男。それが千花の、大介に対する印象だった。

しかも、大介とともにいるかおりは、なんだかみっともなかった。あんなにきれいで、聡明で、自分の考えをまっすぐ言う人なのに、馬鹿な女みたいにかいがいしく大介の世話を焼き、笑うときには必ず大介の太腿に右手を置いた。

雄太の進学について決めた次の日、千花はかおりに電話をかけ、小学校進学の相談にのってほしい、もし可能ならば大介にも会わせてほしいと伝えた。進学について相談したいというのは本当だったが、かおりの相手を見てみたいという気持ちもなくはなかった。大介のことは、断られたらそれでもいいと思っていたが、かおりは案外あっさり、向こうの都合を訊いてみるわ、と答えた。

そうして今しがた、千花は西麻布にある中華料理屋で、三人で食事をしてきたのだった。

それでも、大介や今日のかおりの印象とはまったくべつに、三人の食事は千花を華やいだ気持ちにさせた。自分が、何か特別な、選ばれた存在になったような気分だった。

あの日、唐突にかおりが自身の秘密について漏らしたとき、彼女は大介の娘たちについても話した。二人いる娘が、どちらも「ものすごくいい」私立小学校に通っている。小学校の時点から陶芸や乗馬といった、多様かつ本格的なクラブ活動に参加でき、サマースクールやスキー合宿とともに伝統行事もきちんと行う偏差値の高い学校で、大学附属だがたいていの生徒はそこではなく、有名大学に進学するのだとかおりは話し、本当は衿香もそこに通わせたかったのだと言った。

大介は有益なことはたいして教えてはくれなかった。塾や習いごとなどについてはまったくの無知であるようだったし、「のびのびさせるのがいちばん」ということと、娘たちの小学校がいかに「アタリ」であったかをくり返すのみだった。

しかしながら、食事中に感じた華やいだ気分とは、大介とかおりの持つ自信と安堵が感じさせるものではないかと千花は思った。大介は、子育ての大半を妻任せにしているとしても、娘二人を、特別何をさせるでもなく自慢したいような学校に合格させたことで自信を得、さらに彼女たちが学校にうまくなじんでいることで安心している。かおりもまた、第一希望に衿香が落ちたのだとしても、第二希望の私立には入学させたのだ。彼らにとってその自信と安堵は、そのまま華やかな余裕になっているのではないか。

それらは、容子や瞳、あるいはほかの幼稚園の母親たちとの時間では、感じたことのない種類のものだった。そしてそれを、千花は心地いいと思っていた。もうすぐ自分も、彼らと似たような優雅さと華やぎを身にまとって、またこうして三人で食事をするのだと思っていた。

西麻布の中華料理屋を出、タクシーに乗りこむかおりと大介に別れを告げて、千花は駐車場に向かった。外苑西通りを走り、赤信号で車を止め、横断歩道を渡る人たちにぼんやりと視線を這わす。

ブランドのバッグって、そういえば、容子さんだか瞳さんだかが、言っていたなと思い出す。いや、橘ユリが言ったのだったか。子どもを有名校に入れる親は、ブランドのバッグを持ち歩くような気分だと。でも、それのどこがいけないのだろう。買える余裕があって、買ってしまったのなら、持ち歩くのがふつうじゃないか。見せびらかしたいからではない、それを持ちたいと思うのだったら当然そうするだろう。

道路の先にスーパーマーケットが見えてきて、千花はちらりと時計を確認する。まだ時間の余裕はある。買うべきものは何もないが、ウインカーを出し、スーパーの駐車場に車を入れる。買いものかごを手にし、店内をうろつく。イタリアから輸入されたパスタソースや種類豊富なパスタ、フランスの瓶詰めピクルスやジャムを見ていると、気持ちが和んだ。家の近所のスーパーは、スーパーと呼びたくないくらいちいさく、輸入品などまるでない。大通りに並ぶ個人商店はみな古くさくてぱっとしない。近所で買いものをしていると、それだけで千花は気持ちが萎える。ひどく惨めな暮らしをしているような気になるのだ。だから買いものは、できるだけ外資系スーパーにいくようにしているのだが、毎日のこととなるとそうもいかない。これだけ品数豊富なスーパーにくるのは久しぶりだった。必要もない瓶詰やドレッシングに手がのびる。

レジに並んでいるとバッグのなかで携帯電話が鳴った。列から少し離れ、電話に出る。母親からだった。まだ帰らないの、ユウくんどうするの、と訊いている。

「悪いんだけど、お教室に連れていってもらえない？　タクシー代はちゃんと払うから。遅くなっちゃってごめんなさい。何か必要なものがあれば買っていくけど」

「ええ？　モモちゃんもいるのに？　お教室、休ませたら？」

「私、今お教室のすぐそばにいるの。前で待ってるから、お願い、連れてくるだけ連れてきて」

「もう、しかたないわね。本当に前で待っててくれるの？」

「いくわよ、今すぐ。本当にすぐそばだから。買いものは？」

「何もいりません」母は言って電話を切ってしまう。

あああ、怒らせちゃったかな。ため息をつき、千花は携帯電話をバッグにしまい、レジに並びなおす。

不必要なものばかり詰まったスーパーの袋を後部座席に置き、千花は車を走らせる。実家のある方向ではなく、広尾の幼児教室に向けて。叔母が言っていたグロリア会に、雄太は先月から通いはじめている。

グロリア会は、住宅街の一角にある。瀟洒な一軒家が、そのまま教室になっているのだった。近くのコインパーキングに車を入れ、千花は門の前で雄太たちの到着を待つ。クラスを終えた子どもたちが、母親に連れられて門から出てくる。みな千花に気づくと挨拶して去っていく。やがてタクシーが止まり、雄太と桃子を連れた母親が降りてくる。

母親から桃子を受け取り、

「本当に助かったわ、ありがとう」千花は大げさなくらい感情をこめて言うが、

「あなたももう少ししっかりして。人に頼ってばっかりいないで、自分のことは自分でやりなさい。じゃ、これで」

母は素っ気なく言って、降りたばかりのタクシーに乗りこみ、窓から雄太と桃子に向けて手をふる。あっという間にタクシーは走り去る。「あなたも」って何よ。「も」って。あなた「も」茉莉みたいに、ってこと？　いつからあの妹がしっかり者に格上げされたのよ。遠ざかるタクシーを見遣り、千花は胸の内で不満げにつぶやく。

「ママー、あのね、ばーばがね」

「はいはい、今日もがんばろうね、ユウくん」

千花は門についたインターホンを押し、名前を告げる。ロックされていた錠が開き、千花は門をくぐる。

グロリア会は小学校受験を専門にした、少人数制の幼児教室である。クラスには雄太を含め、四人の子どもがいる。二時から四十五分、十五分休んで三時から三十分。火曜日はおもにペーパーテストと工作をやり、土曜日は運動や集団行動、基本生活について学ぶ。母親たちは原則として教室の外で待っていなければならないが、ときおり母親参加のクラスもある。桃子を抱いた千花は、玄関を入ってすぐわきの洋間に入り、受付で

スタンプを押してもらい、雄太を教室に送りこむ。洋間のソファには、すでに数人の母親たちが座っている。それぞれに挨拶をし、桃子を抱いたまま千花はソファに腰掛け、ラックから絵本を取り出して小声で読みはじめる。授業開始の音楽が鳴り、母親たちはおしゃべりをやめる。絵本を読むのをやめると桃子はぐずり、しかたなく千花は玄関を出、庭先で桃子をあやした。

グロリア会は設立が三十年前とかなり古株で、小学校受験を専門にしているだけあって合格率も高いという。雄太の進学について、受験する方向でいこうと決めた千花は、さっそく申しこんだのだった。容子にも瞳にも、このことは言っていない。

容子も瞳も、橘ユリと会って思うところがあったのか、夏休みのあいだに電話をかけてきて、幼児教室にみんなで体験入室にいこうと言い出した。そのときはまだ進学のことなどはっきり考えていなかった千花は、子どもを教室に入れている仲のいい母親たちに訊いてまわり、二つの教室にしぼって見学にいった。

そう悪いところではない、というのが千花の感想だった。もっとスパルタ式なのかと思っていたのだ。単に小学校入学の準備として通わせてもいいのではないかと思えた。ただ、雄太と一俊と光太郎、三人いっしょのところに通わせるのはいやだとはっきり思った。

二つ目の教室で、先生が光太郎を褒めたとき、千花は思わずむっとしたのだった。雄太ができ光太郎ができないことを、無意識に数え上げようとしていた。ずっとうつむいていた一俊よりは、雄太はましだとも思いそうになった。そう思っている自分に気づき、千花はいやな気持ちになった。落ちこみすらした。仲良しの子どもと自分の子どもを比べ、相手の劣っているところをさがすなんて最低だ。でもきっと、同じ教室に通わせたら、ごく自然にそうしてしまうのだろうとも思った。あの子ができて雄太ができなければ雄太を叱ってしまうだろうし、雄太ができてあの子ができなければほっとして、そんなふうに受験が終わるまできりきりと比較し、みんなといっしょだからうちの子はできないのではないかと責任転嫁だってするだろう。そして、いつのまにかそんなことにも落ちこまなくなるだろう。

だからもし、彼女たちが同じ教室に子どもを通わせようと言ったら、断るつもりだった。その理由を、二人ならわかってくれるはずだと千花は思った。

グロリア会に入れることを決めたとき、そのことを二人に言うべきかどうか、千花は迷った。結局言わなかった。なぜ受験させることにしたのか、気持ちの変化を説明するのは難しく、理解してもらえないだろうと思った。妹に負けるわけにはいかないのだ、などと。そして理由を説明しなければ、二人が、ほかの母親のように「抜け駆け」したと言い出すような気もした。月謝のせいもある。グロリア会はほかの幼児教室に比べ、入会金も月謝も維持費も驚くほど高額だった。容子と瞳の経済状況など知る由もないが、なんだか自慢しているようにとられたらいやだった。

言わないでいることに、もちろん罪悪感は感じていた。それこそ「抜け駆け」している気分だった。罪悪感ばかりのせいでもなく、グロリア会に通いはじめると、容子と瞳と過ごす物理的な時間は減ってしまった。やむなく距離をとるようなことになった。彼女たちもそう思っているのだろう。だからこそ、このあいだ容子は、どんな用事があるのかしつこく詮索したりしたのだろう。もしかして、二人で私のことを噂しているかもしれないな、と千花は思うこともある。

けれど今日、かおりと大介に会ってきた千花は、ずっと感じていたその罪悪感が、きれいに払拭されたような気がしていた。母親同士のつきあいより、子どもの未来を優先するのは当たり前ではないかとあらためて思った。瞳と容子を友だちだと思っているが、だからといって子どもの進学について逐一報告する義務もない。罪悪感の消えた理由を、千花はそんなふうに自身に納得させていたのだが、本当はそうではないことにも気づいていた。今日の時間が、あまりにも心地よかったことと、罪悪感の消滅は関係している。私の本来の場所はあそこだ、と思っていることに千花は気づいている。彼らとの時間は、輸入物の揃ったスーパーマーケットに似ていた。そして容子や瞳、幼稚園の母親たちとのつきあいは、今住んでいる町の商店街に似ているように、今や思えるのだった。彼女たちを嫌いなわけでも、疎ましく思っているわけでもないが、「抜け駆け」だの「いっしょ」だの「みんなで」だの、なんだか私には合わないのかもしれないと、千花はかおりたちとの食事中、思ったのだった。

話し声がし、顔をあげると、子連れの母親たちが玄関の戸を開けて出てくるところだった。クラスが終わったらしい。みな、さようならと千花に声をかけていく。桃子を抱いた千花は建物のなかに戻る。ロビーで受付の女性と話していた雄太が、ふりかえり、

「もう、ママ、遅いんだよ」と生意気な口をきく。

「こら。遅いんだよ、なんて言っちゃいけません。終わりましたって報告しなきゃ」

受付の女性が雄太をたしなめる。

「終わりましたー」

雄太はふざけて深々と頭を下げ、女性と千花は顔を見合わせて笑った。

◇

ベランダに続くガラス戸には、そりに乗ったサンタクロースと星が浮き上がるようスノースプレーをし、先週届いたソファには赤と緑のチェックのカバーをかぶせ、飾りのついたツリーは壁際に置き、蛍光色で「メリークリスマス」と描かれた壁飾りをリビングの壁に貼り、玄関にはリースをかけた。繭子はパーティ用品売り場で買ったサンタク

ロースふうのミニドレスを着、怜奈には、この日のために買った赤いベルベットのワンピースを着せた。首まわりと袖口に、フェイクファーがついているワンピースだ。五百円までのクリスマスプレゼントを用意すること、とみんなには言ってある。食べものは持ち寄りで、繭子は子ども用シャンパンとペットボトルのお茶、あとはジュースしか用意していない。

クリスマスパーティを企画したのは繭子だった。このところ、繭子はなんとなく疎外感を味わっていた。マダムや千花ばかりか、瞳や容子まで忙しそうである。以前のように用もなく集まって公園にいったり、写真館にいったりするようなこともいっさいなくなった。子どもの年齢が違うからしかたないのかと思い、繭子は怜奈を連れて近所の公園や児童館にいってみたりもしたが、怜奈と同世代の子を持つ母親たちはすでにほとんどがグループになっていて、話しかければ輪に入れてくれるが、なんとなくしっくりこない。それに、やっぱり千花たちといるようにはたのしくなかった。

一度、エレベーターで千花と会ったことがある。あれ、マダムのところにいったの、と繭子が訊くと、ちょっと進学のことで相談があって、と千花は笑っていた。進学の相談なのだから自分が呼ばれないのは当然と思いつつも、それでもやっぱり、こんなに近くにいるのに声もかけてくれなかったのかと、おもしろい気分ではなかった。千花もマダムも、容子も瞳も、自分だけ仲間はずれにして何かこそこそ相談し合ってる。子どもっぽい妄想だと思いながらも、繭子はそんなふうに思わずにはいられなかった。クリスマスパーティを企画して、前みたいに集まろう。みんな、私を仲間はずれにしているわけじゃないんだってことを確認しよう。繭子はそう思ったのだった。

そして繭子は、今日のために、クリスマスの飾りを買うついでに、テーブルもソファも、スリッパも食器も新調したのだった。マダムの家のように調えるのは無理だろうが、それでも少しは「すてきなおうち」と思われたかったのだ。その買いもの代金を、繭子は消費者金融のATMから引き出した。はじめてのときほどには、緊張も躊躇もなかった。

インターホンが鳴る。飛びつくように出ると、容子である。

玄関先にあらわれた容子は、もっさりしたコートにジーンズ姿、容子に連れられた一俊もタートルネックにコールテンのズボンという、近所に買いものにいくような格好である。

「やーだ、繭子ちゃん、寒くないの」繭子の出したスリッパに足を通しながら、容子は眉間に皺を寄せる。

「だって、今日パーティじゃん。だからパーティっぽい雰囲気を盛り上げようと思ってさ」

「これ、持ってきたの。お口に合うかわからないけど」繭子の話を無視し、リビングに入るなり、容子は風呂敷に包んだタッパーウェアを差し出す。

「わー、ありがとう。よーたんって料理うまいよね」

藺子は歓声をあげてみせるが、容子が持ってきたものが、お稲荷さんと鮭の照り焼き、ブロッコリーのサラダであることにがっかりしていた。もっとパーティっぽいものを持ってきてくれればいいのに、と、自分では何も作っていないくせに藺子は思う。続けてインターホンが鳴り、こんにちはー、と瞳の声がする。

「あらあ、藺子ちゃん、すごい格好！　怜奈ちゃん、ママとお揃いでサンタさんなのね、かわいいいわねえ」

瞳に「かわいい」と言われ、藺子は幾分気をよくする。が、その瞳も、光太郎も茜も普段着である。「これ、どうぞ。容子さん、何持ってきた？　よかった、重なってないわ」瞳はタッパーを藺子に渡しながら、容子の料理を確認して言う。ミートボール、大根のサラダ、フライドポテトに海老焼売。テーブルにタッパーごと並べてみると、少しばかり色合いが華やいで藺子はほっとする。でも、チキンがない。クリスマスといえばチキンだろうに。

「ごめーん、私、なんにも作ってないんだけど。チキンとか焼けばよかったかな」藺子は言う。

「いいのよ、藺子ちゃんは場所を提供してくれたんだから。準備だって、こんなにすて

きにしてくれて、たいへんだったでしょ？」瞳が言い、

「チキン、迷ったの。でもぜったいだれかが持ってくるって思って、避けたのよ」容子が言う。

「千花りん、ケーキ買ってきてくれるかな」

「あらやだ、ケーキのことすっかり忘れてた」瞳が笑う。

「千花さんはこないかもね」容子がさらりと言う。

「え、なんで？　千花りん、こられないって言ってた？」

「ううん、千花さん、最近忙しそうだから、そう思っただけ。ちょっとやだ、繭子ちゃん、タッパーごと並べないで、お皿に移したほうがいいんじゃない？　お皿、ないの？」

何この人。繭子はむっとする。お皿、ないの？　だって。馬鹿にしてんのか。

「あるよーん。今持ってくる」食器棚から皿を用意してダイニングに戻ると、容子は子どもたちを連れて、ツリーを見ていた。

「ねえ、よーたんってあんなに感じ悪い人だったっけ」

テーブルに並んで料理を皿に移す瞳に、繭子は耳打ちする。

「何言ってるの」肘で繭子を軽く小突き、ちいさく笑い出す。

料理が調い、子どもたちはそれぞれ勝手にツリーやスノースプレーにこわごわと触れ

て遊び、瞳と容子は所在なくソファに座ったり、子どもたちの呼びかけに相づちを打ったりしている。

「もう、はじめちゃう？」容子が繭子に言う。

「でも、千花りんが」

「こないわよ、千花さんは」容子はもはや断定口調である。

本当にこないのではないかと繭子は不安になる。千花がこないと思うと、なんだか急に馬鹿馬鹿しくなる。ツリーも、リースも、サンタクロースのドレスを着た自分も。

「ま、食べてよっか。待っててもあれだしね。みんなー、並んで好きなの取っていいよー」繭子は子どもたちに声をかける。光太郎がすっ飛んできて、茜がよちよちと追いかけてくる。一俊は突っ立ったままテーブルをぼんやり見遣り、怜奈が茜についていこうとしてすとんと尻餅をつき、みんな声をあげて笑う。真新しいダイニングチェアにそれぞれ座り、子ども用シャンパンをついだグラスを持ち上げて、「メリークリスマース！」繭子が音頭をとった。

「ねえ、カズくんもおいでよ、食べないの」

子どもたちがにぎやかに食事をはじめているのに、一俊はツリーのわきに立ったままである。繭子が声をかけると、体を硬くしたのがわかった。「ほらカズくんいらっしゃい」容子に呼ばれ、ようやく一俊はテーブルに近づく。なんかこの子、前とずいぶん雰囲気が違う。藺子はひそかに思うが、口には出さない。

食事を終えた子どもたちに、藺子が借りておいたアニメビデオを見せる段になって、ようやくインターホンが鳴り、千花がやってきた。桃子だけ連れて、大きな紙袋を持っている。

「よかったー、千花りん、きてくれないかと思った」

「ごめんごめん、遅くなるって連絡すればよかったね、はいこれ、どうぞ」

藺子は千花から受け取った紙袋を持って台所にいく。紙袋からは、デパートで買ったらしい総菜が出てくる。ローストビーフに温野菜のサラダ、いろんな種類のパンにチーズ、野菜の入ったオムレツにシャンパンとホールケーキまである。ああよかった。やっとクリスマスらしくなった。やっぱり千花はセンスがいい。上機嫌でそれらを皿に移しながら、藺子は思う。

「今日、ユウくんは？」

「ああ、母のところ。なんだか熱っぽかったから、みんなにうつしちゃいけないと思って。あら、すてきじゃないの、飾りつけ」

「見て、千花さん、怜奈ちゃんもサンタさんなの」

「まあかわいい！　怜奈ちゃん、ちょっと抱っこさせて」

リビングのにぎやかな声を聞きながら、藺子は皿をテーブルに運んだ。シャンパンコルクをだれが抜くかということでひとしきり騒ぎ、千花がコルクを抜く。ポン！　という音にまた歓声が湧く。子どもたちも興奮し、アニメはそっちのけで子犬のようにじゃれて笑っている。

「あーよかった」久しぶりに飲んだアルコールのせいで、軽く酔った繭子はすっかりくつろいで床に座り、言った。「みんな、ここんとこ忙しそうだし、なんとなくかりかりしてるっていうか、前みたいに遊んでくれないし、もうこうして集まるの、無理だと思ってたんだ、私」

テーブルについた三人が、ふと一瞬顔を見合わせる。あれ、と繭子は思う。あれ、私、なんかへんなこと言ったっけな。言ってないよな。

「そうね、これからもっと忙しくなる場合もあるんじゃない？」と、容子が言う。何か、奇妙な言いかたであると繭子は思う。だれかに嫌みを言うような。でも、だれに何に対する嫌みを言っているのか、繭子にはさっぱりわからない。それで、訊いた。

「やっぱりたいへんなの？　受験とかそういうので？」

今度は三人は顔を見合わせることなく、別々の方向を向いたまま目を合わせない。容子はシャンパンのラベルをじっと見つめ、瞳は皿にのせたチーズをフォークでこまかく切っていて、千花はローストビーフを自分の皿に盛っている。

「受験とかじゃなくて、年中さんになると、イベントも増えてくるし」瞳が思いついたように言う。

「増える？　そうだっけ」と、容子。やっぱり何か険がある、と繭子は容子をじっと見る。

「そうだっけ、って、容子さん」困ったように瞳が笑う。一瞬、繭子には理解できない種類の沈黙がテーブルに流れる。

「そういえばさー、言ったっけ。うちの怜奈、モデルにスカウトされたんだよ」

繭子は話題を変えた。繭子に顔を向ける三人は、明らかにほっとしているように見える。「それで事務所に入って、こないだオーディション受けたの。だめだったけど。でも惜しいところまでいったんだって」

「えっ、そうなの、すごいじゃない、スカウトなんて」瞳が目を見開いて言い、

「怜奈ちゃんかわいいから、そのうち受かるわよ。どんどん紹介してくれるんでしょ？」千花が言う。

「私の希望としてはさー、モデルもいいけど、子役とかやってほしいんだよね。ジャニーズとかと共演してほしい」

「そしたら私たちも収録のときに呼んでよ。みんなで見にいっちゃう」千花が女子高生のようにはしゃいで言う。

「でも、スカウトなんて不安じゃなかった？　ダンナさんも、よく了解してくれたね、

その、事務所に入ること」瞳が言う。

「うちはさー、マダムんとことか千花りんのとこみたいに、ダンナががしがし稼いでくれるうちじゃないからさー、怜奈にあんまり贅沢させてあげらんないかもって思ってたんだけど、スカウトされたとき、あっ、そうか、怜奈に自分で稼いでもらえばいいんじゃんって思ったんだよね」

「そーんな」容子が笑う。もちろん半分以上はウケを狙って言ったのだが、容子の笑い声はなぜか繭子の気に障った。

「だって女の子ってお金かかるんだよ、よーたん。男の子なんか、べつにトレーナーとズボンでいいけどさ、今の女の子ってこんなにちっこいときからお洒落じゃん。有名ブランドだってみーんな子ども服出してるしさ」

騒ぎもひととおりおさまり、おとなしくアニメを見はじめていた子どもたちのなかから、怜奈がちょこちょこと歩いてきて、仰向けの繭子に覆い被さるように倒れこむ。繭子は怜奈を強く抱きしめて左右に揺すぶった。怜奈は澄んだ笑い声をあげる。

「マダムがね、いっぱい服くれたんだよね。あの人のとこ、すごいの。バーバリーにアニエスにラルフ。惜しげもなくくれたけど、買ったときの値段考えたら気が遠くなったよ。ねー、怜奈ちゃあん」

「へえ、かおりさんが？　そういえば、お嬢さん、もう小学生だものね。でもずっと取ってあったのね、すごいわ」

「ひとりっ子だから取っておきたいんじゃない？　うちも、雄太のちいさいときの服、いろいろ思い出があるから取っておきたいけど、スペースがなくて。ねえ、瞳さんはどうしてるの」

「うちはとりあえず捨てずに取ってある。男の子用だけど、茜の普段着にしちゃえと思って。でもあんまりくたびれたものは捨てちゃうわね、うちはブランドものなんていっさいないし」

「バザーに出しても、みんな買わないもんね」

「でも千花さんはお洒落だから、ユウくんのお下がりならほしがる人、たくさんいると思うけど」

「そんなことないわよ。でも、そうね、私も桃子におにいちゃんの服着せちゃおうかな。でも女の子って、ずっとあとから言ったりするじゃない、自分はずっとお下がりを着せられて、それがいやだったとかなんとか」

「ああ、あるある。茜も言いそうだなあ、おねえさんならまだしも、おにいさんのお下がりを着せられてた、ひどい！　なんてね」

千花と瞳が会話をはじめ、容子は食べ残った料理を一枚の皿に集め、空き皿を重ねて流しへ運んでいる。

「私ももうひとり産もうかなー、でも今の経済状態じゃ無理かなー」繭子は怜奈をわきへ下ろし、立ち上がって皿にのった肉団子をつまむ。

「経済状態なんて、産んだらなんとでもなるわよ。それに、怜奈ちゃんもきょうだいがいたほうがいいんじゃない？」

「そうだよねー、私もおねえちゃんと仲悪かったけど、怜奈産んだときはいろいろやってくれて助かったもんな。怜奈、妹と弟と、あんたはどっちがほしいでちゅかー」

流しに皿を置いた容子が、繭子のわきを通ってリビングにいく。ほら、みんな、絵本読んであげようか、と、容子は子どもたちに話しかけている。桃子はテレビ画面から目を離さず、一俊はその場で立ち上がり、光太郎はきょとんとした顔で瞳をふりかえる。

「繭子ちゃん、絵本か何か、ない？」

「あるけどさー、いいよ、よーたん、ビデオあと三本あるから。よーたんもこっちで飲もうよ、久しぶりなんだし、みんな忙しくてなかなか集まれないんだし」

「こうやって子どもにテレビを見せっぱなしにしておくのってよくないの。精神面のバランスを欠くって聞いたことない？　絵本がないのなら、画用紙でもいいわ」

繭子はまた頭にくる。黙ったまま、寝室から絵本を持ってきて容子に手渡す。マダムにもらった本だ。テレビの電源を切った容子は床に座り、「さあ、お話会がはじまりますよう」と、一オクターブほど高い声を出している。繭子はテーブルに着くと、眉毛を吊り上げて千花と瞳を交互に見た。千花はグラスについた口紅を人差し指で執拗に拭き取り、瞳はテーブルに落ちたパンくずを拾っている。何かあったんだ、この人たち。私の知らないところで、何かあったんだ。

「ねえ、みんな、なんかあったの」考えることなく思いついたことを繭子は口にする。「なんかへんだよ。前と違うもん。ねえ、幼稚園で何かあったの？　あ、組替えして、派閥が変わったとか？」

「何もない、ない」と笑ったのは瞳だ。「それに、派閥なんてないわよ、幼稚園に」

「派閥って、ほんと、繭子ちゃんっておもしろいこと言い出すよね」千花も笑う。

繭子は容子をちらりと見遣る。容子は正座して子どもたちに本を読んでいる。熱心に聞いているのは茜と一俊で、光太郎はプレゼントの山をいじったりし、怜奈と桃子は床に落ちていた指人形で遊んでいる。

「ねえ、そろそろケーキ食べない？　私、切ろうか。繭子ちゃん、お台所借りていい？」

千花が明るい声を出し、台所に向かう。ケーキ！　光太郎がダイニングテーブルに向かって走ってくる。

「もう、あんたは本当に食い意地がはってるんだから」瞳が光太郎を軽く小突き、千花も瞳も、少し遅れて光太郎も笑った。茜や怜奈も立ち上がってテーブルに集まる。

テーブルやソファ、それぞれの場所で、みな切り分けられたケーキを食べはじめる。ぎくしゃくした空気は、けれどそのまま残っているように繭子には感じられる。いったい何があったのか知りたいが、けれどここではだれも言わないだろうと繭子は考える。何を訊いてもはぐらかすのだろう。

「ほら、カズくん、こぼさないで！　ソファにクリームがついちゃったらたいへんでしょ」

容子のかりかりした声が響く。

「いいよ、べつに、クリームくらいついたって。あとで拭くから」

「そうよ、容子さん、カズくんに厳しすぎるんじゃないの」千花が言う。千花の膝に座った桃子は、千花の食べるケーキに指をつっこんで、それをなめている。千花の言いかたは、繭子にはさほどきついものには思えなかったのだが、

「お行儀よくしなさいって言ってどこが悪いの」容子は尖った声で千花を見ずに言う。

「悪いとは言ってないけど。モモちゃん、おいしい？　この苺も食べていいよ」千花もまた容子を見ずに、膝の桃子に顔を寄せる。

「たしかにカズくん、なんか前と変わったもんね」繭子は言った。三人に何があったのかわからないながら、今日のこの奇妙な雰囲気の悪さは、容子がもたらしているように繭子には思えた。だれかがまとめようとしても、容子がそれをことごとくぶち壊してい

るように。何か容子に言ってやりたくて、そんなことを口にしたのだった。

「変わったって、何が」容子はさらに刺々《とげとげ》しい声で言う。繭子が答えず、怜奈にケーキを食べさせていると、「ねえ繭子ちゃん、変わったって何が変わったっていうの」さらに突っかかってくる。

「えー、なんか元気ないっていうかさあ、ぜんぜん笑わないし、こわがってるように見えるよ」

「ちょっと、繭子ちゃん」たしなめるように言ったのは瞳だった。

「おとなしくしてるだけじゃないの。今日はお呼ばれなんだからお行儀よくしててねって私が言ったの。この子はそれをわかってるだけ。うちは千花さんのところとは違うの。千花さんみたいに叱らずになんでも好き放題って育てかたはしてないの」

「ちょっと、容子さん、何それ」千花が顔をあげる。笑ってはいるが、おもしろくなさそうなのは繭子にもわかった。

「人それぞれしつけのやりかたがあるんだから、口出ししないでって言いたいの」

「口出しなんか」千花は言いかけ、言葉を飲みこみ、「せっかくのクリスマスパーティなんだから、たのしくやりましょうよ」と、せりふを読み上げるような調子で言った。

繭子は今日、子どもたちに昼寝でもさせて、この三人に話を聞いてもらおうと思っていたのだった。もし以前のような親密な雰囲気であるのなら、祐輔には言えないことも、彼女たちには言えると思っていた。

　繭子が消費者金融のATMからお金をはじめて借りたのは、怜奈が新宿でスカウトされた九月だった。スカウトされるまま、繭子はその事務所に怜奈をモデルとして登録した。乳幼児担当のマネージャーという中年女性から、登録料や怜奈個人の宣伝費などに二十万円かかると言われた。けれど仕事がひとつでもくれば、そんなものはすぐにチャラになる、チャラどころか数倍になって返ってくる、と彼女はつけ加えた。二十万円は繭子にとって大金だった。念のため、二十万円の内訳を見せてもらった。登録料が一律で三万円、宣伝の写真撮影に三万円、それを事務所規格の冊子にするのが四万円、タレント名鑑というこれも宣伝用のカタログを、怜奈の写真を入れて作りなおすのに八万円、売り込みのための営業活動に必要な経費として二万円、ということだった。売り込む必要があるのは最初だけで、どんなちいさな仕事でも、一回こなせばあとは自動的に声がかかるようになると、内訳を見せながらマネージャーは説明した。悪徳商法ってわけでもなさそうだ、と納得した繭子は、迷った末、消費者金融からその二十万円を借りたのだった。あっけないほどかんたんだった。振りこみを終えてから、事務所にいって怜奈の写真を撮ってもらった。例のマネージャーがコンパクトカメラで撮っていて、こんなことに三万円も必要なのかと思ったが、加工したり引き伸ばしたりするのにかかるのだろうと、自身に言い聞かせるように思い、疑問を口には出さなかった。

この三カ月のあいだ、オーディションに呼ばれたのは一度だけである。一次試験で落ちた。

そしてそれ以降二度、繭子は消費者金融からお金を借りた。一度は、バーゲンセールの広告を見て、どうしても服を買いにいきたくなったのだ。五万円だけ借りて、怜奈を連れてデパートにいき、怜奈と自分の服を買った。そして二回目が、今日の準備のためだった。

最初にお金を借りたときから、ざわざわした不安に繭子は取り憑かれていた。二万円、三万円の分割返済は今のところどうにかなっているし、たぶん、頻繁に利用しなければ祐輔にも知られないまま完済できるのではないかと繭子は思っている。けれど、そのざわついた不安は消えない。

今日、繭子は千花たちにこのことを打ち明けるつもりでいた。きっとみんな、そんなことはやめなさいと言うのだろうと想像もしていた。月々の返済が可能な額だとしても、そんなところから借りるのはよくないのだと、諭してくれるような気がしていた。彼女たちの話を聞けば、繭子も不安の正体を理解でき、もう二度と借りるまいと決心できると思っていた。

でも言えなかった。そんな雰囲気ではなかった。そして三人とも、何があったのか話してくれようともしない。

「さあ、じゃあ、プレゼント交換でもはじめる？　クリスマスの歌をみんなでうたって」

千花が立ち上がる。

なんかつまんない。そう思いながら、ツリーの根元に置いてあったプレゼントを繭子は手にする。みんなで円を描いて座り、トナカイの歌をうたいながら、それらをまわしはじめる。なんかつまんない。何これ。なんなの、これ。

◇

歌をうたいながらプレゼントをまわし、一俊の手で止まったのは桃子からのものだった。みんな親が用意したものなのだが、子どもたちはひとりひとつずつ、五百円以下という決まりでプレゼントを用意していた。一俊に持たせたものは茜にいった。

家に帰ってコートも脱がず、一俊のコートも脱がさず、容子はプレゼントの包装を解いた。中身は木箱に入ったクレヨンだった。木箱には犬を抱いた男の子の絵と、「KINDER FEST」という文字が、焼き付けたような茶色い線で描かれている。外国のものらしいが、そのローマ字が何語なのか容子にはわからなかった。わからないということに容子は苛立ちを覚える。こんなの、五百円で買えるわけないじゃない。あんな身内のクリスマス会で見栄をはることなんかないのに。

「カズくん、コート脱いでこようか。ひとりでできる？」

声をかけると、一俊はひとつうなずいて、隣の部屋に走っていった。容子は包装紙もリボンもいっしょにして丸め、クレヨンの木箱といっしょにゴミ箱に投げ捨てた。

馬鹿にして。馬鹿にして。馬鹿にして。

包装紙も木箱も、見えないように奥までつっこみながら容子は心のなかでくり返す。

本当はこんなところにきている暇はないのだと言わんばかりに遅刻してきたのも腹立たしいし、一俊も光太郎もくると知っているのに、まるでいっしょに遊ばせられないとでもいうように雄太を連れてこないのも腹立たしい。しかも、平気で私の子育てを批判したのだ。千花が放任するせいで、母親のいないところで雄太がどれほどわがままで乱暴か、私は一言だって触れたことはないのに。繭子が何もわかっていないのはしかたないにしても、教育方針の違いを云々言わないのは、最低のルールではないか。瞳も瞳だ。私のおなかの子どものことを知っていて、服のことだの、お下がりのことだの、平気で話すなんて。千花だって本当はもう気づいているんだろう。あれから何カ月もたつのに、いっこうに私のおなかは膨らまないのだから。今日だってシャンパンを飲んでいるのに何も言わなかった。気づいているのなら、もう少し気をつかったってよさそうなものじゃないか。あんなに得意げに二人子どもがいることを強調しなくたっていいじゃないか。

繭子は馬鹿だからしかたないが、それでもあの子の教育方針のなさにはあきれかえる。子どもをモデルにするなんてみっともないことを言い出したかと思えば、床に転がすようにして延々とビデオを見せるだけ。泣かせないためにチョコレートもスナック菓子も与え放題。しかも、帰りがけに会費として三千円集めたいと言い出したのには驚いた。なんの会費？　だって料理は持ち寄りだし、千花さんはこんなにたくさん買ってきてくれたのよ、とだれも言わないから私が言ったら、繭子は蔑むような目で見、千花ときたら「部屋を使わせてもらったんだから三千円くらい払うわ」と、まるで私がけちくさいことを言ったかのようなせりふまで口にした。容子はいらいらと手を洗い、冷蔵庫をのぞく。おなかは減っていないが、あと二時間もすれば帰ってくる夫のために食事は用意しないといけない。

「ママ、あの、クレヨンは？」

ふりむくと、台所の隅に一俊が立っている。

「遊ぶのはあとにして、少しお勉強したら？　絵本でも読んだらどう？」

夕食の献立を決められないまま冷蔵庫を閉め、グラスに水をつぎながら容子は言う。一俊は何も言わず、その場に立って水を飲む母親をじっと見ていたが、ぱっと駆け出してリビングに向かう。久しぶりに飲んだアルコールのせいで頬が火照っている。容子は濡れた手で片側ずつ頬を押さえ、ため息をつき、また冷蔵庫を開ける。

真一が帰ってきたのは八時前だった。豆腐の味噌汁と切り干し大根、回鍋肉《ホイコーロウ》もどきの野菜炒めと卵焼き、人参のサラダ、冷蔵庫の余り物で作った料理を次々と並べ、容子は今日の話をする。できるだけ陽気な脚色をして話そうとつとめながら。怜奈ちゃんはモデルになるんですって。かわいいもの、本当に売れっ子モデルになるかもね。みんなで歌をうたって。そう、クリスマスの歌。プレゼント交換もして。雄太くんはこなかったの、ほら、千花さんのところの雄太くん。千花さん、言わないけど、あの子、幼児教室や習いごとに通っていて忙しいのよ、受験するから。光太郎くんはおにいちゃんらしくなっていてね。やっぱり下の子ができると変わるのね。ええ、たのしかったわ、みんなで集まるのは久しぶりだし。繭子ちゃん、部屋をすごくきれいに飾りつけてくれていてね。うちもそろそろツリーを出さなきゃね。

「よかったじゃないか」

酒を飲まない真一は、掻きこむようにごはんを食べながら言う。「よかったじゃないか、近所にたくさん友だちがいて。なあ一俊」

真一は、向かいに座って料理を箸でいじっている一俊をのぞきこむ。

「うん、あのね、ぼくのプレゼントはあーちゃんにいったんだ」

「プレゼント、何にしたんだ?」

「あのね、あのね、ハンカチ」

「カズは何をもらったの？」

「クレヨン」

「へえ、よかったじゃないか」

よかったじゃないか。自分と一俊に向けられた言葉を容子は反芻する。なぜかその言葉がしゃくに障る。何か言い返したくなる。よかったじゃないかなどと、深く考えずに口にしたことを真一が後悔するような何かを言ってやりたくなる。けれどこらえる。きみのそういう話はもう聞きたくないと、容子は二度と言われたくないのだ。

「それがね、おっかしいの。繭子ちゃんたら、お金に困ってるのかしらね。会費三千円、なんて言うの。持ち寄りなのに。千花さんなんて、高級そうなケーキやらお総菜やら、デパートでたくさん買ってきてくれたのに。払うのが惜しいんじゃないのよ、考えかたがおもしろいなって思って。場所代ですって。若い人って、おもしろいこと考えるのねえ」

「それで、払ったの」

「私は、それはおかしいと言ったのよ。私や瞳さんは手料理を持っていっただけだけど、千花さんなんて払いすぎだもの。なのに、払ったほうがいいって千花さんが言うから、瞳さんも私も払ったわ。千花さんってそういうところあるのよね。ケチだって思われたくないからそういうこと言うんでしょうけど、そんなふうにしてると、わからなくなっちゃうじゃない、繭子ちゃんが。自分の言ってることがおかしいって気づかないまま、おんなじことをくり返すようになっちゃうでしょ？　そういうこと、きっと考えてないんだな、千花さんは。今日もね、雄太くん、きっとお教室か習いごとの日だったと思うのよ。そういうの、言ってくれればいいのに、言わないで適当にすまそうとするから、何かぎくしゃくしちゃうのよね。今日も繭子ちゃんが、派閥争いか何かあるのかって訊くの。千花さんは雄太くんを連れてこないし、何か隠しごとしているみたいに、いろんなことはっきり言わないからね、へんな雰囲気だと繭子ちゃんも思ったんでしょ。それなのに千花さんたらけらけら笑っちゃって」とまらない。話しながら容子は不安になる。真一の聞きたくないような話をしていないだろうか。今日の会がたのしかったように話せているだろうか。不安になりながらも、話しやめることができない。「たしかに前と変わったっていうのはあるわね。今日だって繭子ちゃんたら、自分が話したいもんだから、子どもたちにずっとアニメを見せっぱなしなわけ。私たちの幼稚園ではそういうのがよくないって教えられているのね、だから、瞳さんも千花さんもそれはよくないんだって言ってやめさせるべきなのよ、怜奈ちゃんのためにもね。前だったら言ってたと思う。だけどだれもなんにも言わないの。放っておくの。だから私言ったのよ、私が読み聞かせするわよって。だってはっきり言わないと気づかないじゃない？」一俊は食べ終え、もじもじとセーターの裾をいじっている。真一は相づちを打つこともやめて、ひたすら食べている。もうやめなきゃ、この話はやめなきゃと思うのに、切り上げる術《すべ》がわからない。「瞳さんも瞳さん。なあんにも言わなくなっちゃって。自分は関係ないみたいに、当たり障りのないこと言って座ってるんだもの。私の赤ちゃんがだめになったこと、瞳さんはいちばんよく知ってるのに、二人目の話ばっかりするの。お下がりをどうするとか、女の子二人なら楽だったとか。あれ、もしかしたら、わざとかもしれないわ。私、塾やお教室はいかせない、自分のうちでできることをするって瞳さんに話したんだけれど、瞳さん、自分はあわてて光太郎くんを教室に通わせたものだから、何かおもしろくないのかもしれない。私ひとりマイペースでやっているから、やっかんでいるのかもしれないわね」

「ああ、おいしかった、ごちそうさま」ぱちんと勢いよく手を合わせ、真一が席を立つ。

「ごちそうさまでしたー」一俊も真似をして両手を打つ。

「お、よくできたなー。風呂入るか」

真一は一俊を抱き上げて風呂場へと向かう。笑い声が聞こえてくる。やがて風呂場のドアが閉まる音がし、部屋は静まり返る。食べ残しの皿が並ぶダイニングテーブルの前に、容子はひとり残される。しゃべりすぎた、と思う。真一が不快に感じる話を、また長々としてしまったと思う。でも、だったらどうしたら。私は私の思うことをだれに話したらいいの。私は間違ってないわよねと、だれに同意を求めたらいいの。容子は油のこびりついた皿を見下ろす。蛍光灯の光を反射して白くぎらぎらと光っている。

真一と一俊が寝入ってから、容子は暗い台所で、今年のあたまにきた年賀状をめくる。真一宛のものと一俊宛のものをよけ、自分宛のものだけを抜き出す。たった五枚。高校時代の同級生、祐子《ゆうこ》は、出産してから毎年家族の写真入りの年賀状を送ってくるようになった。文面は印刷で、個人的なメッセージは何も書かれていない。大学時代、寮がいっしょだった早百合《さゆり》。卒業以来会っていないが、年賀状だけは欠かさずやりとりをしている。一枚はクリーニング店から、一枚は大学時代のゼミの先生から。働いていたときの同僚、香苗《かなえ》からは、「元気ですか？　今年こそお会いしましょうね」と直筆でメッセージが書いてある。たしか前の年も、その前の年もおんなじ文面だった。

私って友だち、いないんだ。五枚の葉書をくり返しひっくり返して容子は思う。なんでも話せるような友だち、いないんだ。どうして祐子や早百合と連絡をとり続けなかったのだろう。年賀状だけではなく、電話をかけて、食事に誘ったり近況を訊いたり、なぜしなかったのだろう。香苗の「今年こそお会いしましょうね」を社交辞令と片づけず、具体的に会う算段をなぜしなかったのだろう。こんなに空白の時間が長くなって、今さら親しげに電話をかけることなどできやしない。祐子は小学生と幼稚園に通う子どもが二人いるし、早百合は二年前に女の子を産んでいる。二人とも地方暮らしだから会うことはできないが、子育てについて、母親たちとの関係について、夫へのささやかな不満について、きっと共感を持って話し合えたはずなのに。

千花たちはどうなんだろう、と容子は考える。千花は友だちが多そうだ。幼稚園の母親たちとも親しくやっているし、東京生まれだから、学生時代の友だちとも顔を合わせる機会は多いだろう。繭子もあんな性格だから、長電話するような友だちは故郷にたくさんいるのではないか。では瞳は？　瞳はどうなんだろう。瞳は高校時代、学校にいけなくなったと言っていた。学生時代の友だちはきっとあんまりいないだろう。ほかの友だちも、大勢いるようには思えない。幼児教室でだって、親しい人なんかできないだろう。だとすると彼女はだれかと話したいとき、どうしているんだろう？　彼女の夫は彼女の話を聞くのだろうか。親しい友だちのように聞いてくれるのだろうか。

買ったばかりの年賀状に、早百合の住む富山の住所を途中まで書き入れ、容子は手を止めて壁に掛かった時計を見、ペンを置いて電話の子機に手をのばす。十一時を過ぎたばかりだ。きっと瞳も家事を終え、茜と光太郎を寝つかせて、一息入れているところだろう。

覚えてしまった瞳の家の電話番号を押し、子機を耳にあてる。聞こえてきたのは通話中を示すツーという音だった。瞳さんち、キャッチホンになっていないんだ。電話を切ってテーブルに子機を置き、年賀状の続きにとりかかるが、住所を書き終えて容子はまた子機を手に取る。リダイヤルボタンを押してみるが、まだ話し中である。

「元気ですか? お子さんかわいいころでしょうね。東京にくることがあったら教えてください。子どものこと、家族のこと、いろいろ話したいです。」うさぎの絵の描かれた裏面にメッセージを書き入れ、容子は早百合宛の年賀状を書きはじめる。明日は一俊にも年賀状を書かせよう。干支のことも教えよう。このところ、容子は小学校受験のための問題集や、生活態度の本を買い、自分で問題を作っては一俊に解かせていた。月謝云々の経済的理由もあったし、真一が受験そのものに賛成するとも思えなかった。けれど容子は、一俊を教室や習いごとに通わせないのは断じてそういう理由からではないと、自身に思いこませていた。おとなしくもの静かで、人見知りをし、自分より先に他人を優先する一俊を、新しい世界に無理矢理連れていくよりは、自宅学習のほうが成果が上がる、だからそうするのだと容子は自分に言い聞かせていた。来年の秋、一俊には国立大附属小学校を受験させる。抽選の一次試験が受かれば、そのとき真一を説得して、二次の面接に連れていけばいいと思っていた。真一だって、月謝の安い国立の、競争率の高い抽選に一俊が当たれば、喜んで協力するはずだ。落ちたら落ちたで、そもそもだめでもともとなのだから、地元の小学校に進学すればいいだけの話だ。とはいえ、容子はなぜか自信があった。一俊が抽選を引き当てる自信が、確たる予感のようにしてあった。

時計を見る。さっき電話をかけてから三十分たっている。容子は年賀状を片づけ、リダイヤルボタンを押す。しかしまだ通話中である。

だれと話しているんだろう。こんなに夜遅く、しかもこんなに長いこと、瞳はいったいだれと話しているのか。母親？　遠方に住んでいる友だち？　それとも千花？　まさか千花と、今日のことについて話しているのだろうか。容子さんには言わないでって言われたけど、じつはあの人、赤ちゃんだめだったの、だから今日の話はまずかったかもしれないわね、そんなことを言っているのだろうか。そんなの、考えすぎだ。じゃあ何を話しているんだろう。光太郎や雄太のこと？　瞳も光太郎を教室に通わせているから、二人で何か情報交換などしているのだろうか。

子機をテーブルに置き、容子は薄く笑う。どうかしている、と思う。私、こんなことばかり考えて、どうかしていると。けれどそう自覚しながらも、右手は置いたばかりの子機にのび、やめようと思っているのにリダイヤルボタンを押している。話し中。電話を切り、また押す。まだ話し中。電話を切り、また押す。まだ話し中。

もうやめよう。やめなきゃいけない。どうかしている。馬鹿馬鹿しいにもほどがある。なのになぜ、私は電話をかけ続けているのだろう。

いつまでたっても話し中の子機をテーブルにたたきつけるように置き、容子は玄関に向かう。ひっそりとした暗闇のなか、スニーカーに足を通すと驚くほど冷たかった。冷たい靴を履いた足元を、容子はじっと見下ろす。

何をしにいこうとしているのか。瞳のマンションの前を通ったって、瞳がだれと話しているかなんてわからない。いや、そうじゃない、瞳の家に何かあったかもしれないから確認にいこうとしているだけだ、だってこんなに長いあいだ話し中なのはおかしい、火事になったとか、電話をかけていた瞳が倒れたとか、何か異常事態があったのではないか、心配だから見にいくのだ。違う、本当は違う、そんなふうに言い訳を用意するのはよくない、私はただ、私はただ、私はただ――私は何をしたいの？

容子はしゃがみこむ。スニーカーのなかで冷え切った足先を抱くようにしゃがみこみ、そのまま立ち上がることができない。

容子は思い出す。女子寮に住んでいたときの、細く狭い穴蔵にすっぽりとはまってしまったような感覚を。知らんふりすることで、他人を見下すことで、目をそらし続けていた、その穴蔵の暗さと静けさと、冷えた湿気を。自分は身動きのとれない穴のなかにいるのに、頭上を、さざめく光のような笑い声が通り過ぎていく。自分以外のみんなは、すっぽりと開いたその穴蔵を、器用に飛び越えて進んでいくのだ。こんなところ、大嫌いだと容子は思っていた。軽薄で浮かれた馬鹿女たち、馬鹿女たちが形成している馬鹿げた町だと思っていた。結婚したとき、出産したとき、千花に会ったとき、一俊が幼稚園の考査をパスしたとき、ようやくあそこから抜け出したと、幾度も幾度も思ったのに。

でも今度こそ、私は抜け出さなくてはならない。容子はスニーカーに落としていた視線をあげる。今度こそ、本当に私はあそこから抜け出さなくてはならない。しびれるほど冷えたドアノブをまわし、外に出ていく。音をたてないように鍵をまわす。息が、はっとするほど白い。

第六章　一九九九年二月――

◇

先に手を出したのは光太郎ではなかった。我が子かわいさでそう見えてしまったのではない、だれが見ても先に手を出したのは、ありさという女の子だった。ひまわりクラスの五人の子どもたちは、魚釣りゲームをしている。一見おっとりとおとなしそうに見えるありさは、先生がほかの子を見ている隙に、光太郎の釣り上げた魚を取ろうとし、光太郎が抵抗すると思いきり手の甲をつねったのだった。痛さにびっくりした光太郎がありさを突き飛ばす格好になり、瞳にはさほど強い力に思えなかったのだが、ありさは大げさにひっくり返り、そのままの姿勢で勢いよく泣き出した。しかも駆け寄ってきた先生に向かって、「光太郎くんがありさのお魚を取ろうとしたの」と言った。「光太郎くん、これはゲームで、お魚をたくさん釣った人が勝ちっていうことじゃないのよ」と、先生に言い含められた光太郎は、顔を真っ赤にして瞳を見る。

先生、違うんです、先に手を出したのはありさちゃんですと、言葉が舌の先まで出かかって、瞳は口をぱくぱくと動かした。教室の後ろにいる母親は、けれどいかなることがあっても口出しを禁じられている。瞳は光太郎に向かって幾度かうなずいてみせると、三人挟んで座っているありさの母親をちらりと見遣った。まだ二十代の半ばごろだろう母親は、ものすごい形相で光太郎をにらんでいる。

先週も似たようなことがあったばかりだった。ペーパーテストをやっている途中、ありさは光太郎の消しゴムを取り上げてしまい、取りかえそうとした光太郎が、またしても先生から注意を受けたのだ。

先生にやんわりと叱られても光太郎は泣かなかった。赤い顔で瞳を見ていたが、「ありさちゃんにごめんなさいしようね」と先生に促されると、「ごめんなさい」ちいさな声で言い、おもちゃの釣り竿をふたたびプールに投げ入れ、魚釣りゲームを続ける。あとでうんと褒めてあげようと瞳は思う。

迷いに迷った末、瞳が光太郎を幼児教室に入れたのは、三カ月前、十一月だった。光太郎を褒めてくれた大塚の教室に決めた。週に二回、一カ月二万五千円である。受験の必要な小学校にぜったいに光太郎を入学させるのだと決めたわけではない。最終的には光太郎の希望を優先させようと瞳は思っていた。けれど、ユリが言っていたように、光太郎に果たして「冷静な判断」ができるのかどうか、あやしかった。いろいろと調べていくなかで、月謝も安く、環境も整っている国立校にいかせたい気持ちがあるのも否めなかった。ともあれ一年、できることはみなやってみよう。それが昨年の秋に瞳が出した結論だった。瞳ははっきりと言葉にして自覚しなかったが、もうひとつの理由もあった。千花や容子から、つまりは幼稚園の母親たちの世界から、距離をとりたかったのだ。

最近瞳は、容子に対して淡い恐怖を抱くようになっていた。幼稚園の送り迎えで会う容子は、何か殺気だっているように瞳には感じられた。瞳を見つけては近寄ってきて、ほかの母親や、千花とすらも、話させまいとしているように感じられた。電話の頻度も多くなり、たまたま留守にしていると、どこにいっていたのかとくどいほど訊いてくる。容子に吹き込まれているからかもしれないが、千花もどこかよそよそしく感じられる。千花と親しくしていたい瞳は、それを払拭するように話しかけるが、ときどき、そうされて迷惑なのかと不安になることもある。すべて思い過ごしかもしれないとも瞳は思う。しかし、思い過ごしかもしれないと思うことも含めて、それらすべてに瞳は辟易していた。光太郎も自分自身も、幼稚園以外の世界を持ち、そうして距離をとることで、容子とも千花とも以前のようななめらかな関係に戻るような気もしたし、自分もまた、へんな勘ぐりや思い過ごしをせずにすむと、漠然と考えていた。

容子にも千花にも、大塚の教室に光太郎を通わせることにしたと話してある。容子に、こそこそしているだの、隠しているだのと言われたくなかったからだったし、話して当然とも思っていた。親しさの表明のつもりでもあった。

千花には教室を紹介してくれた礼とともに伝えた。あそこ、きっといいわよ、光太郎くん合っているようだったし、年少組の菅原《すがわら》さんや千野《ちの》さんのお子さんも通っているのよ、と千花は言った。光太郎に受験させることにしたのかどうかは訊かなかった。また、雄太がどこに通っているのかも言わなかった。容子は、少し戸惑った顔で瞳の話を聞いていた。数秒の沈黙のあと、それがいいかもね、とさりげなく言った。そしてわざわざ翌日の夜に電話をかけてきて、長々と話をするのだった。私は一俊をそういうところには通わせないことにしたの、うちの子は他人に引きずられちゃうタイプだから、あの子のためによくないと思ったの。でも私は国立と心を決めたから、うちでできるかぎりのことをするわ。だって私、働いているわけじゃないし、時間ならたっぷりあるから、ペーパーテストや本の読み聞かせはやってあげられるし、そのほうが母と子の絆もできていいと思うの。でも光太郎くんにはいいんじゃない、そのお教室で。瞳さんは茜ちゃんもいるし、光太郎くんにつきっきりってわけにはいかないでしょうから。夜更けといっていい時間帯の電話や、その話の内容に、瞳は軽い不快感を覚えずにはいられなかったのだが、ええ、そうね、ありがとう、と笑みを含んだ声で返答するにとどめた。

陽気な音楽が流れてきて、レッスンが終わる。子どもたちはきちんと並んで礼をし、一目散に母親の元に駆けてくる。

「ありさ、だいじょうぶだった？　痛くない？」ありさの母親は大げさに頬ずりをして言い、瞳に向かってまっすぐ歩いてくる。「おたくのお子さん、ちゃんとしつけていらっしゃるの？　ちょっと乱暴が過ぎるんじゃないですか。ここはお勉強したい子たちのお教室で、幼稚園とは違うんですよ」

「だけどあの、さっきはありさちゃんが先に……」

「男の子と女の子って力が違うんです。男の子は軽い気持ちで押しただけでも、大事故になることもあるんですから、そういうこと、きちんと教えられたらいかがですか。受験以前の話だと思いますけど」

異臭に思えるほど強く香水をつけ、艶やかな巻き髪を肩に垂らし、ブランドものとおぼしきスーツに身をかためた若い母親を、瞳はあきれたように見る。何を言っても言葉は通じないだろうと思う。皆川《みながわ》ありさとその母親の評判は、入室して一カ月目くらいに聞いていた。娘のほうはとんでもない嘘つきで、母親は手のつけられない親馬鹿、しかも問題がこじれると父親が出てきてやくざまがいの言葉遣いで恫喝《どうかつ》する、親子揃ってたちが悪いのだと、同じクラスの子どもの母親から聞かされていた。

「もしまたうちの子が乱暴されるようなことがあったら、私本気でお教室側になんらかの措置をお願いしますから」捨てぜりふのように言うと、彼女はありさと手をつないで教室を出ていった。ほかの母親が、同情的な目を瞳に向けて教室を出ていく。「気にしないほうがいいわよ」とさりげなく声をかけてくれる母親もいた。道具の後片づけをしていた先生に、瞳は近づき、おずおずと口を開く。

「あの、先ほどはすみませんでした。でも先生、かばうわけじゃないんですけど、うちの子が意味もなくありさちゃんを突き飛ばしたんじゃないんです、それでこないだも似たようなことがあって……」

「お気持ちはわかりますよ」黒々とアイラインを入れた年齢不詳の先生は、片づけの手を止めず、瞳を見もせず、言う。「でもね、だれが先だった、だれが悪いって言っていても、しかたないと思いませんか。まだみんな子どもなんですから、道理の通る世界じゃないんです。だいじなのは、何があっても動じない強い気持ちを育てること。もう四カ月目ですし、そろそろ考えを切り替えていただいたほうが、おかあさまにも光太郎くんにもいいですよ」

てきぱきした口調でそれだけを言うと、道具箱を抱えて先生は教室を出ていってしまう。教室となっているマンションの一室に残された瞳は、光太郎を見下ろす。光太郎は壁に貼ってある絵を、にらみつけるように見つめている。耳が赤い。瞳はしゃがみこんで光太郎を抱きしめる。

「おかあさん、ちゃんと知ってるよ、コウちゃん、えらかったね。今日は本当にえらかった」

耳元で言うと、光太郎はちいさく体を震わせはじめる。涙をこらえているのだと瞳は理解し、さらに強く抱きしめる。

地下鉄の駅を降り、瞳は光太郎の手を引いて繭子のマンションに向かって歩く。まだ五時にならないのに、おもてはずいぶんと暗い。母親が教室に入れない土曜日は茜を連れていくが、教室の後ろに母親の座る火曜日のクラスの日、繭子が茜を預かってくれることになっていた。最初は茜を連れていったのだが、泣いたりぐずったりすると、ほかの母親が迷惑そうな視線を向けてくる。ベビーシッターか一時保育を頼むしかないのかと思っていたところ、そんなことなら私が預かると繭子のほうから言い出したのだった。三千円でどう？　と繭子がはっきり言うのに瞳は驚いたが、もちろんそうしてお金を取ってくれたほうが気が楽だったし、二時間五千円前後、プラス入会金や保険料の必要なベビーシッターよりはよほど安いのも助かった。

エントランスのインターホンを押し、共同玄関の自動ドアをくぐったところで、瞳はばったり千花に会った。

「あっ、ユウくんのおばちゃん、こんにちはー」さっきまで泣くのをこらえていた光太郎は、けろりとして陽気な声を出す。

「あら！　びっくりしたあ。繭子ちゃんのところ？」言いながら、千花の姿に、自分でも驚くほど安堵していることに瞳は気づく。

「ほんと、偶然ねえ、私はかおりさんのところにちょっと寄らせてもらってたの。瞳さんは？　繭子ちゃん？」

「ええ、茜を預かってもらっていて」

「あ、そういえばそんなこと言ってたよね。一回三千円だっけ？　繭子ちゃんらしいよね。ってことは、今日はお教室の日？」

「そうなの。もうたいへん。ちょっかい出す子がいて、おかあさんもこわくて、私もこの子も翻弄されてるの。たまたまかもしれないけど、幼稚園にはそういう子がいないから、うまくかわすこと、できないのよね、私もこの子も」一気に言った。さっき胸に灯ったような安堵が全身に広がっていく。

「まあ、そうなの。でもそんなの、よくあることだよ、気にしないほうがいいよ。そういう馬鹿親ってどこにでもいるもの」

「先生にも叱られたの。ちょっかい出されても動じない心を育てなきゃならないって」

「えっ、そんなこと言われたの？　なんかごめんなさいね、私がさがしてきたところだもの」

「そんなこと……千花さんのせいじゃぜんぜんないわよ。でも、どこもあんなふうなのかしら。お教室のおかあさんたちって何かぎすぎすしてるの。幼稚園なんかと比べものにならないような空気があって……」話しているうち、瞳は千花にとりすがって泣きたいような気分になった。ああ、私、ずっと話したかったんだ、と瞳はあらためて思う。

だれでもない、千花と話したかった。千花が腕時計を確認したことに気がつきはしたが、瞳は話し続けた。「そりゃ挨拶はするし、話もするけど、当たり障りのないことを言い合って、うち解けるような雰囲気はもうぜんぜんないの。ねえ、ユウくんはどこに通ってるの？　どこかに通わせてるんでしょ？　そこはどういう雰囲気？　やっぱりあんなふうにぎすぎすしてるのかしら」

「ごめん、瞳さん、私、ちょっと時間がなくて」

「ああ、ごめんなさい。そうよね、こんなところで私こそごめんね。ねえ、もしよければ、また話を聞いてもらってもいい？　なんだか今日会えてよかったわ。救われた気分」

「やあね、大げさに。いつでも電話してよ、いないことも多いんだけど」

「今度、またお茶でもしましょうよ、幼稚園の待ち時間なんかに」

「そうね、容子さんのいないときにでも。じゃ、私、いくわね」ショールを首元で合わせ、千花は光太郎に向かって手をふり、背を向けた。

「え、どういうこと、容子さんのいないときって」

自動ドアに向かって歩きはじめた千花を追いかけるようにして瞳は訊いた。

「なんでもないの。なんでもないけど、あの人、ちょっと面倒なこと言うじゃない、最近。子どもをお教室に通わせる母親に敵対心持ってるみたいだし。それじゃあね」

早口で言うと、千花は自動ドアをあわただしくくぐっていった。

「おかあさん、あのさ、トイレいきたくなっちゃった」

光太郎が瞳のコートの裾を引っ張る。

「ああ、ごめんごめん、待たせちゃったね、繭子ちゃんちでおトイレ借りようね」

瞳は光太郎のちいさな手を握り、小走りにエレベーターに向かう。

そうか、千花も容子のことをよく思っていないのか。容子が変わったと思うのは私の思い過ごしではなかったのか。千花がよそよそしく感じられたのは、容子がいるからだ。彼女がいなければ、私だけが相手ならば、千花はさっきみたいに腹を割って話してくれるのだ。以前のように。以前とまったく変わりなく。

「もう、おっそーい！」

玄関ドアを開け放ちながら繭子が大声で言い、瞳はびっくりする。

「あ、ご、ごめんなさい。あのね、お手洗い貸してもらえる？」

言い終わらないうちに光太郎は靴を脱ぎ捨てて、トイレへと走っていく。

「やだー、我慢してたの？」繭子はいかにも不機嫌そうに言い、リビングへと向かう。

「ちょっとそこで千花さんに会って立ち話しちゃって、遅くなっちゃったの、ほんとごめんなさい」瞳は繭子の後に続き、足を踏み入れたリビングで言葉を失う。床にはスナック菓子の袋が散乱し、宅配ピザの空き箱までが落ちている。怜奈はそれらのなかで大の字になって眠っており、隅にいた茜は瞳を見るやいなや、駆け寄ってきていきなり泣き出した。頰に幾筋も涙のあとがついていることに瞳は気づく。

「んもう、待ちくたびれちゃったよねえ、あーちゃん。ずっと泣いて泣いて、まいっちゃった」

「ごめんなさいね、本当に」泣きやませるために次々とお菓子を食べさせたのか。呆れたように瞳は思う。「これ、みんなこの子たちが食べたの？」

「食べたのはほとんどあーちゃんだよ。それでさあ、瞳さん、時間も延長してるし、おやつ代も思ったよりかかっちゃったから、今日は五千円てことにしない？」

瞳はぽかんと口を開けて繭子を見る。おかあさーん、トイレしてきたー。光太郎がトイレから走り出てくる。瞳は黙ってバッグから財布を取り出し、五千円札を引き抜いて手渡す。

「まいどありー。また来週もよろしくね。今度は遅れないでね」繭子はおちゃらけた調子で言うと、床で眠っている怜奈を抱き上げて頰をべろべろと舐めた。

さっき千花と話したときの安堵などすっかり一掃され、ただざらついた不快感とともに瞳はエレベーターで階下へ下りる。腕のなかで茜はまだすすり泣いている。スナック菓子の油っぽいにおいが、髪からも息からも漂う。毎週一度、繭子に茜を預けて今まで問題が何もないわけではなかった。できれば寝かせないでと言ったのに、怜奈といっしょに深々と寝入っていることもあったし、怜奈と喧嘩をしたとかで、腿につねったような痕があったこともあった。いつも散らかっていて、掃除をしているのか疑わしい繭子の部屋の、ソファの下に入りこんだり、テーブルの下に寝転がっている茜を見るのも、いい気持ちはしなかった。それでも繭子は、おむつ替えもしてくれるし、子どもを空腹のまま放っておくこともない。怜奈と茜も仲がよく、たまには喧嘩をすることもあるようだが、たいていは二人できゃっきゃっと笑っている。

でも、このまま繭子に茜を預け続けていていいのだろうか。

外はすっかり暗くなっている。エントランスを出、住宅の並ぶ細い道を歩く。おかあさん、これから帰る？　隣を歩く光太郎が訊く。そうよ、帰るのよ。帰るのよ、あーちゃん。ずっしりと重くなった茜は、夜の暗さがこわいのか、瞳の首筋に顔を押し当てる。お夕飯は何にしようかなあ。お魚が残ってたかなあ。茜と光太郎に言いながら、瞳は、家に帰ろうとしているのではなく、親子三人で見ず知らずの異国をさまよっているような感覚に、強くとらわれる。

◇

珍しく八時過ぎに帰ってきた護は、食卓に並んだ二人ぶんの食事を見て、今さらながら気づいたかのように、あれ、衿は？　と訊く。

「寝てるわ、頭が痛いんですって」

苛ついた口調にならないよう慎重に言い、かおりはワインコルクを開ける。衿香が、頭が痛いおなかが痛いと言ってめったに部屋から出てこなくなったのは、もう二週間も前からだ。帰りが遅くて顔を合わすこともめったにないのだからしかたがないが、今ごろ何を言っているのだという苛立ちを、かおりは感じずにはいられなかった。この二週間、衿香が学校にいったのはたった二日だ。あとはずっと休んでいる。先週の日曜、衿香が寝入ってから、熱もないのに体調が悪くて数日学校を休んでいるとかおりは護に話した。そのときは心配し、どこそこの病院がいいらしい、どこそこにはいかないほうがいいとひとしきり言っていた護だが、次の日深夜に帰宅したときには、けろりと忘れてしまって、衿は今日は学校にいったのかとは訊かなかった。それでかおりも言いそびれた。

月曜、火曜と、だるいと言って学校を休んだので、病院にいこうとかおりが言うと、「そこまでじゃない」と衿香は断り、水曜日は登校したものの、今日もまた休んだ。制服に着替え、弁当を持って玄関先に向かい、そこで急にしゃがみこんで「気持ちが悪い、頭が痛い」と言うのである。顔が紙のように白く、仮病じゃないことは理解できたので、結局休ませた。昼近くになって、出かける支度をし、「病院にいくわよ」と言いにいくと、「もうなおったから、いい」と衿香は言い張った。たしかに顔色も戻っていたし、熱もない。ところが夜になってまた「頭が痛い」と言って、七時過ぎにベッドにもぐりこんでしまった。

何かよくない事態が起きつつあると、かおりも気づかずにはいられなかった。このま、来週も、その次も、その次も、春休みになるまで、衿香は学校にいけないのではないか。そう考えると、かおりは背中が粟立つような恐怖を覚えた。

夫婦で向かい合い、食事をはじめる。護は手酌でビールを飲み、かおりは白ワインを飲む。皿とフォークがぶつかり合う尖った音だけが広がる。

「春休み、どこか旅行しようか」沈黙を埋めるためだけのように、護が口を開く。

「そうね、あなたは何日くらいお休みできるの」

「三日、四日なら平気だと思うよ」

「じゃあ国内ね。私は温泉にいきたいな。衿香は温泉は苦手だけど」

「子どもは温泉っていったって、ただの風呂だからな。おれも子どものころ、なんで大人が何回も風呂に入るのか理解できなかったよ」

「福島の、ほら、あそこはどう？　衿香が生まれる前にあなたといったでしょう。離れがあって、それぞれのお部屋に露天風呂がついていて」

「福島か、そこもいいけど、本当に温泉だけになっちゃうな。衿は退屈するだろうな」

「じゃあ九州。衿香、ハウステンボスにいきたいって前に言ってたわ」

「ああ、それもいいね。九州は見どころが多いし」

衿香、もしかして学校にいけない子になってしまうかもしれない。何かとんでもないことが起きつつあるのかもしれない。そう言いたいのをこらえて、かおりはどうでもいいようなことを話す。湯布院なんていいんじゃない、ほら昔、宿を予約したのに、前日に衿香が熱を出してキャンセルしたことがあったじゃない？

言えなかった。護には言えなかった。「ほら見ろ」と言うに決まっている、いや、そう言わなくたってそういう顔をするに決まっている。かおりはそう思っていた。だから反対したんだよ、五歳や六歳の子どもに、無理強いしてあんなにぎゅうぎゅうに詰めこんだ、そのぶり返しがきたんだよ、疲れたんだよ衿は。だからおれは言っただろう、もっとのびのびさせてやれって言っただろう。そういう顔つきでこちらを見、解決策をなんら口にすることなく、きみの責任なんだからきみがなんとかしろと言いたげな態度をとるに決まっていると、かおりは思っていた。

「おれもワインをもらおうかな」

「じゃあグラス、出すわね」

明日はなんとしても病院にいく。隅々まで検査をしてもらおう。衿香が泣いてもわめいても、引きずってでも連れていく。自分に言い聞かせるように思いながら、かおりはワイングラスを取りに台所に向かう。

◇

どういうことなの、と立ち上がって叫びそうになるのを、かろうじてかおりはこらえた。大介の仕事場かホテルの一室だったならばそうしていただろうが、そこは昼下がりの喫茶店だった。ほとんどの席が中年女性のグループ連れで埋まっている。みなどこか評判の店でランチを食べてきたのだろう、一様に満ち足りた顔で会話している。

「千花さんから連絡があったの？　会いたいって」かおりはできるだけ静かに言うと、紅茶カップの取っ手をつかんだ。手が震えていることに気づき、持ち上げかけたカップをソーサーに戻す。

「会いたいっていうか、まあ、いろいろ聞きたいって」

「いろいろ、こないだ聞いたじゃないの」

「うん、それで、一応ご長男の第一希望校を、うちとおんなじところに決めたんだって。だから具体的な話を聞きたいって」

「具体的な話は、だから前にもうしたじゃないの。そのために私がセッティングしたんじゃないの」つい声が大きくなる。右隣の席の、やけに唇の赤い中年女性が興味深そうにこちらを見るのが、かおりの視界の隅に映る。

「うーん、なんていうか、もっと長期的に相談に乗ってほしいみたいなこと言ってたからさあ」大介は語尾をのばして言い、コーヒーを一口飲んで、かおりにはわざと緩慢に見える仕草で煙草に火をつける。大介が天井に向けて煙をふき出すと、右隣の席の太った女性が、いきなりメニュウを手にしてあおぎはじめる。「あ、どうもすみませんね」大介はわざわざ頭を下げている。

「いいのよ、ここ喫煙席なんだから」八つ当たりするようにかおりは言い、「それで、会ったわけね、千花さんと。私に連絡もしないで」大介を見据える。

「えっ、だからさあ、二人で会ったわけじゃないよ、きみの言いかただと、こっそり逢瀬したみたいだけど、そんなんじゃないんだって」

「ちょっと」右隣の女性が、相変わらず右手でメニュウをひらひらさせながら、店員に向かって左手をあげる。「席、替えてくださらない」

むろん空席はない。困ったような顔で店員は立ち尽くしている。

「いいですよ、ぼくら、出ますから」大介は右隣の女性に愛想よく言い、煙草を揉み消して立ち上がる。話が中断されたことにこらえきれないほどの苛立ちを覚え、かおりはその女をたっぷりとにらみつけてから、わざと大げさな音をさせて席を立った。それも八つ当たりであることを自覚していた。

おもてては晴れていたが、さすがに空気は二月のもので、ひりひりと刺すように冷たい。どこかいくあてがあるのか、迷わず歩き出す大介の数歩後ろをかおりは歩く。

大介の娘たちが通う小学校を、息子の第一希望校に決めた。ひいては受験についての話を聞きたいので、時間をとってもらえまいかと、千花から連絡があった。今思い出したとでも言わんばかりの口調で大介が言ったのは、喫茶店に入ったつい十分ほど前のことである。しかも一月の半ばに会ったらしい。こともあろうに大介と、大介の妻と娘二人、千花、千花の夫と六人で、赤坂の料理屋で食事をしたというではないか。この三週間、千花とは幾度か会ったのに、そんなことは一言も言っていなかった。大介とだって幾度も電話で話していたのに、そんなことは言っていなかった。「二人で逢瀬したわけではない」と大介は得意げに言うが、おもしろくない気分になるのは当たり前だろう。しかも、妻に娘まで。なんだ、その家族ぐるみのつきあいのような食事会は。考えれば考えるほど苛立ちは募り、手にしたバッグをアスファルトに投げつけたい衝動が幾度もせり上がってくる。千花も千花だ、なぜ一言、言わないのだろう。しかも本気で第一希望などと言っているのだろうか。それにしたって失礼な話ではないか。うちの衿香が落ちた話はしたはずなのに、なんの遠慮も配慮もなく、「第一希望に決めた」と宣言するなんて。それとも遠慮や配慮があるからこそ、私に何も言わなかったのだろうか。だとしたら非常識すぎる。こっちは善意で家に招いたのだし、善意で大介を紹介したというのに……。

「お茶はもういいって感じだなあ。どうする、どこか寄っていく？　今日は時間、どのくらい平気なの」

さっきの話はもうとうに終えたとでも言うように、のんきに大介は問う。

「どういうことなのか、ちっともわからない。失礼じゃないの」かおりは立ち止まって怒鳴った。人目を気にする余裕がないほど怒りは頂点に達していた。

「えっ、何、ホテルいこうって言ってるわけじゃないよ、へんに勘ぐらないでよ」大介は機嫌をとるように近づき、おだやかな声で言う。

「そうじゃないッ」かおりはバッグの取っ手をつかんでふりまわし、大介にぶつけてさらに声を荒らげた。「なんなの、ぼくと妻と、って。しかも娘まで連れて。どうしてみんなでごはんなんて食べてるの。おかしいじゃないの、どうして私に一言もないのよ」

「だってそこにきみを呼んだらそれこそおかしいだろう？　こちら、高原さんを紹介してくれた江田さんって、紹介するのもへんだろう」

「馬鹿にしてるわよ、あなたたち全員！　私のこと、馬鹿にしてる」かおりはその場にしゃがみこんだ。しゃがみこんでから、なんてみっともないことを私はしているのだろうと、我に返ったように思う。おい、ちょっと……戸惑った声を出して大介はかおりを立ち上がらせる。大介の腕をふりほどき、かおりは歩きはじめる。幾人かが自分のことを見ているのがわかる。かおりは速度を上げて歩く。陽にさらされたアスファルトも高層ビルも、やけに白っぽく、現実感を失ってしまったように見える。

「衿香、もしかして登校拒否児になるかもしれない」

かおりに追いつき、横に並んで歩く大介に、そんなことを言っている。言うつもりではなかったのに、言ってしまうと、やけに気分が軽くなった。腹立ちはいっこうにおさまらなかったが、それとはべつの部分で、一瞬の解放感をかおりは感じていた。

「ええ、まさか。だって今日はどうしたの、お留守番してるの？」

「今日は学校にいったわ。でも昨日は休んだ。その前も休んだ。その前も休んだ。病院ではとくに異常はないって。心療内科の受診を勧められたのよ」

「ええ？　そうなの？　でも気にすることないよ、最近じゃあ何かっていうと心療内科なんだから、大げさに考えることないって。うちの会社も今、専属カウンセラーってのが週に二度きてるよ。疲れたとか眠れないとか、それくらいでカウンセラーのところを訪ねられて、参っちゃうよ。ストレスなんてあるのが当然なんだけどなあ。増谷《ますたに》なんて軽度鬱病って言われて今休んでるよ」

かおりが怒鳴ったりしゃがみこんだり怒ったりしているのは、自分のせいではなくて、衿香が原因で単に精神的に不安定だったのかと思い至ったらしい大介は、安堵したように饒舌になる。

「いじめられているわけじゃないのよ。隠してるんじゃないかと思ってこっそり持ちものを調べたけど、教科書にいたずら書きされているわけじゃないし、なくなったものももちろんない。お友だちの子からも電話はくるもの。だから原因がわからないの。もしかして原因は私かもしれないわ。だけどあの子にあれをしろ、これをしろって厳しくしたのは、もう三年も四年も前のことなのよ。どうして今ごろ支障がでなきゃならないの」

オフィス街を歩きながら、かおりはほとんど独り言のようにつぶやいた。そうしてつぶやいているかぎり、大介と千花の食事について考えずにすんだし、このところ圧迫するように重苦しかった気分は少なからず楽になった。

「きみのせいなんかであるはずないよ。だいたいどの子だって受験してるんだから。もっと過酷な思いしてる子だっているだろうしさ。きみの言うとおり、そんな何年も前のこと、子どもはけろりと忘れてるよ。ほら、じき春休みだから、安心しなよ。案外春休み終わったら、なんにもなかったように学校にいくよ」

かおりは立ち止まり、大介の言葉を胸の内で幾度も転がす。このところ心に分厚くたれこめていた鉛色の雲の隙間から、細く光が射したような気分だった。

「子どもってぼくたちが思うよりよっぽど気まぐれだし、忘れっぽいんだよ。だからさ、こんな言いかたはあれだけど、この時期でよかったよ、もう春休みなんだから。気分転換にぱあっと旅行いって遊ばせてやれば、かんたんに切り替えられちゃうって」

「そうね」かおりはつぶやく。「きっとそうね」大介の言うとおりに決まっている。こういうことを言ってくれる大介を、自分は必要としてきたし、今も必要としているのだとかおりは漠然と思う。だから自分たちは、いや、自分はこの関係を終えることができないのだと。一瞬目の前の景色が、正視できないほど白く強い光を放ち、脚の力がすっと抜け、かおりは再びその場にしゃがみこむ。今度は、自分はみっともないことをしているとかおりは気づかなかった。どうして。どうしてなの。どうして護には言えないの。衿香のことをどうして言えないの。自分を救うようなことを言ってくれるのはどうして大介なの。しゃがみこんだまま、陽射しに照らされ白く発光するアスファルトを見つめ、声にならないつぶやきを幾度も幾度も幾度もくり返すのみだった。

「おい、ちょっと、だいじょうぶ？　具合悪い？」

遠くから大介の声が聞こえる。まるで森のなか、迷子をさがすような声だとかおりは思う。

「少し先にベンチがあるから、そこで休もう。歩けるか」

声は遠いのに、力強く自分に触れる腕をかおりは感じる。その腕に抱えられるようにして立ち上がり、かおりは歩く。冷え切った石のベンチに腰掛ける。顔色が悪い、やっぱりどこかで休んだほうがいいんじゃないのかと、やはりずいぶん遠くから、まるで暗い森に懐中電灯の弱い光を投げかけられたように聞こえる。

千花の子どもが大介の娘と同じ小学校に入ったら、ふたつの家族は親しくつきあい続けるのだろうかと、またしてもかおりはそのことを考えはじめる。私のいないところで、私の知らない大介の妻と、私の会うことのない二人の娘と、千花の家族は親しく食事をし、休みの日には遊びに出かけ、互いの家に招き合うのだろうか。千花はことあるごとに大介に相談するのだろうか。子どもの成績がのびない、忘れ物が多いと先生に言われた、落ち着きがないと言われた、学校にいきたがらないと、大介に逐一言うのだろうか。大介の妻の暗黙の許可を得て。いや、そもそも千花の子は学校にいきたがらないなんて事態には、ならないのではないか。だって理想的な学校らしいもの。個性をのばし自主性を重んじる、すばらしい学校らしいもの。大介の素直なかわいい娘が友だちになってくれるにちがいないもの。大介と大介の妻が有益なアドバイスをするに違いないもの。

そんなことはさせない。そんなことはさせるものか。阻止してやる。衿香が入れなかった学校に、なぜ千花の子どもが入らなければならない。私が手に入れられないものを、なぜあの女が手に入れなければならない。かおりは背を丸め頭を抱える。馬鹿みたい、こんなこと考えるなんて馬鹿みたい、馬鹿みたい。かおりは頭を抱えたまま耳をすますが、ついさっきまで聞こえた、懐中電灯の明かりのように遠い声すら、今はもう聞こえない。

◇

どこかで見たことのある子だ。そう思って繭子は足を止める。陳列棚の前に立って、その子はさがしものでもするように、並ぶ菓子を凝視している。あっ、なんだ、マダムのとこの衿ちゃんじゃん。気づいた瞬間、「やっほー」と声が出ている。驚くというより恐怖に歪んだような衿香の顔を見て、声をかけてはまずかったかなとようやく気づく。そういえば今日は平日で、まだ昼前だ。衿香は規定服らしいコートを着ているし、ランドセルも背負っている。さぼりだな、と繭子は瞬時に悟る。しかもさぼり初心者。いくらいちばん近いコンビニエンスストアではないとはいえ、マンションから徒歩圏内だし、しかも制服姿。慣れてないに違いない。

「あっ、これね、食べたことある？　すっごくおいしいんだよー、カロリーめちゃくちゃ高いけど。おねえさんが買ってあげよっか。いっしょにデブっちゃおうよーん」

警戒心を解くために軽い調子で言いながら衿香に近づき、繭子はスナック菓子のパッケージを手に取ってみせる。ちらりと見ると衿香は何も言わない。細い髪のあいだからのぞいた耳が赤い。

「あーっ、これ新製品！　いちご味だって！　はじめて見たァ。これ買っちゃおっかな、どうしよっかな、でもこれもほしいし……いっか、もう、ブタになったって。おばさんだもんねー、衿ちゃんから見たら」繭子は衿香をちらちらと見ながら言った。繭子の計算どおり、衿香はちいさく笑う。「ね、今からおねえさんちにいって、うちの怜奈と茜ちゃんと衿ちゃんとみんなで、好きなだけお菓子食べよっか？　お菓子パーティ。待ってて、かご持ってくる」繭子は素早くレジわきからかごを持ってくると、手当たり次第にチョコレートやポテトチップスをそのなかに放りこむ。「ほら、衿ちゃんも好きなの入れていいよ」

戸惑ったようにかごと繭子を交互に見ていた衿香は、おそるおそる手をのばすと、繭子がおいしいと言った揚げ菓子を手に取り、遠慮がちにかごに入れた。

レジカウンターにかごを置き、繭子は煙草を一箱買う。いちばん近いコンビニエンスストアでは煙草販売はしていないから、離れたところまできたのだった。繭子が会計をしているあいだも、菓子や飲み物の詰まった袋を提げて店を出るときも、衿香は無言だった。無言のまま、しかしいっさいの意志を放棄したようにおとなしくついてくる。

「茜ちゃんって知ってたっけ？　コバちゃんとこの女の子、衿ちゃん会ったことあるかなあ。ときどき預かるの。いつもはさ、二人きり残して買いものきたりはしないんだけど、すぐだからいっかなって思って。衿ちゃん、ときどきうちの怜奈や茜ちゃんと遊んでやってよ」

繭子は衿香を緊張させないようにべらべらと砕けた調子で話し続けた。なぜこの子を自分の部屋に連れていこうとしているのかわからない、連れてきてどうするのかもわからない、ただ繭子は異様に興奮していた。なぜ衿香はランドセルを背負ったまま、こんな時間にあの場所にいたのか。学校をさぼったのはなぜなのか。はじめてなのか、二度目なのか。マダムはそれを知っているのかいないのか。そうしたことを単純に知りたくてたまらなかった。

空は曇っていて、体の芯から冷えるほど寒い。大通りには人通りがあまりなく、車だけが幾台も繭子たちを通り過ぎていく。繭子は寒さに走り出したいほどだったが、衿香がうつむいたままのろのろ歩くので、やむなく歩調を合わせて歩いた。

「衿ちゃんの学校って、たしか遠いんだよね。頭がよくていいおうちのお嬢さんばっかりがいく学校なんでしょ？　私なんかさあ、ただの公立だったよ。言葉のしゃべれるサルみたいな子どもばっか集まった学校だったなあ。男の子なんて馬鹿のひとつ覚えみたいにスカートめくりするしさ。女の子も性格の悪いのが揃ってたなあ。私は強いからいじめられたりはしなかったけど、ときどき馬鹿くさくなって、学校いくふりして遊びにいったりしてたんだ」

「どこに？」ちいさな声で衿香が訊く。

「バス乗ったところにある繁華街とか、ゲームセンターとか、あとおばあちゃんちとか」繭子は嘘を話した。スカートめくりが流行していたことも、意地の悪い子どもが多かったことも本当だが、繭子は学校を休んだことなどなかった。スカートめくりをする男子と闘うのも楽しかったし、率先しておとなしい生徒をいじめたりもしていた。学校は楽しくてしかたなかった。

「今日は学校はどうしたの？　って大人に訊かれたら、開校記念日でお休みなんでーす、って言えばいいんだよ。あっ、でも衿ちゃんは制服だから、それは無理か」

「あたま」うつむいたまま、ちいさく衿香は言う。「あたま、いたくなっちゃって」

「ああ、うん、そういうことってあるよねえ、頭痛いときは学校いっちゃだめ。もっと痛くなるから」

衿香はまた笑う。今度はさっきより、だいぶリラックスした笑いに見え、繭子は安心する。

「ママには言ってないの」

マンションのエントランスで、衿香は消え入るような声で言った。

「そりゃそうだよね。私もママには言わないよ。心配しちゃうもんね、頭痛いなんて言ったら。病院いけってすぐ言うでしょ。病院いったら痛い注射だしさ。うちで少し休んでいけばいいよ。お菓子食べて、テレビ見て、そんで治ったらおうちに帰ればいいじゃん。おうち、すぐ上なんだし。あっ、それともママ、今日家にいるの？　エレベーターで会ったりするかな」

「だいじょうぶ。ママ、今日は留守だから。夕方まで、ずっと」

ママには言わないと聞いて安心したのか、衿香は繭子を見上げて笑い、素早くエントランスに入った。

泣き声はドアの外からも聞こえた。繭子は鍵を開け、部屋に飛びこむ。怜奈と茜はリビングで大の字になって泣いている。繭子は咄嗟に怜奈に駆け寄って抱き上げる。

「どうちたの、どうちたの、ママいなくてさみちかったの、帰ってきましたよう、ママ帰ってきまちたよ」大きく揺すってあやすと、怜奈は繭子の肩口に顔をなすりつけしばらく泣いていたが、次第に声は弱まる。しかし茜はまだ大の字で泣いている。

「衿ちゃん、適当なとこ座って、お菓子食べてていいよ、ジュースは冷蔵庫にあるから勝手に飲んでね」リビングの入口で、びっくりしたように突っ立っている衿香に言い、繭子は怜奈をあやし続ける。衿香はランドセルを足元に置き、コートを脱ぎ、大人がそうするように裏返してていねいに畳むと、それを持ったままそろそろとソファに腰掛ける。ものめずらしげに部屋のなかを見まわし、大声で泣いたままの茜を見下ろす。

「ああ、心配しないでだいじょうぶ。この子ね、ものすっごい甘えんぼなの。甘えて泣いてるだけだから、放っておいても平気だよ。ほら衿ちゃん、うちの怜奈、抱いてみる？　かわいいでしょ、モデルなんだよ、怜奈は」

泣きやんだ怜奈を差し出すと、おっかなびっくり衿香は受け取り、膝に座らせる。怜奈が笑うと、衿香は照れたような顔で繭子を見上げた。

「ほら、茜ちゃん、泣いてないでこれ食べたら?」繭子はコンビニの袋からチョコを出し、パッケージを開けて泣いている茜のわきに置く。泣き続ける茜にかまわず繭子は煙草を取り出して、換気扇の下にいって火をつける。

喫煙は妊娠してからずっとやめていた。戻ったのは最近だ。祐輔が煙のにおいを嫌がるから、できるだけ買いだめはせず、どうしてもほしいときだけ買いにいくようにしているが、結局、昨日も買いにいったし、おとといも買いにいった。立て続けに二本吸い、リビングに戻る。床にあぐらをかいて座り、スナック菓子の袋を開けて食べはじめる。

「あー、やっぱおいしい。衿ちゃんも食べる?」

袋ごと衿香に渡そうとするが、衿香は困ったような顔で受け取らない。怜奈を抱いているから受け取れないのだと理解し、繭子は怜奈を抱き、スナック菓子を押しつけるように衿香に渡す。コートをわきに置いてちょこんと座る衿香は、しかしなかなか菓子に手をつけようとしない。茜はまだ声をはりあげて泣いている。繭子は床にあぐらをかいて膝に怜奈を座らせ、チョコレートの包みを開ける。口に入れるより先に、怜奈が手をのばして食べてしまう。

「食べないの? もしかして、そういうの食べるなってママに言われてる?」

茜の泣き声に負けないよう、声をはりあげて繭子は訊く。

「あの、お皿は？」

衿香はスナック菓子の袋を持ったまま、困ったように訊き、瞬間、繭子は仰向けになったままいっこうに泣きやまない茜の腕をつかんで引っ張り、怒鳴った。

「いい加減にしてよ、うるさいな！」

しんと静まり返る。茜は驚いて泣きやみ、衿香は目を見開いて茜と繭子を見、怜奈はチョコレートまみれの口を開けて繭子を見上げ、繭子の右手に、濡れた雑巾のようにぐんなりした茜の腕の感触だけが残る。しかし静まり返ったのはほんの一瞬で、次の瞬間にふたたび茜は火がついたように泣き出した。繭子は急いで包み紙をむしり、チョコレートを自分の口に入れる。口じゅうに広がる甘い味覚を味わいながら、繭子は不気味なものを見るように茜を見る。そんなに強い力で引っ張ったつもりはないが、何か嫌な感触があった。腕が折れていたりして。まさか。せいぜいひねったくらいだろうと繭子は考える。大げさに泣いているだけなのだ。瞳と光太郎に甘やかされているから、ちょっとしたことで大げさに泣くのだ、この子は。

「あの、だいじょうぶかな」

衿香がおずおずと訊く。

「え、何が」

「赤ちゃん、こんなに泣いて。だいじょうぶかな。顔が真っ赤だし、さっき、へんな音した」

藺子はそれを聞き、さっきの一瞬、皿はないのかと衿香が訊いた瞬間、自分でもとらえられないほどの素早さで、自分でも理解しかねるほどの沸点で、苛立ちが沸騰したのだとようやく理解する。髪にきれいに櫛《くし》を入れ、裏返したコートを畳んでわきに置き、毛玉もなく色落ちもしていない紺色のハイソックスをはき、糊《のり》のきいた白いブラウスを着、皺ひとつないプリーツスカートとジャケットを身につけたちいさな少女に、たった今コンビニエンスストアから救出してきてやったマダムの娘に、指摘された気がしたのである。菓子を袋から直接食べることも、菓子の空き袋もペットボトルの空き容器も丸めたおむつも、新聞も雑誌もチラシも、数日前に取りこんだ洗濯物も今脱いだジャンパーも流しに重なっている汚れた食器も、ほとんど癖になりつつある消費者金融のATM利用も、茜がひっくり返って泣いているのも、昼食がこのところずっと菓子なのも、この二カ月で三キロ太ったのも、すべて見透かされ、見下され、非難された気がしたのである。

「だいじょうぶなんじゃないの」藺子は明るく言って、怜奈を床に下ろし、茜を抱き上げる。さっき引っ張った茜の右腕は、だらりと垂れ下がっている。嫌な予感がする。茜はのけぞって泣く。声も嗄《か》れはじめている。

「それよりさ、衿ちゃん、頭痛かったら横になっていいよ。そんなに行儀よく座ってなくたって」

立ち上がり、茜をあやしながら繭子は言う。衿香がどうして学校を休んだのか訊きたかったが、茜の泣き声がうるさくてそれどころではない。怜奈ははいはいをして床に散らばった菓子袋を拾い上げ、封も開いていないそれを口につっこんでいる。

電話が鳴る。きっと瞳だろうと繭子は思う。居留守を使いたいが、茜を預かっているのだから、どこにいっていたのかとあとで追及されるだろう。繭子は泣いている茜を衿香に押しつけるように渡し、電話の子機を手にする。

「繭子ちゃん、もうすぐ帰れるけど、茜、どう、おとなしくしてる？」

案の定瞳だった。

「うん、平気だよ」

「ごめんねえ、頼まれたお総菜買ったらすぐ帰るから。あれ、茜、泣いてる？」

「うん、ちょっと。起きたばっかりだから、それで」

「すぐいくわね」

通話の切れた子機を元に戻し、繭子はその場で爪を噛む。もし本当に茜が何か怪我をしていたら。そうしたら、勝手にソファから落ちたとでも説明すればいいか。衿香が何か言うとも思えないし。繭子は換気扇の下にいってふたたび煙草に火をつける。

泣き疲れたのか、気がつけば茜はソファで眠っていた。怜奈は衿香の膝によじのぼるような格好で、衿香の持った袋に手をつっこんで菓子を食べている。

「あら、ようやく茜ちゃん寝たね。ねえ、衿ちゃんのママ、今日は何時までお留守なの？　衿ちゃんちに遊びにいってみよっか」

煙草を揉み消して、繭子はそんなことを言った。マダムの留守に衿香の家にいくなど、思いついたこともなかったのに、けれどそう言ってみると、それがすばらしい思いつきであるような気がした。え、と衿香はびっくりした顔で繭子を見る。

「ほんのちょっとだけだよ。冒険みたいで楽しいじゃん。衿ちゃんの部屋、見せてよ。もうじき茜ちゃんのママ帰ってくるから、さっといってさっと帰ってくるだけ。ね？」

衿香はじっと繭子を見つめていたが、壁に掛かった時計をちらりと見ると、立ち上がった。コートもランドセルも置いたまま、玄関に向かう。繭子は眠る茜も菓子を食べる怜奈も放って、あとに続いた。言うことを聞かないと、今日のことをママに言いつけるからねと、無言で脅したようなばつの悪さのせいで、繭子はエレベーターに乗っているあいだ、話し続けた。

「衿ちゃんちって、すごくすてきじゃん。でも衿ちゃんのママ忙しそうだから、あんまり呼んでくれないんだよね。私、衿ちゃんちってあこがれなの。あんなきれいなおうちに住みたいなーっていつも思うんだ。それに衿ちゃんの部屋はまだ見たことないし。衿ちゃんもうちに遊びにきたんだから、いいよね、衿ちゃんの部屋に遊びにいっても。だって私たち、もう友だちだもんね」

衿香は何も言わず、エレベーターを降りると、ジャケットのポケットから鍵を出して開けた。

「ママ、まだ帰ってこないかな」

開かれたドアから流れ出す他家のにおいを嗅ぎながら、繭子は訊く。

「うん、昨日お電話してたから、今日はきっと四時すぎだと思う。衿も、じゅんたちとお絵かきすることになってるし」衿香は家に上がり、繭子も続いた。繭子が見てみたかったのはリビングや台所や、夫婦の寝室だったのだが、衿香はまっすぐ自分の部屋へと歩いていき、ドアを開け放って「どうぞ」と大人びた口調で繭子に笑いかけた。

衿香の部屋も、まるでモデルルームの子ども部屋だった。ベッドに掛けられたキルトのベッドカバーには皺ひとつ寄っておらず、学習机は子ども用にしてはやけに大きく頑丈に見えた。ドレッサーとチェストが並んでいる。チェストの上には写真立てや編みぐるみが、まるでディスプレイのように並んでいる。だれの作品か繭子は知らないが、壁には大きな犬の絵が掛けてある。白い扉の向こうはウォークインクロゼットだろう。子どものころ、こんな部屋に住みたいと繭子が願ったままのような部屋だった。

なぜ私、こんなマンションに引っ越してきたいと思ったのだったっけ。部屋を見まわしながら、繭子は唐突に疑問を抱く。義母からお金を受け取ってもいないのに、なぜあんなに躍起になって引っ越しを主張したんだっけ。こんなところはいやだ、都心に住みたい、広くてきれいなマンションに住みたいと、焦がれるほど願ったことはたやすく思い出せたが、まるで他人の記憶のように繭子には感じられた。

「きれいにしてるんだね」繭子は言った。子どものような声が自分の耳に届いた。

衿香は机の前の椅子に腰掛け、「ここにもうひとつお部屋があるの」と、引き出しに触れながらどこか得意げな顔をする。

「なあに、お部屋って」さほど興味はなかったが繭子は訊いた。

「衿の秘密の場所なの。鍵が掛けてあるから、ママも知らないのよ」

「ふうん」それよりも繭子は台所や夫婦の寝室を見たくてたまらなかった。冷蔵庫には何が入っているのか。夫婦の寝室にあるだろうクロゼットには、どれだけの服が収納されているのか。なんと言ってこの部屋を出よう。考えていると、

「見せてあげようか。今日のこと、ママに言わないでくれるなら、衿の秘密を見せてあげる」

衿香が言った。

「うん、見せて」

繭子が言うと、衿香はペン立ての奥に指をつっこみ、ちいさな鍵を取り出すと、鍵穴

に差しこんで回し、そろそろと引き出しを引く。何気なく目をやった繭子は、ちいさく叫びそうになり、あわててそれをのみこんだ。すっと背中が冷たくなった。引き出しのなかにはビニル素材の人形が六体ほど寝かせてあった。ドレスを着たもの、浴衣を着たもの、ジーンズとTシャツのものなど、さまざまな格好をしている人形には、どれも首がなかった。首は奥に、まるで消しゴムか何かのようにまとめてあった。言葉を失ったまま引き出しに見入っている繭子の耳に、くすくすと笑う衿香の声が聞こえる。

「この子たちの嘘のおうちもあるの」衿香は立ち上がり、クロゼットの扉を開けてかなり大型のドールハウスを持ってきたが、繭子は引き出しのなかから目を離すことができなかった。「でも本当のおうちは引き出しなの。お昼間に嘘のおうちで遊んでから、夜は本当のおうちに帰るの」

「どうして首がないのよ」

繭子は訊いた。声がうわずっているのが自分でもわかった。

「いらないってこの子たちが言ったの」

繭子は引き出しから剝がすように視線を外し、

「私、なんか飲みたいな。冷蔵庫からなんかもらってもいい？」

「うん、いいわよ」衿香は首のない人形を並べ替えながら答えた。繭子は子ども部屋を逃げるように飛び出し、暗い廊下を通りリビングに向かう。曇り空のせいで明かりのついていない部屋も暗かった。カウンターをまわってキッチンに入り、冷蔵庫を開ける。コマーシャルに登場する冷蔵庫のように整頓されていた。ラベルの美しい瓶詰や缶詰、きっちりと重ねられたタッパーウェア、見たこともないメーカーのドレッシングや醤油。ミネラルウォーターのボトルに手をのばし、繭子は直接口をつけて飲んだ。あこがれていたマダムの部屋であり、見たくてたまらなかった冷蔵庫の中身だったが、何もかもが薄気味悪く感じられた。瓶詰の洒落たラベルも、塵ひとつ落ちていないリビングの床も、静寂も。ボトルを元に戻し、

「もう帰ろうか、衿ちゃん。怜奈たちも心配だから」

繭子は大声をはりあげた。

衿香とともに四階に下りてくると、ドアの前に瞳と光太郎が立っていた。瞳は両手に紙袋を抱え、光太郎はピアノのレッスンに持っていくような布製の袋を提げている。

「ああ、繭子ちゃん、どこいってたの。ピンポン押してもしんとしてるから、どうしたのかと思っちゃった」

引き出しの中身を見た瞬間から繭子を包んでいる不快感が、いっそう濃くなる。

「マダムのとこいってただけ」

瞳と光太郎を押しのけるようにしてドアの鍵を開ける。こんにちは、と、背後で衿香が行儀よく挨拶している。なんなの、この子。あんな気味の悪い人形を持っているくせ

に、何をいい子ぶってるの。

「ええ？　怜奈ちゃんと茜は？　もしかしてあの子たちを置いて上にいってたの？」

瞳は言いながら繭子のあとに続いて部屋に上がってくる。瞳の声は小言を言う母のそれと重なって聞こえた。

「きんきん怒鳴らないで。ほんの二、三分のことなんだから」

散らかりきったリビングで、怜奈は菓子にまみれるようにして眠り、茜はソファでまだ眠っていた。なめくじが這ったような涙のあとが、両頬に残っている。

「怒鳴ってなんかないわ、ないけど……」

「もう、いいじゃない。ちょっと急ぎの用があったんだもん。この子たち寝てたからいったの。預かってやってるんだから文句言わないで」

瞳は何か言いたそうに口を動かしていたが、何も言わず、

「これ、頼まれたおかず。お野菜の煮物も入れておいたわ」紙袋をそっと差し出した。

「じゃあ今日は、午前中からだから四千円」

そっぽを向いて言うと、瞳は繭子をじっと見据えたまま財布を取り出し、紙幣を抜き取ってテーブルに置いた。瞳が抱き上げると、茜は目を覚まし、爆発するかのような大声で泣きはじめた。繭子はちらりと茜を見る。左手は瞳の首にまわしているが、さっき強く引っ張った右腕は、やはりだらんと垂れている。茜の泣き声がじょじょに大きくな

って、部屋が震えるほどの大騒音に聞こえはじめる。どうしたの、だいじょうぶよ、帰るわよ。茜をあやす瞳の声だけ、ひどく遠く聞こえる。制服姿の衿香は、部屋の隅に立って表情のない目を繭子に向けている。頭の芯まで響く茜の泣き声に、繭子は耳をふさいでしゃがみこみたくなる。じっとこらえて立っていた。ふと気がつくと、部屋は静まり返っており、茜も光太郎も瞳もおらず、繭子と眠る怜奈、黙って立っている衿香だけが残されていた。

なんで私、こんなところに引っ越したいと思ったのだろう。なんで私、あの狭いアパートで満足できなかったんだろう。なんで私、都心に住みたいなんて思ったんだろう。なんで私——私、いったい何がほしかったんだろう。何がほしいんだろう。静かな疑問が、音もなく降る雪みたいに繭子の胸に広がっていく。

◇

流しの蛍光灯だけつけた暗いキッチンで、立ったまま瞳はスティックパンを食べ続ける。口に入れ、咀嚼し、飲みこんでいるが、なんの味もせず、おなかが減っているのか満腹なのかもわからない。ただ手を止めることができない。子どもたちの朝ごはんのために買い置きしてあるスティックパンの袋を抱えるように持ち、一本食べ終えると、何も考えないうちに手は袋にのびて新しい一本をつかむ。

殺意というものを、瞳ははじめて抱いた。もちろん本気で殺したいと思っているわけではない。ただこれほどまでの怒りを他人に抱いたのははじめてで、その、自分でも持て余すほどの怒りを殺意と呼ぶのだろうと瞳は思った。

今日はいろんなことがあった。ありすぎた。

ひまわりプロジェクトの砂原鈴子から電話がかかってきたのは三日前だ。今週末に区民ホールに演歌歌手を呼ぶ大規模なイベントを企画しているのだが、いつでもいいから手伝いにきてもらえないかと言うのである。もちろん了承した。人手が足りないときに自分を思いだしてくれたことがうれしかった。光太郎を幼稚園に送り届けていったん家に戻り、茜を繭子に預けにいった。このところ何も問題はなかった。スナック菓子も昼寝も相変わらずだったが、三千円を五千円に跳ね上げることもない。茜は怜奈と仲良くやっているようで、自分から怜奈のところにいきたいと意思表示をすることもあるくらいだ。繭子も慣れたのだろうと、瞳は思っていた。繭子の生活態度や子育てについて不満を持ったりした自分を瞳は恥じもした。

ひまわりプロジェクトでは、相変わらずメンバーたちがあたたかく瞳を迎えた。瞳は鈴子たちに指示されるまま、老人介護施設から送られてきた参加者のリストを作り、ホールに飾る花の手配をし、マイクロバス会社に確認の電話をし、参加者に配るチラシのコピーをした。そんなふうに働くのは久しぶりで、パソコンに文字を打ちこむことや、コピーをとることにすら、弾けるようなたのしさを感じた。以前のようににぎやかに言葉を交わしながら作業をしていると、だれかが部屋に入ってきた。人の出入りの多いところなので瞳は気にもとめず、そちらを見ることもなかったのだが、

「瞳ちゃん、新しい人、紹介する」鈴子に言われてふりかえり、目を見はった。鈴子の隣に立っていたのは容子だった。

「あら、瞳さん」容子は驚いたように言った。わざとらしく演技しているように瞳には見えた。

「えっ、お知り合い？」鈴子が訊くと、

「ええ、息子の幼稚園がいっしょなんです。瞳さんもボランティアしてるって言ってたけど、ここだとは思わなかった。すごい偶然ね、うれしい」容子は諳《そら》んじたせりふを読むように言った。

ここだとは思わなかったはずはない。そういえば瞳さんってボランティアしてるんでしょう？　どこで？　と容子が訊いてきたのは十日ほど前で、大学内にあるボランティアセンターで、ひまわりプロジェクトという名称だと瞳ははっきり答えた。今は茜がいるからめったにいけないけど、茜が幼稚園にいくようになったらまた再開するつもりだとも。

「知り合いならよかったじゃないの」鈴子はまったく他意なく言い、容子と瞳に買いものを頼んだ。おやつの買い出しである。

「くるならくるって言ってくれればよかったのに」スーパーマーケットに向かって歩きながら瞳は言った。「だったら私、きちんと紹介できたのに」

「瞳さん、ボランティア活動って受験のためなんでしょ？　有利らしいものね」口元をにやつかせて容子はそんなことを言った。

「違うわよ、だって私、光太郎が生まれる前からあそこに参加してるのよ！」瞳は自分でも驚くほどの勢いで、なぜあそこに顔を出したのか、今までどんな活動をしてきたのか、光太郎が生まれたときプロジェクトのメンバーがどんなに喜んでくれたかを説明した。止まらなかった。けれど容子はそれを遮って、

「私ははっきり言うけど受験のためよ。いろいろ調べたんだけど、あそこがいちばん楽そうだから選んだの。もちろん、やりがいがあれば受験のあとも続けるつもりだけど。うちは一俊だけだから、今すぐにでもはじめられるし。これからはこちらでもよろしくね、瞳さん」と、しゃらんと言うのである。

顔が火照るのがわかった。あまりにも頭にきた瞳は、買いものをするあいだも帰ってからも、容子をいっさい無視した。子どもっぽい行為だとはわかったが、笑って話すことなんてできそうもなかった。

弁当を届けたときのお年寄りのうれしそうな顔や、雑用をこなしたときの礼の言葉、こっそり涙ぐんだちいさな感動が、次々と思い出された。それを、受験に有利になるから参加するなんて、そんな馬鹿なことってあるだろうか。容子は自分を恥ずかしく思わないのだろうか。しかも、この私まで自分と同じ理由でボランティアをやっていると、そんな低俗な人間だと断定までして！

幼稚園のお迎えの時間が近づき、瞳と容子はボランティアセンターをあとにした。今日は幼児教室の日なので、瞳は自転車ではなく電車できていた。だから幼稚園まで容子といっしょにいくことになる。瞳が気のない生返事しかしなくとも、容子はまったく意に介さず、いつもどおりに話し続けていた。幼児教室の壮絶さを伝えるテレビ番組を見た、先生が母親を集めて叱りとばしていた、泣いている母親もいた、子どもがこの一年でやったペーパーテストを積み上げると子どもの背より高くなった、そんなことをおもしろそうに話した。その話題も瞳を苛立たせた。やっぱりうちの子は通わせなくてよかったという結論に至ったときは、思わず「それは私に対する嫌みなの」と声を荒らげそうになった。けれど言ったって容子は気にしないだろう。え？　どうして？　ときょとんとした顔で訊くのだろう。あと一年だ、あと一年とちょっとだ。幼稚園に着くまで、瞳は念じるようにそう考えて容子を無視し続けた。あと一年とちょっと、光太郎が幼稚園を卒園すれば、この人とこうして会話をすることもなくなるだろう。どうせ、彼女は息子が小学生になれば、ボランティアなどさっさとやめるのだろうし。

光太郎を連れて、茜を引き取りに繭子のマンションに顔を出した。午前中から預かってもらっているので、午後は茜を連れて幼児教室にいこうと思っていた。けれど繭子は、「ずっとおとなしくしてるし、午後もまかせて」と言う。茜も怜奈と遊びたがっていたので、置いていくことにした。玄関先まで瞳を見送りにきた繭子は、「買いものに出られないから、帰りに何かうちのぶんのお総菜買ってきてくれない？」と、相変わらずちゃっかりしたことを言っていたが、それは当然だろうと瞳は思っていた。これまでにも幾度か買いものを頼まれたことはあり、繭子はその代金を決して払わないのだが、ちいさな子ども二人の面倒を見ていれば、たしかに夕飯の買いものなど気軽にはいけないのだからしかたがない。

幼児教室を終え、池袋のデパートで総菜を買い、大急ぎで繭子のマンションに戻った。ところが幾度インターホンを鳴らしても出ない。ちょうどマンションの住人が出てきたので、あわててオートロックの共同玄関から入り、繭子宅のドアのインターホンを押しても返答がない。いつだったか、繭子が怜奈を部屋に置き去りにして六階にいこうとしたことを思い出し、瞳はざわざわと不安になった。もしかしたら今までにも繭子は子どもたちを置いて、こんなふうに外出していたのではないか。返答がないとわかっているのに、瞳はドアにへばりつくようにして執拗にインターホンを押した。

「あーちゃんは？」光太郎が訊き、

「平気よ、なかできっとおねんねしてるのよ」答えながら、瞳はなぜかぞわりとした寒気を感じた。

五分もせず繭子は戻ってきた。まったく悪びれることなく、六階にいっていたと言う。制服姿の女の子がいっしょにいた。六階の、いつか会った江田かおりの娘なのか、そうでないのか、瞳はわからなかったが、どうせこの子も預かって小銭を稼いでいるのだろうと意地悪く思ってしまう。

呆れるほど散らかった部屋で、怜奈も茜も寝ていた。口の開いたスナック菓子の袋から、中身がこぼれて床に散らばっていた。怜奈に至っては、口のまわりばかりか髪も指もスナック菓子のかすがついている。まるまるとした太腿にもかすははりついていた。まるで浮浪児みたいだと、嫌悪を感じながら茜を抱き上げると、目を覚ました茜は勢いよく泣き出した。

泣きかたが尋常でないと、瞳は帰り道で気がついた。左腕は自分の首にしっかりまわしているが、右腕がだらんと垂れていることにも。何か嫌な予感がして、そのまま近所の医院にいったのは賢明だった。医院は午後の診療を終えるころだったが、なんとか診てもらうことができた。茜は右肩関節を脱臼していた。原因はなんでしょうと医師に訊かれ、瞳は言葉に詰まった。「知り合いに預けていたんですが……」と口ごもった。外傷性脱臼という診断で、できるだけ早く処置をしないと、神経が損傷したり後遺症が残る場合もあると聞き、瞳は自分の判断に安堵するとともに頭のなかが真っ白になった。ちいさな茜は、腕を固定するため、三角形のエプロンのようなものを着せられた。それで胴囲と腕を固定するのである。全治するまでには三週間ほどかかり、それからさらに軽いリハビリも必要だということだった。

「預けていたのは保育園？」カルテを書きながら医師が訊いた。

「いえ、あの、知人のお宅で……ちょっと急用ができたものですから……」

この先生、虐待を疑っているのではないか。そんなふうに思った瞳はしどろもどろに答えた。医師はちらりと瞳を見遣ってから、またカルテに目を落とし、

「どうします、診断書はお出しする？」と訊いた。

瞳ははっとした。虐待を疑っているのではない、怪我を負わせた相手がいるのなら、訴えることもできるのだと暗に言っているのではないか。

「いえ、けっこうです」けれど瞳はそう答えた。

帰り道、茜は泣きすぎて、喉からひーひーとかすれた声を出していた。光太郎は奇妙な医療器具を身につけた茜を気の毒に思うのか、しんと黙って瞳についてくる。

預かってやってるんだから文句言わないで。先ほど言い放たれた繭子の言葉が、ぐるぐると頭のなかをまわった。くやしさと情けなさと腹立ちで、涙がこぼれた。まだちい

さい茜は、何があったのか説明できない。だれに何をされたのか。怜奈と遊んでいてソファから落ちたのか。それとも繭子が何かしたのか。どのくらい痛いのかだって言えないのだ。なぜあんな無責任な母親に茜を預けたのだろう。これまでだって何があったかわからないではないか。泣いてたってしかたない。コートの袖口で涙を拭い、唇を噛んでこらえた。鼻水だけがずるずると出た。

繭子に電話して苦情を言おうと思ったが、結局瞳はそうしなかった。どうせ何を言ったって繭子はしらを切るのだろうと思った。よけいに腹が立つだけだ。よけいに自分が情けなくなるだけだ。もう預けなければいいのだ。繭子とはもう関わりを持たなければいいのだ。光太郎と同い年の子がいるわけではないし、会いたくないのに顔を合わせる必要などないのだから。間違っても怜奈と同じ幼稚園に茜を入れるのはやめよう。怜奈が到底入れないようなところを選ぼう。きっと千花が相談にのってくれるだろう。菓子まみれで眠る粗暴な子どもと、茜を仲良くさせるわけにはいかない。怜奈がいなくたって桃子がいる。茜にはちゃんとした友だちを作ってあげなくては。桃子みたいな。

そんなことを考えながら瞳は夕食の用意をした。こんなことがあっても、こんなに気持ちが落ち着かなくても、夕食の用意をしなければならないことが、またそれをこなしている自分が不思議に感じられた。

子どもたちに夕ごはんを食べさせながら、瞳はあらたな問題に気づいた。茜の怪我について、栄吉になんと言おう。

幼児教室通いに栄吉は反対だった。そこまですることはない、のびのび育てようと話し合ってきたはずだとくり返した。それをなんとか説得し、「コウちゃんが嫌がったらすぐにやめさせる」と約束して許可を得たのだ。また、光太郎がレッスンを受けているあいだ、茜を繭子に預けていることも言っていない。正義感が強く正論を言いたがる栄吉は、資格を持った保母でもない繭子に子どもを預けることは反対するだろうと瞳には思えた。何かあったらどうするのだ、うちの子のことだけじゃない、その奥さんだってたいへんな重荷になるんだぞ。そう言う声が聞こえそうだった。かといって、保育所やベビーシッターも栄吉は嫌がるだろう。経済的に余裕がないせいもあるし、そこまでして光太郎を教室に通わせる必要があるのかと、また議論は振り出しに戻るに決まっていた。だから栄吉は、瞳が茜を連れて幼児教室に通っていると信じている。あるいは、光太郎のレッスンのあいだ茜がどうしているかなんて、考えたことはないのかもしれない。

ともあれ、栄吉にはなんと言うか。繭子のところでこんな目にあったと、瞳はだれかに打ち明け、怒りを共有してもらいたくてたまらないのだが、栄吉に話すことはできそうもない。椅子から落ちた、駅の階段で転んだ……どちらにしても、きみがついていながらそんなことになったのかと私が叱られるのだろうと、瞳は暗い気分になる。

八時過ぎに帰ってきた栄吉には、結局、「駅で後ろから押され、階段で転んだ」と嘘をついた。栄吉は怒らなかった。きみがついていながらと、予想していた言葉を発することもなかった。ただまじまじと瞳を見た。瞳の目の奥に何かをさがすような目つきで。

食後、いつものとおり栄吉は光太郎を風呂に入れた。茜は今日は風呂には入れないことにして、瞳は茜の固定バンドを慎重に外してから服を脱がせ、脱衣所で体を拭くことにした。かたく絞ったタオルで茜の体を拭いていると、「あーちゃん、本当に駅で転んだの？」と、光太郎に訊く栄吉の声が聞こえてきた。「どんなふうに転んだの？　おうちで転んだんじゃないの？　ママはそのときいっしょにいたの？」ささやくような声で執拗に訊いている。

頭の芯が、じいんと痺れたようになった。さっき自分を見た栄吉の目を思い出した。そうか、夫は私が虐待したのではと思っているのか。栄吉にはそう疑う根拠もある。なぜなら栄吉のなかで、私は未だ、非力で、無知で、脆弱で、不安定で、間違ったことばかりを主張している子どものままなのだから。瞳は茜に寝間着を着せながら、光太郎の答えに耳をすました。ぼく、わかんないよ。ぼくのいないときにあーちゃん転んじゃったんだ。光太郎の答えを聞いてほっとしている自分に、瞳は深く恥じ入る。

風呂から出た光太郎と茜を寝室に連れていき、添い寝をする。茜は今日一日で疲れ切ったのか、背中を数度たたいてやるとすっと眠りに落ちた。

「ママ」布団をかぶった光太郎が遠慮がちな声を出す。「ママ、あーちゃん、だいじょうぶ?」

「だいじょうぶよ」笑いかけたら涙がこぼれそうになった。

「明日、遊べる?」

「まだちょっと無理かもしれない。あーちゃん、腕を動かせないからね。だからコウちゃん、ご本読んであげたりしてね」

「うん、ぼくあーちゃんにご本読んであげるよ。あやとりも見せてあげる」

何かいつもとは違う雰囲気を察知しているらしい光太郎は、せりふを読むような調子ではきはきと言った。

台所に戻ると、いつもはとうに眠っている栄吉がまだ起きていた。しらじらとした蛍光灯の下、ひとりテーブルに着いて夕刊をめくっている。めくってはいるが、読んでいるわけではないのだろうと思いながら、瞳は栄吉の食器を洗いはじめた。

「コウはうまくやってるか?」背後から栄吉が訊いた。

「ええ、だんだんおもしろくなってきたみたい。苦手だったペーパーも、ちょっとずつ好きになったみたいだし。見る? あの子のペーパー」

「幼稚園も問題ない?」瞳の質問には答えず、栄吉は訊く。

「ないわよ、何も。たのしくてしかたないみたい。親馬鹿で言うんじゃないけど、あの子、人気者だし」

「何かあったら、なんでも言えよな」新聞をめくる乾いた音に似た、やさしい声で栄吉は言った。「結婚するとき、そんな話したの覚えてるか？　なんでも話せる夫婦でいよう、遠慮しないでなんでも言える家族を作ろうって言い合ったの」

「そうね」

「話すことって、ちっぽけだけどいちばんだいじなことだと思うんだ、おれは」

「そうね」

「なんでもさらけ出せばいいっていうことじゃなくて、遠慮して言いたいこと言わずにためこむのは、だれにとってもよくないことだと思うんだよ」

「わかってる！」

瞳はつい声を荒らげ、しまったと思った。あわてて水道の蛇口をひねり、ふりかえって栄吉に笑いかけた。

「そんな、さぐりを入れるような言いかたで何度も言わなくてもいいのよ。私、とりあえず悩みなんかないし、ストレスもないわよ。もしかして茜のこと、私が何かしたのかって思ってるかもしれないけど、そんなことあるはずないわ。それに、私、自分の体を粗末にすることがあったとしても、子どもたちは死んだって守るわ。何があったのか、こそこそコウに訊かなくても、私がそんな人間じゃないってわかってくれてると思ったわ」

鼻の奥がつんと痛むが、ここで泣くわけにはいかないと瞳は思う。ここで泣いたら、栄吉は弱さや不安定さをまたしても私にこじつけるだろう。顔じゅうで笑みを作りながら瞳は言い、栄吉に背を向ける。

「きみが何かしたなんて思ってやいないさ。おれも忙しくてなかなかきみの話を聞ける機会がもてないから、反省をこめて言ったんだよ」

ほとんど猫なで声に近い声音で栄吉は言う。瞳は返事をしなかった。おやすみ。背後で栄吉が言い、瞳はふりむかず、

「茜のこと、私がついていながらごめんなさい」と言った。

「しかたないさ、日中たいへんだろうけど、おれもできるかぎりのことはするから」

栄吉はそう言って寝室に向かった。襖の閉まる音を聞くと、猛烈に空腹を感じた。なんでもいいからおなかに詰めこみたかった。洗いものを終え、瞳は機械的に冷蔵庫を開け、ヨーグルトを食べ、夕飯の残りのマカロニサラダとひじきの煮物を食べた。それらでますます空腹感は強まり、買い置きしてあるハムのパックを破り、調理もせず立て続けに一袋食べきった。それでも足りず、納豆のパックを開け、葱も芥子《からし》も入れず醤油だけかけて箸ですすり、光太郎用に買ってある果汁ジュースを一気飲みした。

話すことはちっぽけだけどだいじなことだ。たしかに結婚前、自分たちはそんなことを言い合ったと瞳は思い出す。そのとき心から感謝したのだ。こんなに立派な人が夫と

なってくれることに。その夫が、なんでも話し合おうと、自分を対等に見てくれていることに。今だって思う。栄吉は立派な人間だ。落ち度のない夫だ。ただ気づいていないだけだ。相手が自分を否定しないとわかっているときだけ、人はなんでも言えるのだと、夫は気づかないだけなのだ。あれほど言葉を交わしたって、心の底では光太郎の受験に反対しているではないか。私との会話でその反対が大賛成に翻るはずがないではないか。藺子のところに預けていると言えないのは、これからどうしようと相談できないのは、あなたが頑固な正論で私を否定するからではないか。

二パックの納豆を食べても空腹はおさまらず、瞳は野菜室のキュウリを囓った。何かを口に入れれば入れるだけ、自分でも戸惑うほどの憎悪が膨れ上がった。受験に有利なんでしょと言った容子の顔が思い出され、預かってやってるんだからと言った藺子の顔が思い出され、菓子を頰や太腿にはりつけて眠る怜奈が思い出され、じっと自分を見つめる栄吉の顔が思い出され、それらはなかなか消えず、ぐるぐると瞳のなかでまわり続けた。キュウリを食べ終え、スティックパンの袋に手をのばし、流しの前に立ったままそれをむさぼり食い、袋が空であると気づいてようやく瞳は我に返った。流しには、スティックパンとハムの空き袋、ヨーグルトの空き容器、汚れた皿、納豆のパックが雑然と落ちている。瞳は何か考えるより先に、食べた総量を思い浮かべてみる。だいじょうぶ、量はそんなに多くない。今日は気落ちして、夕飯をあまり食べなかったからおなかが空いただけ。前とは違う。昔とは違う。自分にくり返し言い聞かせながら、瞳は容器を洗い始末する。この残骸を栄吉に見せるわけにはいかない。過食というほどの量ではないと説明したって何を思われるかわからない。弱みを見せるわけにはいかない。栄吉に、これ以上弱みを見せるわけにはいかないのだ。

◇

向かいに座った橘ユリは、断りもなく煙草ケースから煙草を抜き出し、火をつけた。ファミリーレストランの喫煙コーナーは、窓のないフロアの奥で、窓際の明るい席が禁煙コーナーになっている。幼稚園に子どもを送ったあとの午前中、禁煙コーナーは母親らしき女性たちでほとんど満席だが、喫煙コーナーはがらんとしている。人の少ないほうが話しやすいと容子は思うものの、しかしフロアの明暗が、着飾った母親たちと自分を決定的に分けているような気分にもなる。

「それで?」

禁煙コーナーにいる女たちのなかに見知った顔はいないかと目をやる容子に、ユリは先を促す。その言いかたがあまりにもぞんざいに思え、容子は不快な気分になる。なんなの、この人。会ってお話ししましょうか、時間も合わせるわ、と言ったのは自分なのに。

「それでって、だから、雛祭りに私を呼ぶのって酷だと思うんです、それってどういうことなのかなって考えちゃって……」

「でも雛祭りって久野さんが直接呼ばれたわけじゃなくて、ついていったのよね？」

橘ユリが苛ついているのが容子はわかる。もしかして私は話が下手なのかもしれないと容子がはじめて感じたのは、東京に出てきた学生のときだ。仲良くなった女の子たちが、自分の話に苛立っているのをだんだん感じるようになった。どことなく上の空で、尖った声で、ユリのように話をまとめにかかるのだ。

「いえ、ついていったっていうよりも、だって私にだけ雛祭りのことを教えないのってへんじゃないですか？　それまではみんなで集まっていたんだし、クリスマスにはみんなに声をかけたんだし」

「だってそれは、あなたに女のお子さんがいないから、高原さんも小林さんも気をつかって呼ばなかったんじゃないの？」

「それはそうだけれど、でも、だったら雛祭りじゃなくてべつの会合にするとか……」

「要するに」ユリは鼻から煙を出し、ソファに深く寄りかかって言う。「久野さんの話をまとめると、久野さんは故意に疎外されているってことなのね？」

「そこまでは言ってないけれど……」

「でもそう聞こえるわ。二人とも、下の子の話で夢中になっているふりをして、下の子のいないあなたを疎外しようとしてるって、そう聞こえる」

「本はどうなったんですか」容子は話題を変えた。たしかに自分の話をまとめるとそういうことになるのかもしれないが、何も知らないユリにそんなふうに断じられたくなかった。しかも、中学生でもあるまいし、疎外なんて、馬鹿馬鹿しい。いや、でも本当に、彼女たちは自分を疎《うと》んじていて、意識して距離を置こうとしているのだろうか……。

「あれから幾度も書きなおして、もうじき書きあがるわ」ユリは通りかかったウエイトレスに手をあげ、コーヒーのおかわりを頼み、煙草を灰皿で揉み消した。「半年や一年の取材でぱっと書くような種類の本ではないの。もっと時間をかけてじっくり書きたいの」

「じゃ、取材を今も続けているんですか」

「ええ、続けているわ」ウエイトレスがユリのカップにコーヒーをつぐ。おかわりいかがですか、と機械的に容子にも訊く。もう飲みたくはなかったが、お願いしますと容子はカップを差し出した。

「だから、そういう話もよく聞くのよ。子どもの受験の情報収集も必要でしょ？　だからおかあさんがたはいっときぱっと団結する。でも団結しながらも、つねに相手を観察して蹴落とそうとしてる。受験に関係ないおかあさんがたは、そのなかにはまず入れないっていうのが私の感想ね。だからあなたが疎外されているのは、べつにあなたが嫌われているとか、そういうことじゃないと思うの。受験にかぎって言えば、あなたはまったくの無関係だから、つき合う利点がないってことだけなんじゃないかしら」

「ええ、おっしゃることはわかります」

嫌われているわけではない、利点がないから距離を置かれているだけ……そうなのかどうか容子にはわからなかったが、受験のためにおかしくなっている母親たちを大勢見ているのだろうユリにそう言われると、不思議な安堵感があった。瞳といっしょに、そんなかんたんなものではない、私たちはそんなふうにはならないと息巻いてユリに言い募ったのが、現実味のある夢だったような気がした。

「それで、どうなるんでしょう」容子は訊いた。

「どうなるって？」

「受験が終わったら、団結していたおかあさんがたとか、利点がないからって距離を置かれていたおかあさんがたとかは」

「もちろん受験が終わったら無関係でしょうね。就職試験のときのこと、覚えていない？　しょっちゅう顔を合わせる同士で飲み会をしたり、連絡し合ったりして、さりげなく情報もまわして、そうしながら相手の動向をさぐり合って、結果が出ればすぐ他人に戻っちゃう、あの感じと似ているんじゃないかしら」

　ということは、一俊たちが小学生になるころには、千花と瞳もつるむのをやめるのか。私たちは挨拶だけ交わす知り合いになるのか。そう考えると容子はほっとしたが、しかしユリは、

「それで今度は中学受験。全員が無条件で中学に進学できる一貫校なら問題ないでしょうけど、成績順だったり、あるいは中学受験をすることになれば、またおんなじことになるんでしょうね」と続け、容子はまたしても沈んだ心持ちになる。いくつかの仮定が、めまぐるしく浮かび上がる。

　一俊が国立附属に合格せず、光太郎も雄太も受験に失敗し、また同じ小学校に通うことになったら、彼女たちのわざとらしい避けかたはさらに続くのか。一俊が合格しないのに、光太郎と雄太が合格してしまったら、二人はますます親しくなり、自分はひとり、町ですれ違う彼女たちを遠目に見るのか。一俊が合格し、光太郎と雄太がべつの小学校に入学したら、やっぱり彼女たちとは無関係になるのか。一俊と光太郎が同じ小学校に合格し、雄太だけがべつの小学校にいけば、瞳とはもっと親しくなれるのだろうか。あるいは……。

　次々思い浮かぶ仮定は、一俊はだいじょうぶだという根拠のない自信とはまったく関係なく、容子を不安にさせた。そして考えれば考えるほど、容子はどうしたいのかわからなくなった。瞳と千花とかつてのように仲良くしたいのか。瞳と千花を引き離したい

のか。瞳とだけ、もしくは千花とだけ仲良くなりたいのか。それとも、二人とも無関係な、まったくべつの場所にひとりでいってしまいたいのか。

「それで、具体的に久野さんはどんなふうに嫌がらせをされているわけ？　クリスマスパーティで無視された、お子さんを流産したのを知っていて二人目のお子さんの話ばかりされた、お教室のことを訊いても答えてくれなくなった、高原さんたちがお子さんを一俊くんと遊ばせてくれなくなった、あとはどんなことを？」

ユリはかたわらに置いた鞄からノートを出し、やけにきらびやかなペンケースからボールペンを取り出して座りなおす。嫌がらせ、なのだろうか。心のなかでつぶやきながら、

「だから雛祭りの……」言いかけると、

「雛祭りはもう聞いたわ。久野さんがお子さんのことで落ちこんでいるのを知っていて、下のお子さんたちの雛祭りに無理に誘ったというわけでしょう？」

「無理に誘ったんじゃなくて……」

「ほかには？　ほかにはどんな嫌がらせがあった？」

「ほかには……」嫌がらせなんだろうか。彼女たちは私に嫌がらせをしているんだろうか。「光太郎くんと雄太くんはいっしょに遊ばせるのに、うちの一俊は仲間に入れてもらえないとか……うちの一俊が瞳さんにちょっと話しかけようとしたら無視されたりと

か……あとはバーベキューパーティのときに私の準備が不足だったと責めたりとか……私の格好がなんだかへんだとか……母親として協調性がないとか……父親だけで飲み会があったらしいんですけど、うちだけ呼ばれなかったし……」言いながらも、容子はもうわからなくなっていた。幼稚園の行事で準備不足を責めたのは、瞳でも千花でもなく行事のリーダーを務めたほかの母親だったし、それも悪いのは、おにぎりの係だったのに失念して野菜を持っていった自分だと容子はわかっていた。父親の飲み会は、ピクニックのあとに有志で行われることになっていたのだが、酒の飲めない真一がいくはずがないと思って伝えなかったのは自分だった。服装や協調性に至っては、だれかに言われたわけではない、みんなそんな目で自分を見ていると思っただけだった。それも、今の幼稚園のことでなのか、あるいはもっと昔、学生のころの記憶なのか、容子にはもうわからなくなっていた。容子はただぼんやりと、すらすらと動くユリの手と、記されていく細かな文字を眺める。次第にその文字がにじみ、自分が泣いていることに容子は気づく。あわてて紙ナプキンで両目をこする。

「つまり、受験しないと表明してから、おかあさんがたの態度ががらりとかわって、あなたを疎外しにかかっている、ということよね。戦力外通告を出されたと。それで、久野さんはそんなことをされて、だいじょうぶなの？　何かストレスを感じたり、情緒不安定になったり、眠れないとか、あるいはどこか心療内科にかかったとか、そういうことはありますか?」

「お医者さんにいくほどではないけれど……もちろんいろんなこと考えると夜は眠れないし、おかあさんがたと接しなくちゃならない行事なんかは、去年と比べてずいぶん苦痛になりました」

泣こうという意志がないのに、口を開くと同時に涙もこぼれた。ユリは顔をあげ、容子を見ている。ちらりとユリを盗み見ると、その目には、先ほどの苛立ちは消え、見守るようなおだやかさが浮かんでいる。ますます涙があふれる。そして容子は気づく。だれかの前で泣くというのは、こんなにも甘美なことなのかと。その甘美さに浸ったまま、こちらを見据えペンを走らせるユリが、「情緒不安定」と書きつけるのを見る。はたして情緒不安定なのだろうかと思いもしたが、否定はしなかった。ユリがいくらでも大げさに書けばいいと容子は思う。母親たちがどれほど残酷で底意地の悪い人間か、書いてくれたらいい。私のように追いこまれた母親がいると書いてくれたらいい。みんなそれを読んで自分を恥じればいい。自己嫌悪に襲われればいい。

「私、そろそろいかなきゃいけないんだけれど、また何かあったら遠慮なく連絡してね。いいクリニックも紹介できるから。ここ、払っておくわね」

ノートを閉じると、あわただしく荷物をまとめ、勘定書を持ってユリは颯爽と立ち上がった。あの、と容子が言いかけたときには、ユリはすでにレジに向かって歩いていた。

容子はあわてて紙ナプキンで涙を拭い、バッグからティッシュを取り出して洟をかむ。本当は、話したいことは雛祭りのことだけだった。

三日前の金曜のことである。最近はそそくさと帰ってしまう瞳をつかまえ、いっしょに帰ろうと誘うと、用があると言う。なんの用かと執拗に尋ねると、雛祭りのお祝いを千花の家でやるのだと言いにくそうに言う。「私もいくわ」と言ったのは容子だった。「でも」と言いかけた瞳に、「それとも、女の子がいないといっちゃいけないのかしら」と嫌みったらしく言ったのも自分だった。無理に誘われたわけではない、無理に押し掛けたのだ。

千花のマンションは、かつて訪れた江田かおりのマンションとよく似ていた。広々としていて、家具も生活用品も何もかもが高級そうに見えた。リビングと隣り合った和室に、七段飾りの雛人形が飾ってあった。繭子はおらず、瞳と千花、それぞれの子どもたちだけだった。瞳と千花の様子からいって、予定外の自分が邪魔であることが容子にはわかった。何か話があったのだろう。息子たちの受験のことか、もしくは娘たちの幼稚園のことか。わかったが容子は帰らなかった。気まずいまま千花のいれた紅茶を飲み、出された焼き菓子を食べた。桃子は茜と、雄太は光太郎とそれぞれ遊び、一俊はぽつねんと容子のわきに座っていた。茜が右腕を吊っているので、どうしたのかと尋ねても、瞳ははぐらかすだけで答えなかった。私には教えられないってわけね、と容子はこっそり思った。それでも盛り上げようとしているらしく、千花がいくつか話題を出したが、どれも中途半端に終わった。いくつかの話題のなかから、容子は確信した。今年秋の小学校受験に続いて、千花と瞳は来年、桃子と茜も幼稚園を受験させようとしているらしいことを。

その日の夜、容子は夫に性交を迫った。基礎体温をずいぶんと測っていないから、排卵日かそうでないのかはとうにわからなくなっていたが、それでもじっとしていられない焦燥があった。子どもを作りましょう、今度こそ無事に産みますからと迫った。けれど真一はそれを拒絶した。「そんなふうに言われて、突然はいそうですかとできるものじゃない」と言い捨てて背を向けた。

容子は布団を抜け出し、暗い台所で泣いた。何が自分を傷つけているのかわからないまま、泣いた。いや、すべてが自分を傷つけているように思えた。千花も瞳も、桃子も茜も、雄太も光太郎も、幼稚園の母親たちも先生たちも、真一も。だめだ、だめだと思いながら、習慣のように電話に手がのびた。呼び出し音を何度聞いても瞳は出なかった。そうしてまた容子は夜の町に出、瞳の住まいを見上げ、明かりが消えているのを確認し、マンションを一周して帰ってきた。そうしている自分が自分でこわかった。だれかに話さないと本当に頭がおかしくなってしまうと思った。千花も瞳も、自分と話す時間を持たないようにしているとしか思えなかったので、やむなく容子は橘ユリに電話をしたのだった。

けれどこうして橋ユリと話しても、すっきりした気分にはなれなかった。自分の本当に言いたいことを、ユリは聞いてはくれなかった。雛祭りに私も誘われたかったのだ、子どものことなんかで遠慮してほしくなかったのだ、そうすれば私だって桃子と茜をお祝いできたのだ、七段の雛飾りは本当に立派だった、立派だわと伝えるべきだった、私も女の子がほしいわと笑って言うべきだった、幼稚園の受験、うまくいくといいわねと言うべきだった、小学校もそれぞれがんばりましょうと言うべきだった、なのにできなかった、なぜできないのかわからないのにできなかった、むっつりと黙ってその場に座って、場の空気を壊しただけだった。ねえ、私、どうしちゃったのかしら、私、どうなっちゃってるのかしら、教えて。ユリに言いたいのは、そういうことだったのだと、ひとり取り残された喫煙席で容子は思う。

ユリと話す前より重苦しく嫌な気分だった。禁煙フロアは、どこの幼稚園なのか、高級レストランに集うようにめかしこんだ母親たちが、それぞれのテーブルでにぎやかに話しこんでいる。彼女たちを見ないように容子はファミリーレストランを出た。花のかおりが一瞬濃く漂ったような気がしたが、彼女たちの香水のにおいだろうと容子は思った。

◇

こんなものを見せるためにこの子は私たちを呼んだのだろうかと、繭子の狭苦しいマンションで千花は思い、そんなことを思っている自分に驚く。つい半年前だったらば、こういうところが繭子の美点だと思ったはずだった。幼稚園で、仲のよくもない母親たちから「抜け駆けしている」などと身に覚えのないことを言われ、容子から意味もなくつっかかられ、瞳からは急に過剰に頼られるようになり、他の母親たちからそれとなく雄太が乱暴だと指摘され、だんだんと息苦しく思いはじめたなかで、繭子のきどらなさ、屈託のなさ、飾り気のなさは、千花にとってずっと雲ひとつない晴天みたいなものだった。けれど今、ごたつき、散らかり、どこか不潔なマンションの一室に飾られた、やけに垢抜けない雛人形の三段飾りを前に、どうやら自分は苛ついているらしい。

「桃ちゃーん、あられ食べる？　千花りんもよかったらどうぞ」

袋に入った雛あられを、器に移すこともせず繭子は差し出してくる。桃子は千花を見上げ、受け取っていいものかどうか迷っている。その隙に怜奈が袋を奪い取り、唾液で濡れた手を突っ込んであられを食べる。口に入りきらないぶんがぽろぽろと落ちる。

「それでさーあ、うちの怜奈、こないだコマーシャルのオーディション受けたんだよね」

ソファに背をもたせかけ、両足をソファテーブルにのせて繭子が言う。へえ、よかったじゃない。千花は上の空で答える。

「ママ、あのさ、コウちゃんはこないの」隣の部屋で絵本を開いていた雄太が訊く。

「今日はこないよー、だって呼んでないもん。最近コバちゃんおっかねーし」

「おっかねー」雄太が繭子の言葉を真似てくすくす笑う。最近雄太は、口にすると叱られる言葉を敏感に嗅ぎ取って、それればかりをすぐ覚え、何度でもくり返すようになった。家に帰ってからもきっと何度も言うだろう。悪い言葉なんだと、言って聞かさなければと思う。

「結果はまだなんだけど、きっと怜奈が選ばれる予感がする。だって、ほかの子ども見たけど、怜奈がいちばんかわいかったもん、親馬鹿とかじゃなくて」

「うん、怜奈ちゃんはかわいいもんね」

落ちていたプラスチックのちいさな人形を桃子が拾い上げ、千花はあわててそれを取り上げる。こんな埃まみれのところに落ちているものをべたべた触って、そのあと手を口に持っていったら、どんなばい菌が入るかわかったものじゃない。

「えー、桃ちゃんもかわいいよ。ねえ、桃ちゃんも入ったら？　事務所、紹介してあげるから。きっとすぐ仕事くると思うよ」

繭子の言葉に、なぜか千花は苛立ちを覚える。

「桃子、来年幼稚園の受験するから、そんなことしてる暇ないのよ」言ってから、しまったと思う。「それに、桃子なんて十人並みの器量だもの、怜奈ちゃんみたいにうまくいくわけないわ」あわててつけ足す。

「えっ、受験って、雄太くんじゃなくて桃ちゃんも受験なの?」

「うん、二人続けてなら、わーってうちに終わっちゃうかなと思って」やっぱりそこに飛びつくか。でもかまわない。繭子が真似をして受験させると言い出すとは思えない。それにしても、私ってどうして黙ってることができないんだろう。千花は考える。大介家族といっしょに食事をしたのは今年のあたまだ。聞けば聞くほど大介の娘たちの通う学校に子どもを入学させたくなった。運のいいことに、その附属校は幼稚園からある。小学校に雄太を、幼稚園に桃子を入れようと千花は考えた。大介の娘たちも幼稚園は受験に失敗したらしく、ずいぶんな倍率らしいが、賭けてみる価値はある。千花の想像と異なり、ショートカットでさばさばした大介の妻も、「おにいちゃんが受かっていれば、桃子ちゃんも受かる可能性は高いんじゃない」と言ってくれた。賢は、雄太よりむしろ桃子の受験に賛成した。大介の礼儀正しい娘たちに感動したらしく、「ぜったい受かってもらおう」と、帰り道に鼻息荒く言っていたほどだ。

そのことをついうっかり瞳に話してしまった。隠すほどのことでもないが、わざわざ学校名まで言う必要もなかった。その数日後「うちの茜もそこを受けてみようと思う」と瞳から告白されて、千花は後悔したのだった。瞳は今年になってから、やけに自分を頼るようになったと千花は感じている。頼る、というより、依存と言ったほうが近いかもしれない。光太郎には国立の附属を受験させるらしく、雄太とは重ならないのに、幼児教室で何があった、こんなことを言われたと逐一報告してくるし、それだけならばまだしも、桃子に何か習わせようと考えていると言うと、うちの茜もいっしょにいかせようかしらと真顔で言ってくる。いっしょで困ることは何もないのだが、何かおもしろくない気もするのだった。習いごとをはじめるとすれば、瞳はすべて人任せにするのに決まっていた。教室のリサーチ、善し悪しの判断、申し込みの手順まで、自分は何もしないでこちらに任せてしまうに決まっている。桃子の幼稚園のことだってそうだ。大介の娘たちが通う学校をさがし出したのは私、教育方針や学費などを調べたのも私、自腹を切って彼らを食事に招き、話を聞かせてもらったのも私、妻がていねいに資料を送ってくれたのだが、そのお礼をしたのも私、多分この先大介や大介妻にアドバイスを仰ぎ、その都度お礼をしていくのも私なのだろう。瞳はただ近づいてきて、なんの苦労もなくそれらの情報を聞き出して、私と同じことをしようとするだけなのだ。ならばいっさい、自分はこうするつもりだと伝えなければいいし、情報だって教える義務はないのだが、私はすべて秘密にするほど心の狭い人間でもないと千花は思う。そもそも瞳はライバルでもなんでもない、ごくふつうの友人なのだから。でも、もしそれで、私から得た情報で茜だけが合格し、桃子が落ちるなんてことがあったとしたら、瞳を避けてしまうかもしれない、それほどには自分の心が広くないことも千花は自覚していた。今度会ったら、志望校を変えたと言おう。実際には受けもしない学校名を伝えたほうがいいのではないかと千花は思いすらする。

繭子に茜を預け、怪我をさせられたと、瞳が泣いて電話をかけてきたのは二週間ほど前のことだ。ねえ、どうしたらいい？ と訊く口調には、正直うんざりした。どうしたらいいも悪いもない、私だったら繭子と直接対決して、訴えることだって辞さないと千花は思うままを言ったのだが、「だって証拠はないし、知らないと言われればそれまで。ねえ、どうしたらいい？」とくり返す。くり返される「どうしたらいい？」のなかに、「なんとかしてくれ」という依存を千花は感じ取った。繭子をともに糾弾する、ともに事実解明をする、繭子をいっしょに避ける、疎んじる、ねえ、そうしてよ、千花さん、と言われたような、べとついた不快感を千花は覚えた。

「ねえねえ、うちの怜奈も、そこ受けてみようかな」ソファに寝そべるように座っていた繭子は、身を乗り出して目を輝かせている。

「えっ」

「だってさー、そのほうが安心じゃん。桃ちゃんもいるなら怜奈も安心だし、私も千花りんがいるなら安心だし」

「でも、いこうと思っていけるようなところじゃないのよ。うちの子だって落ちるかもしれないし」

「受けてみなきゃわかんないじゃん。ねえ、その幼稚園ってどこなの？　なんていうところ？」

「それに入学金も月謝もほかと比べてけっこう高いし」

「そこって芸能活動は認められてるの？　ねえ、受験ってどんなことするの？」

「ねえ、茜ちゃん、ここに遊びにきてるとき怪我したって聞いたけど、何があったの？」

自分の悪意を自覚しながら話題を変えた。身を乗り出していた繭子はわかりやすく表情を変え、倒れるようにソファに横たわる。

「やだなーもう。コバちゃんそんなこと言いまわってるの？　私、何かしたわけじゃないよ。何かするわけないじゃん。だいたいコバちゃんもさあ、いい気なもんだよね。自分の都合で人に子ども預けて、怪我を私のせいにするなんて」

「預かるって言ったのは繭子ちゃんじゃないの？」

「だって困ってるみたいだったからさ。でもなんかずるいと思うよ。子ども預けて、そんで自分は好きなことしてるんだもん。預かってもいいよって私は言ったけど、ずーっと見張ってるわけにはいかないし、あの子が勝手に転んだって私のせいではないじゃん」

「だけど有料なんでしょう?」

結局瞳の望みどおり、繭子を糾弾している口調になっていることに気づき、千花はそんな自分にうんざりする。

「何それー、千花りんひどくないー? あの人が勝手にお金置いてったんだよ。それだって、ベビーシッターよりずいぶん安いって言ってたんだから」

床に散らばったあられを口に入れていた怜奈がぐずり、繭子はそれを無視して近くにあった煙草に火をつける。不潔で、しかも煙草の煙の漂うこの場にいるのが耐え難くなってきた千花は、立ち上がり、桃子と遊んでいる雄太を呼ぶ。

「それよりさあ、千花りん、マダムと喧嘩したの?」

千花が帰るのを阻止するように、繭子は話題を変えた。

「え?」

「だからさ、マダムと喧嘩したのかって」

「どうして?」

「ううん、べつに」繭子はどこか得意げに見える顔をしてはぐらかす。

「どうして? かおりさん、何か言ってたの?」

「何かっていうかー」もったいぶったように言い、床に落ちているチョコレートの箱を手に取り、繭子は一粒口に入れる。怜奈がそれに手をのばし、「チー、チー！」と甲高く叫ぶ。「千花りんって非常識、みたいなこと言ってたからさ。今日もおいでよって誘ったんだけど、こないし。あっ、でもそれは関係ないのかな。最近、衿ちゃん、うちによくくるの。でもうちにくること、マダムには言ってないから、衿ちゃんがいかないでって言ったのかも。ばれちゃうもんね、さぼってここで遊んでること」繭子は、千花には意味のわからないことをべらべらとしゃべる。

「非常識って何が？　なんのことを言ってるの？」大介一家と会ったことだろうか。でも、三人で会ったとき、いつでも連絡してと、大介が携帯番号も会社の連絡先も伝えるのを、かおりは黙って見ていたのだから、連絡したって気分を害すはずがない。それに、受験の話を聞くために時間を作ってもらうがかまわないかと、かおりに許可をもらうような話ではない。それとも何か誤解しているのだろうか。私と大介のあいだに何かあったのではないかと、誤解しているのか。まさか、と千花はすぐにうち消すが、でも、とまた考える。でも、あの高校生みたいな熱中ぶりなら、ありもしないことを妄想して嫉妬するってこともあるかもしれない。だけどかおりさんって、そんなに子どもっぽい人？

「ママ、帰るの、帰らないの」しびれを切らしたように雄太が訊く。

「帰るわよ、そろそろお暇するわね、今日はありがとう」我に返り、千花は桃子を抱き上げる。

「じゃ、べつに喧嘩とかじゃないんだ。ならよかった。せっかく仲良くなったのに、みんなで会えないのはつまんないもんね」

「喧嘩なんかしてないわ。へんなふうに勘ぐらないで」そう言い捨て、千花は玄関に向かう。

「ねえ千花りん、桃ちゃんってだいぶおっきいよね」

玄関先まで見送りにきた繭子は、上目遣いに千花を見、そんなことを言い出す。

「え、そうかな」千花は靴を履き、しゃがみこんで桃子に靴を履かせ、「ほら、ユウくんは履けるでしょ、おにいちゃんなんだから」ぐずぐず靴をいじっている雄太をせかす。

「うん、怜奈よりおっきいよ。ねえ、だからさあ、もし桃ちゃんの着られなくなった服とかあったら、くれない？」

この子はいったい何を言ってるんだろう。しゃがんだ格好のまま、千花は繭子を見上げる。

「だって無駄になっちゃうでしょ、だから着られなくなったものは怜奈にちょうだいよ。マダムはしょっちゅうくれるよ、なんの惜しげもなく」

千花はそれには答えず、雄太をせかして靴を履かせると、さよならも言わずに玄関を出た。エレベーターに乗る。

「ママ、コンビニいっていい？」

雄太が訊き、パーマン、パーマンと腕のなかの桃子がか弱い声で言い、笑う。

「はいはい、アンパンマンのお菓子ね」

「違うよ、おれがほしいのはカードだよ」

「おれじゃないでしょ、ぼくでしょ」

いつもとかわらぬやりとりをしながら、千花はエレベーターを降り、共同玄関を出る。ビルの隙間から橙色の太陽が見える。唐突に千花はわからなくなる。なぜ自分がこんなところにいるのか。なぜあんな、繭子や瞳といった、だれかを利用しようとしか考えてない人を友だちだなどと思ったのか。なぜかおりのような、ありきたりな浮気をしている女にあこがれたのか。なぜこんな、狭苦しく窮屈な町で暮らしているのか。なぜ茉莉のように、すがすがしく広い場所に出ていかなかったのか。そんなことを思ったってもう遅い。ここが私の選んだ場所であり、これが私の選んだ暮らしなのだ。ここから出ていくことはできないに違いない。腕に抱いた桃子が、まるで石のかたまりのように重く感じられ、千花は立ち止まり、桃子を下ろす。右手を雄太と、左手を桃子とつないで、陽の暮れはじめた町を歩きはじめる。桃子を下ろしたのに、全身がまだ重い。石のかたまりを背中にくくりつけられたように。

かおりから電話がきたのは、夜の十時をまわったころだった。子どもたちはすでに寝ていて、賢は風呂に入っていた。明日の朝食の準備をしていた千花は、キッチンで電話の子機を耳にあてる。あら、かおりさん、と明るい声で返答するや、

「へんなふうに勘ぐってなんかいないわ」

尖った声が耳に飛びこんできた。何を言われているのかわからず、千花は言葉に詰まる。

「あなた、非常識な人ね。田山さんを紹介したのは私よ。田山さんと個人的に会うのなら、私にも一応連絡するのが道理でしょう。それを、私がへんなふうに勘ぐっているなんて、よく言えたものだわ」

あ、と千花はようやく思いつく。へんな勘ぐりをするなと、今日の午後、繭子に言ったのだ。喧嘩だのなんだの、おもしろがって勘ぐるなと繭子に言ったつもりだったのに、繭子はそれをそのままかおりに伝えたのだろう。千花りんが、マダムにへんな勘ぐりをするなって言ってたよ、とでも。

「それ、ちが……」否定しようとするが、かおりは聞く耳を持たず、一方的にまくし立てる。

「私が嫉妬でもしてると思っているの？　馬鹿にしないで。お子さんの学校のことでまわりが見えなくなるのはわかるけど、ふつうに考えればわかることじゃなくて？　あち

らのご一家と食事するなんて、あなたがそんな図々しい人だとは思ってもみなかった。私はそのことを言ってるの。田山さんに訊きたいことがあるのなら私に訊けばいいし、会うのなら私に連絡をすればいいでしょう。それを、向こうのご家族まで巻きこんで、そのうえ、田山さんを親切心で紹介した私に向かってへんなふうに勘ぐるなってどういうことなの？」

ねえかおりさん、どうしてそんな馬鹿みたいなことを言っているの？　女子高生じゃあるまいし、私と田山さんのあいだに何かあるとでも思っているの？　あなたはもっと賢い、かっこいい人のはずでしょう。ほしいものはもうみんな持っているじゃないの。これ以上何がほしいの？　千花は胸の内で言いながら、

「かおりさん、それ、勘違いだわ。私、変に勘ぐるななんて言ってない。繭子ちゃんがあれこれ訊くから……」

耳に届く、とりなすような自分の声を聞く。しかしかおりは、とりなされるどころかさらに激昂し、

「あなたの子どもがぜったいに受かるはずない。あんな乱暴な子、受かるはずがないじゃないの」

ヒステリックな声でそんなことまで言い出す。

「ちょっと、かおりさん」さすがに千花も腹が立ってくる。何を言っているの、この

人？　どうして大介のことが絡むと、とたんに馬鹿女になるの？　どこにでもいるふつうの中年男じゃないの。「言っておきますけど、食事に誘ってくださったのは田山さんなの。かおりさんのご一家もいっしょでいいですかなんて訊けないじゃない？　それとも、ご公認なんだったら誘うべきだったのかしら。あと、うちの子のことも心配してくれてありがとう。だったら私からも忠告するわね。衿ちゃん、学校さぼって繭子ちゃんのところに入り浸っているみたいだけど、やめさせたほうがいいわよ。衿ちゃんの学校がどれだけ放任なのか知らないけど、繭子ちゃんのところは不衛生だし、煙草くさいし、あの子、子どもたちに何してるかわかったもんじゃないから。それと……」

電話はいきなり切られた。不通音を放つ受話器を耳にあてたまま、ソファの上、賢が脱ぎ捨てた靴下を千花はじっと見据える。丸まった、ちいさな生きもののような靴下。

受話器を元に戻すと、すぐにまた呼び出し音が鳴った。かおりだろうか？　まだ何か言い足りないのだろうか。それとも謝罪でもするのだろうか。少し迷って、千花は受話器を耳にあてる。

「千花さん？」

しかし聞こえてきたのは、ひそめるような瞳の声だった。全身から力が抜けていくのを千花は感じる。

「ねえ、繭子ちゃんと会った？　何か言ってた？　千花さん、何か訊いてくれた？」

千花は受話器を耳から離す。話し続ける瞳の声が、どこからか入りこんでくるラジオの音に聞こえる。チューニングを合わせているような、耳障りな音。そのなかから、かすかに声が聞こえてくる。結婚や出産なんていう月並みなことは、千花ちゃんがぜんぶやってくれるから。茉莉の、得意げな声が遠ざかったり近づいたりしつつ、耳に届く。千花はそのまま受話器を耳から遠ざけ、そして思いきり、電話にたたきつけた。

◇

彼女は夜の町を歩いている。通り沿いの店はほとんどがシャッターを下ろし、コンビニエンスストアやファミリーレストランの明かりが、暗い町に帯のようにのびている。どこかへいくのか帰るのか、こんなに暗い町をまだ歩いている人がいる。彼らがいるせいで、彼女もまた、自分には何か用事があるのだと思いこむことができる。町を歩く人々と同じ、確固とした足取りで彼女は歩く。けれどその数人が、コンビニエンスストアや地下鉄の駅に吸いこまれていくと、とたんに彼女は気づく。目指す場所などなく、こうして歩いていることに。かといって、帰る気にもなれない。

道の突き当たりには大きな寺がある。寺の門を隠す木々のせいで、道の先が急に分断されているように暗い。あそこまでいったら引き返そうと彼女は思う。

私、何をするために家を出てきたんだっけ。牛乳が切れていたのだっけ。明日のパンがなかったのだっけ。それともただ、外の空気を吸いに出てきただけだっけ。

彼女は、こんな時間に外を歩いているしかるべき理由をさがす。日常の、ごくふつうのことだと自身に言い聞かせるために。けれど、思い浮かべるそれらしい理由は、思い浮かべたとたん、乾いた砂のようにこぼれていってしまう。

とうとう彼女は道の突き当たりまできてしまう。横断歩道を渡れば、寺の入り口だ。車が幾台か通り過ぎていく。信号が青になる。彼女は渡らず、そこに突っ立ったまま、前方に広がる濃い闇を見る。青信号が点滅し、赤にかわり、また車が流れはじめる。彼女は暗い森から目をそらし、きた道を戻る。帰ろう、と思う。家に帰ろう。風呂を沸かしなおして、子どもの布団をかけなおしてやり、風呂に入って目覚ましをセットして、眠ろう。

しかし彼女は、たった今歩いてきた大通りを引き返しているような気がしない。背を向けたばかりの、葉の生い茂る木々のなかへと進んでいるような錯覚を味わう。どうしてだろう。引き返しているのに、進んでいる気がする。このまま歩いていても、家に帰り着く気がしない。

私はどこを目指しているんだろう。いや、どこかを目指して出てきたのではなくて、いつもいたあの場所から締め出されてここを歩いているのだろうか。

いつもいたあの場所。下着やタオルの入った洗濯かごや、油のとんだやかんや積み重ねられた新聞紙。ごたごたと散らかってはいるが、間違いようもなく私の居場所であると、彼女は思う。子どものあまやかなにおい、台所に残る醤油と砂糖の混じったようなにおい。けれどそこにいたのは、もうずいぶん昔のことのような気がする。

この子、なんだか表情がないわと言ったのはだれだったか。わかっている。そんなこと、言われる前から気づいていた。認めたくなかっただけだ。ほかの子ができることをできないこの子に、苛立ちを覚えたのだ。私が悪いのだ、ぜんぶ。私があの子から、表情を取り上げた。このままだったらどうしようと思うと、彼女はぞっとする。焦れば焦るほど、必要以上に叱りつけてしまう。

軌道修正をしなくてはと、彼女はもうずいぶん前から思っている。褒めて、褒めて、抱きしめて、どんなに愛しているか伝えようと思っている。けれど、うまくいかない。うまくいかないのは、あの人たちがいるからではないかと彼女は思うようになった。あの人たちが、私を見ているのだ。どんなにうまくできないか、どんなに間違ったことをするか、どんなに困った事態になるか、じっと見ているからではないか。

そう、見ているのだ、あの人たちは。笑いものにするためではない、自分たちが、私よりいかにいい場所にいるか確認するために。自分の子育てが私のそれよりいかに正しく、自分の子どもが私の子よりいかにすぐれているか、納得するために、見ている。だから私は躍起になって、あの子をちゃんとさせようとしてしまうのだ。だったらあの人たちと離れればいいのだと彼女はわかっている。人は人、自分は自分なのだから。なのにそうすることができない。なぜできないのか彼女にはわからない。まるで無力でちいさな子どものように、気がつけばあの人たちをさがしてしまう。あの人たち、なのか、あの人、なのか、彼女はすでに判断がつかない。なぜ私を置いていくの。なぜ私を傷つけようとするの。必死に思いながら、離れるのではなく追いかけてしまう。こうするべきだと頭で考えることと、体が動いてしまうことの、あまりにも大きな溝に、彼女は引き裂かれる思いでいる。

私が今までいた場所から締め出されたように感じるのは、あの人のせいではないかと彼女は考える。そう考えてしまう理由を、彼女はもはやさがさない。あの人がこんな暗い場所に私を連れてきたのではないか。そう考えると、わからないことだらけのなかに、ひとつ、答えが見つかったような気持ちになる。だから彼女は、そのことを考え続ける。私がこんな時間にさまよっているのは、私が帰り着けないのは、彼女のせいではないか。

次第に歩く人もいなくなった、まるで木々に覆われたように暗い道を、背の高い雑草をかき分けるようにして彼女はひたすら歩く。今はもうはるか遠くに感じられる、あたたかく散らかった自分の居場所を目指して、歩き続ける。

深夜の台所で、彼女は火にかけたやかんを見ている。やかんの表面についていた水滴は、みるみる蒸発し、乾いて消える。明かりをつけない暗いなか、橙色のガスの火がやかんの底で揺れる。彼女はそれを見据え、爪を噛む。

何がどうなってしまったのか、彼女にはまるでわからない。つねに正しいものを選んできたはずだった。正しい人と、正しく結婚したはずだった。しあわせだとたしかに感じていたのだ。仕事を辞めたのも自分の意志だ。当然だ、私は母親になりたかったのだ。自分の手に入るものを私はちゃんとわきまえていたし、それ以外のものをほしがったりはしなかった。

彼女はガスの火から視線を移し、目だけを動かして薄闇のなかのリビングルームを見る。静まり返った部屋に、ガスの音と、時計の秒針だけが響いている。部屋はきちんと片づけられている。子どものおもちゃも散らかっておらず、脱ぎ捨てられた衣類もない。私の作り上げた場所だ、と彼女は思う。頑丈な日々のなかで、私が作り上げた場所。

このあいだまで、いや、つい昨日まで、日々は彼女にとって頑丈だった。彼女はそのことを知っていた。テストの点数が悪く両親に叱られたときも、昨日まで親しかった友だちが急に口をきいてくれなくなったときも、ずっといっしょにいたいと望んだ恋人から別れを告げられたときも、世界が終わるほどかなしい、くるしい、つらい、そう思っても世界は終わる気配を見せず、日々は頑丈にやってきた。

何かあれば日々に身をゆだねればいいのだと、だから、言葉ではなく彼女は体で、感覚で知っていた。学生だったころより、仕事をしていたときより、妻になり母になった今のほうが、日々に身をまかせるのはかんたんだった。目覚ましに起こされてコーヒーメーカーをセットする。パンを焼く。卵を焼く。家族を起こす。夫を送り出し、ぐずる子どもに食事をさせる。洗濯機をまわす。掃除機をかける。家族が帰ってくる前に部屋を整える。昼ごはんの用意をし、夕食の献立を考える。すべきことは、さがさずとも向こうからやってきて、ひとつひとつ片づけていれば一日が終わっていく。頑強なまでのくり返しに疑問を持ちさえしなければ、日々がこちらをふり落とすこともしないと、彼女はすでに知っている。

暗闇のなかの、静まり返った清潔なリビングルームは、その頑強な日々のなかで作られたものだ。今、それは目の前にあるが、けれどその光景は、彼女の目に昨日のようには見えない。どこかが歪み、亀裂が走っているように感じられる。

湯が沸き、やかんが湯気をふき出す騒々しい音がする。彼女は体をこわばらせ、やかんへとゆっくり視線を移し、ガスを止める。しゅーっとやかんの口からいきおいよく湯気が出る。なんのために大量の湯を沸かしたのか、彼女は思い出せず、ぼんやりと湯気をふき出し続けるやかんを見下ろす。

間違った道を選んだ覚えはない。子どもが生まれたときは、満ち足りるという言葉の意味がようやくわかった気がした。この子には、私が今まで受け取ってきたすべての善きものを、受け取れなかったすべての善きものを、余さず与えようとしてきた。そして実際、そうしたのだ。そうしているのだ。

なのに今、彼女は子どもとともに、暗くじめついた不快な場所に閉じこめられたように感じている。何を間違ったというのだろう。どこで間違えたというのだろう。いや、私が間違ったのではないと彼女はふいに思い当たる。私が間違ったのではない、間違ったただれかが私の場所に入りこんできたのだと。その思いつきは、彼女の重苦しい気持ちを不思議なくらい一気に軽くする。だってそれならば解決策はあるじゃないか。私の場所に間違って入りこんできただれかに、出ていってもらえばいいだけなのだ。彼女は使い途《みち》を忘れてしまったやかんの湯を、シンクに捨てる。湯気が勢いよく上がり、シンクがべこりと大仰な音をたててへこむ。

卵を焼こうとしてフライパンを火にかけたまま、冷蔵庫の壁に貼ったカレンダーを凝視している。もうもうと煙が上がっていることを、夫があわてた声で指摘する。夫を送り出し、洗濯機をまわし、掃除機をかけ、そして子どもを起こすことを忘れている。子どもが寝起きにぐずるのはいつものことなのに、いらいらしてつい尻を叩いてしまう。赤く痕が残るほど、強く。夕食の献立を考えようとしているのに、なぜか思い浮かぶのは包丁の刃である。鮮明な映像を見ているように、研いだばかりのぎらついた刃が浮かんで消えず、何十分も頭のなかの映像に見入っている。夜、髪を洗っているとわけもなく涙があふれる。叫ぶように大声で泣きたい衝動と、闘う。

私が壊れたのか、毎日が壊れたのか。彼女は考える。そして、今までの暮らしを、自分がどれほど愛していたか、はじめて気づかされる。平凡な暮らしだと思っていた。だれもができる、だれもがやっている、退屈なくり返しだと思っていた。衣服は洗っても洗ってもまた汚れ、部屋は片づけても片づけてもまた散らかる。苛ついたことも、放っておきたくなったこともある。けれど今、なくしてみれば、なんと愛しいくり返しだったろう。彼女はそこまで考えて、ぞっとする。あの毎日は、失われてしまったのだろうか。永遠に？　まさか、そんなことがあるはずがない。

夕食の支度をはじめた彼女は、まな板の上の野菜を凝視する。刻んだのはいいが、それをどうしようとしていたのか、思い出すことができない。炒めるのか、煮るのか、茹でるのか。考えているうちに、まったく何もしたくなくなる。体がだるく、腕を持ち上げるのも億劫になる。子どもの泣き声が遠くで聞こえる。そばにいって抱き上げてやらなければと思うのに、足を動かすことができない。不快に湿ったものがぺたぺたと脚に触れ、反射的に振り払うと、その場で尻餅をつき火がついたように泣く子どもの姿が目に入る。子どもはすぐそこにいるのに、泣き声は遠いままだ。どうしたの、どうしちゃったの私。涙があふれる。子どもを抱き上げて謝らなければならないのに、彼女はその場にしゃがみこみ、すすり泣く。まるで迷子みたいだと彼女は思う。陽が落ち、温度の下がりはじめた森で、帰り道を見つけられずひとりさまよっているみたいだと。

帰ってきた夫は、まな板の上で乾燥した野菜、水だけ張ってある鍋、泣いている子ども、山になった洗濯物、放心したように座りこんでいる妻を見て、狼狽する。狼狽しているのが彼女にはわかる。ちゃんとしなくちゃ、おかえりって言わなきゃ、疲れちゃったのと笑ってみせなきゃ、そう思うが、立ち上がることができない。どうしたの、と夫が、どこか警戒するような声で訊き、唐突に、自然発火するように、猛烈な怒りが彼女の内に湧く。

どうしたのっていったいなんなの。あなたが訊いているのは私のことじゃないでしょう。夕飯はどうするのか、洗濯物はどうするのか、この泣いている子はどうするのかって訊いているだけじゃない。

夫の前で泣いてやろうかと彼女は思う。まな板をひっくり返してやろうかとも。しかし彼女は夫に向かって笑う。ここで泣いたら、ここでまな板をひっくり返したら、私たち家族の日々は決定的に壊れる。永遠に失われる。二度と元に戻らない。そう思って、笑う。ちょっと体調が悪いの、と言う自分の声を、他人のもののように彼女は聞く。

静まり返った部屋で、彼女はひとり、ダイニングテーブルに座っている。いったいいつからこんなことになってしまったのか、テーブルの一点を見つめ、彼女は思い出そうとする。昨日のこと、一昨日のこと、その前の日のことを、順繰りに思い返していく。何かが狂いはじめたその発端を、この暗い森の入り口を、生い茂る雑草をかき分けるようにして、さがす。なかなか見つからない。彼女は焦る。一年前、二年前とさかのぼってさがし続ける。

そして彼女はふと顔をあげる。ある場面で、記憶はぴたりと止まったのだ。あの人に、声をかけたとき。

そうか。彼女は笑い出したくなる。なんだ、そうだったのか。声なんかかけなければよかったのだ。子どものことを話せる友だちなんて、ほしがっちゃいけなかったんだ。いなくなればいいのに。彼女の胸の内に、ぽつんと言葉が浮かぶ。それを契機に、次々と勢いよく言葉があふれ出す。そうだ、いなくなればいいんだ。どっかにいってしまえばいい。うんとつらい目にあえばいい。困ればいい。泣けばいい。壊れた日々の亀裂に落ちるのは、私ではなくてあなたであるべきだ。永遠に失えばいい。失って呆然と立ち尽くせばいい。暗くじめついた、だれもいない森のなかに閉じこめられてしまえばいい。

彼女は自分の内にあふれ出す言葉に驚いたように、ぱちぱちと瞬きをする。頭上の蛍光灯が、白々と深夜の部屋を照らしている。

おもてに出ると、蝉の声が雨音のようにふりかかってくる。強烈な陽射しに彼女は顔をしかめる。汗がふき出し、シャツのわきがあっという間に生ぬるく濡れる。まだ午後の早い時間なのに、祭囃子が聞こえている。そのにぎやかな音楽がまるで自分をからかっているように感じ、彼女は苛立つ。いったいどこでだれが演奏しているのだろうと、大通りを見渡し、それが演奏ではなく、電柱にくくりつけられたスピーカーから流れているものだと理解する。それでも不快感はおさまらない。

◇

今日、明日と行われるお祭りは、参加しなくてはならないわけではなかった。主催は町内会で、町内にある幼稚園と小学校が協力しているが、縁日の出店や盆踊り会場の設営、御輿《みこし》の準備など、有志が手伝いをしていた。彼女の子どもはお祭りにいきたがっていたけれど、彼女は参加するつもりはなかった。どうせどこかであの人と顔を合わせるのだ。顔を合わせるのがいやというよりも、こわかった。ただ、こわかった。

お祭りにいきたいと子どもがごね続けても、彼女が動こうとしないので、土曜日で仕事が休みの夫が昼過ぎに連れ出した。午後に御輿が出るらしいから、それを見にいったのだろうと彼女は思う。

家族が出かけたあとで、彼女は昼食の皿を洗った。どこからともなく祭囃子が遠く聞こえてきた。水音にからみつくような遠い祭囃子を聞くともなく聞いていると、それに笑い声が重なった。陽射しに弾けるような笑い声である。彼女は耳をすまし、水道の蛇口をひねる。笑い声は消え、祭囃子だけがのんきに響いている。洗剤の泡が手の甲をするりとすべり落ちる。水道の蛇口をひねって水を出す。するとまた、笑い声が聞こえる。何人かの女たちが笑う声。彼女は水道の蛇口を閉め、笑い声が聞こえなくなったのを確認すると、細く水を出して皿を洗う。忍び寄るように笑い声は聞こえてくる。流しに皿を叩きつけて粉々に割りたい衝動を、かろうじて抑えこむ。額からこめかみに、こめかみから顎に、粘りけのある汗がひっきりなしにつたい、流しに落ちる。まるで涙のように。

今日一日、家を出るつもりはなかった。いきたくない。いきたくない。いきたくない。あの女たちに、あの女に会いたくない。そう思うが、しかしずっと座っていることができない。彼女は立ち上がり、着替えはじめる。そしてどこへいくつもりもなく、陽射しの強いおもてへと出た。

どこもかしこも白っちゃけて見える。電柱にくくりつけられたぼんぼりも、ぽつぽつと並ぶ商店も、道路の両側にそびえ立つマンション群も、走り去る車も、何もかも白く、奥行きがなく、そのせいで現実味がない。彼女は夢を見ているような足取りで、白々と薄っぺらい歩道を歩き出す。

大通りの先に広大な敷地を持つ寺があり、その寺の駐車場で有志による縁日が行われることになっている。近隣の小学校や幼稚園の母親たちがグループを作り、焼きそばやかき氷、綿菓子やクッキーを売る。盆踊りは午後四時から、小学校の校庭で行われる。こちらの準備も、ちいさな子どもを持つ保護者がグループで参加している。

縁日にも盆踊りにも彼女は興味がなかった。会いたくないあの女を、気がつけばさがして歩いていた。会いたくない女をさがして歩くことに、彼女は矛盾を感じていなかった。会わないために、あの女がどこにいるか知っておく必要があった。寺が近づくにつれ、祭囃子が大きくなったように感じる。そしてまた、笑い声がかすかに聞こえてくる。どこだ。どこにいる。どこで私を笑っている。

寺の門が見えてくる。ふだんは寺全体が木々に覆われ、日陰のなかにひっそりと眠ったように静かだが、今日はお祭りのにぎやかさが寺を覆うように広がっている。こぼれるほど葉を茂らせた大木の向こうから、祭囃子や歓声や、子どもたちのはしゃぐ声が聞こえてくる。彼女はわき目もふらず駐車場を目指す。どこにいる。どこに。まるで親からはぐれた子どものように、彼女はその人の姿をさがす。

寺の駐車場に足を踏み入れ、すべて幻聴だったことに彼女は気づく。歓声も、子どものはしゃぐ声も。大通りのスピーカーから流れる祭囃子も、ここまでは聞こえてこない。

だだっ広い駐車場にまだ縁日の出店は出ていない。数人があちこちで出店の準備をしているきりで、閑散としている。業務用の巨大な鉄板を、数人の女たちが組み立てている。似たような格好の男たちが大型タープを設置している。だれも歓声などあげておらず、ただ黙々と働いている。彼女は駐車場の入り口に突っ立って、目だけを動かし、見知った顔がいないか、順々に彼らに視線を這わす。黙々と働いている彼らは、ときおり顔をあげ、短く言葉を交わし、笑っている。彼らの子どもたちがいくつかのグループに分かれ、大木の日陰にしゃがみこんで遊んでいる。音という音がすべて木々に吸いこまれたように静まり返っている。彼女の耳には、自分の荒い呼吸しか聞こえない。

ここにはいない。ならば盆踊りの会場である小学校か。あそこにはいるに違いない。あの人はさもたのしそうに、ほかの人といっしょに準備をしているだろう。

そんな姿は見たくない。見たくないが、見なければいけない。彼女と会わないためには、彼女の姿を確認しておかなければならない。彼女はくるりときびすを返し、駐車場を出ようとして、足を止める。

入り口の門の脇、ひときわ背の高い杉の木の影に包まれるようにして、見知った子どもがしゃがみこんでいる。彼女は息をのむ。ゆっくり視線を動かし、近くにいるはずのその子の親をさがす。いないわけがないのに、見あたらない。ひとりでここにきたのだろうか。まさか。立ち止まって凝視していると、その子はふと顔をあげた。逆光のなかに立つ彼女を、目を細めて見る。彼女がだれであるか認識したのだろう、ソフトクリームが熱気に溶けるように、子どもは笑みを浮かべる。立ち上がり、子どもらしい足取りで近づいてくる。

どうしたの、ひとり？　そう訊く自分の声も、木々に吸いこまれてしまったかのように聞こえない。彼女を見上げる子どもは笑顔で何か答えるが、それも聞こえない。生あたたかい湿った手が、脚に触れる。見下ろすと、あの人の子どもが彼女の脚に触れながら見上げ、笑いかけている。何か言っている。え、なあに。彼女はしゃがみこみ、子どもの口に耳を近づけるが、やっぱり声が聞こえない。

「おばちゃんといっしょにお祭りを見にいこうか」

自分の声が羽虫が飛ぶような音に聞こえる。子どもはうなずく。汗で髪が頭にはりついている。彼女は笑いかける子どもの手を握る。ちいさな、湿った手のひらである。ちいさな子どもの手を引いて、彼女は駐車場を出ようとし、ふりかえる。さっきまでいた見知らぬ保護者たちが、みないなくなっている。タープも鉄板も、組み立てられた途中で放置されている。じりじりと太陽が脳天をさす。

お祭りはどこでやっているのだったか。私はなぜここへきたのだったか。

彼女はちいさな子どもの手を握ったまま、寺の敷地の外へは出ず、駐車場へあらためて足を踏み入れる。みんなどこにいってしまったのだろう。お祭りはどこでやっているのだろう。私はどこにいけばいいのだろう。私のあの子はどこにいるんだろう。どうしてこんなに静かなのだろう。

彼女はちいさな子どもの手を引いて駐車場を歩く。手のひらの先の子どもは、泣きもせず、無用な質問をくり返すこともなく、おとなしく彼女についてくる。

ずいぶん歩いているのに駐車場の端にはまだたどり着かない。さっきまで露店の準備をしていた若い父や母の姿もあいかわらず見あたらない。じりじりと陽射しばかりが強く、いつもうるさいほど聞こえる蟬の声も聞こえない。だんだん彼女は、自分がどこを歩いているのかわからなくなる。白っぽくかすんだ木々、アスファルト、日向、日向に落ちるレース編みのような影。お祭りはどこでやっているの。みんなどこにいるの。どうして私を置いていくの。しっかりと握った手の先にいるのがだれなのかも、次第にわからなくなる。私はだれと歩いているの。だれとどこに向かっているの。そもそもどこかに向かっているの、それとも迷いさまよっているだけ?

目の前に四角いコンクリートの建物があらわれる。木々の影にすっぽりとくるまれた、粗末な建物は公衆トイレである。四角く黒い長方形が、ここからの出口のように彼女には見える。その向こうには正しい世界が広がっているように。けれどなぜか足が動かない。あそこにいかなければならないのに、いってはならないと頭のなかでだれかが命じている。

この子におしっこさせなくちゃ。彼女はふいにそう思いつく。四角く黒い入り口に向かえる口実ができたことに彼女は安堵し、足を踏み出す。

ひとけのなくなった駐車場よりも、さらに内部は静かだった。陽射しに慣れていた目には、ひたひたと迫るように暗く見える。じょじょに暗闇が薄れ、にじむように輪郭が見えてくる。水道の蛇口、干からびたような洗面台、鏡の外された壁、個室のドア、銀色のドアノブ。彼女は導かれるようにして、そのドアノブをつかみ、まわす。ちいさな子どもの背をそっと押すと、子どもはおとなしく個室に入る。彼女も続き、後ろ手にドアを閉め、鍵をかける。かちゃり、と施錠される音が、波紋が広がるようにひそやかに響く。

狭い個室は蒸されるように暑い。壁際に立って彼女を見上げる子どもは、シルエットになっていて顔の判別がつかない。笑っているのか、泣き出しそうなのか、そもそもそれが本当に自分の知っているあの女の子どもなのかすらも、彼女にはわからなくなる。

お祭りはどこなの。みんなどこにいるの。私の子はどこにいったの。私はどこにいるの。この子はなんでここにいるの。アイロンのスイッチは切ってきたかしら。ここはどこなの。どうしてこんなに蒸し暑いの。支離滅裂な考えが、炭酸水のあぶくのように彼女のなかで浮き上がっては消える。考えがいっこうにまとまらないことに彼女は焦る。指の先から背中、背中から脳天へと、皮膚が焦りで粟立つ。

終わらせなきゃ。彼女は叫ぶように思う。そうだ、終わらせなきゃ。終わらせなきゃいけなかったんだ。

彼女は、目の前にいるちいさな黒い影に両手をのばす。やわらかい頭髪に触れ、弾力のある頬に触れ、折れてしまいそうな細い首に触れる。

終わらせなきゃ。私がはじめたことなんだから、終わらせなきゃ。

彼女は指に力をこめる。ぞわぞわと生きものが這うように皮膚は粟立ち続けている。硬い金属質のもので締め上げられているように頭が痛む。腹の底から湧き上がる叫びが、かろうじて喉元に引っかかっている。この子がいなくなる。そうすれば終わる。この子さえいなければあの子はだれとも比べられない。この子さえいなければ私たちはもう会うこともなくなる。この子さえいなければ。あの子さえいなければ。私さえいなければ。またもや彼女の思考は支離滅裂に拡散していく。終わる。終わる。終わる。終わる。もうすぐ終わる。ほかのいっさいの考えを頭から締め出すように、彼女はその一言だけをくり返す。

なぜここはこんなにも暗いのだろう。そう思って、彼女は自分が固く目を閉じていたことに気づく。目を開けようと思うが、同時に、目を開けるのがこわくもある。彼女は瞼を押し上げようと力を入れる。真っ暗だった視界に、すっと灰色の淡い光が入る。夜明けのようなにじんだ薄闇が、ゆっくりと広がる。そしてそのなかに、彼女は見る。

まっすぐにこちらを見上げて、口元に笑みをたたえているちいさな子どもの顔を。何も疑っておらず、何もこわがっておらず、何も責めていない、濁りのない目、艶やかな黒目、ふっくらとした頰、ちいさな唇、あどけない笑顔。この子、こんなときに、笑ってる。笑いかけてる、私に。

彼女はその場にしゃがみこみ、薄闇のなかに立つちいさな体を掻き抱く。ちいさな頭は彼女の手のひらにすっぽりとおさまる。細い毛が指にからみつく。やわらかな頰は驚くほど熱い。汗と陽射しの混じり合った、嗅ぎ慣れたにおいがする。

彼女の力の強さに驚いたのか、勢いよく泣き出す声が彼女の耳に届く。

そうだ子どもはこんな声で泣くのだと、彼女はしびれたような頭で考える。こんなふうな、まっすぐな、澄んだ、助けてもらうことに疑いを持たない声で泣くのだ。幾度もこの声に呼ばれてきた。夜中だろうが明け方だろうが、この声がするたび私は目覚めた。求められていることがわかったから。こんな私を、必死になってさがす人がいるのだと思ったから。この子は私が守らなくてはいけないと思ったから。

そして彼女は気づく。耳に届く、まっすぐな泣き声は、腕のなかの子どものものではなく、自分から発されているものだと。

吠えるような泣き声の向こうに、蟬の声が聞こえる。だれかを呼ぶ声が聞こえる。笑い合う子どもの声が聞こえる。木々が風にあおられ、葉をこすらせる音が聞こえる。あふれるように音が戻ってくる。彼女は熱を発するような子どもの体をきつく抱きしめたまま、スカートの裾が便器の水に濡れるのもかまわず、声を限りに泣き続ける。そうしていれば、森の奥深くに迷いこんだ自分たちを、だれかが見つけてくれると信じて。

第七章　二〇〇〇年三月――

◇

ファストフード店の窓からは、だだっ広く埃っぽい国道が見える。斜め向かいにはラーメン屋が、その少し先には靴の量販店がある。この光景を、高校生のころは嫌悪していたことを繭子は思い出す。あんなに嫌悪していたはずの光景に、今は安堵を覚えることを不思議に思う。

「そんでさー、あそこでナオヤが告《コク》るじゃん？　あれで私、一気に白けちゃってさあ」

「えー、そう？　でもあそこで告んなかったら、キョウスケにとられることになっちゃうんだよ」

初春の曇り空の下、たなびくラーメン屋の幟《のぼり》を見つめ、繭子は聞こえてくる会話を聞くともなく聞く。向かいに座る彼女たちが話しているのが、テレビドラマなのか、雑誌の連載漫画なのか、繭子は知らない。

「ちょーっと、愛理《あいり》！　乱暴しちゃだめでしょっ」

藺子の隣に座っていた利恵子《りえこ》が大声を出す。そちらに目をやると、怜奈が床に寝転がって泣いている。藺子は立ち上がり、怜奈を抱いて席に戻る。

「ごめんねー、うちの、おにいちゃんと遊んでるから乱暴なんだよね」

「いいのいいの。ほら、怜奈、あんたも泣きやみな。ジュース飲む？」

半分ほどシェイクの残ったカップを近づけると、怜奈はけろりと泣きやんで、ストローをくわえ、勢いよく飲みはじめる。

「飲める？　けっこう吸い上げるのたいへんだよ」向かいに座った菜摘《なつみ》が言い、

「もう溶けてるから平気」藺子は答える。

禁煙フロアの隅でまた遊びはじめた子どもたちから目を離し、母親たちは話に戻る。

そういえば、回転寿司できたの知ってる？　え、どこどこ。すっごい安くておいしいよ。でも一時間くらい平気で並ぶの。チョーかったるいじゃん。そんだけの価値はあるって！

隣に座る利恵子、向かいに座る菜摘と久江《ひさえ》は、藺子の中学の同級生だった。菜摘とは高校もいっしょだった。久江とは中学時代、会話した記憶もないのだが、里帰りしてからは毎日のように会っている。

「藺子さー、どこで産むんだっけ、内藤医院？」思い出したように訊く利恵子には、幼稚園にいっている五歳の息子と、三歳の娘がいる。

「えー、ほんと？　ちょっと遠いけど、橋爪クリニックにしたら？　ごはんおいしいって。食器、陶器で出してくれるらしいよ」と言う久江は、今、妊娠二十一週目で、これがはじめてのお産になる。

「久江はそこにすんの？　ごはんのことよか、お医者さんで選んだほうがいいよ。ほら、まーちゃん、お店のおいたしない！」ふりかえって怒鳴る菜摘は、このなかではいちばん結婚が早く、小学一年生と幼稚園児の姉妹、そして二歳の男の子の母親である。

「怜奈は内藤医院だったんだけどさ、あそこ、産んですぐ歩かせるじゃん？　すっごいこわい年輩の看護婦がいるんだよー、鬼婆みたいな」

繭子は、三十週目にさしかかったおなかをさすりながら言って、笑った。泣きやんだ怜奈は繭子の膝から下り、子どもたちの元へとそろそろと戻っていく。

おまけでもらったおもちゃを手にして遊んでいる子どもたちが、興奮したのか甲高い声を出し、利恵子がふりかえってまた怒鳴る。隅の席に座っている若い女が、にらみつけるようにこちらを見ていることに繭子は気づく。

自分たちは夢中でしゃべって子どもには知らん顔の、あんな母親にはぜったいなるまいって思っているんだろうな。繭子は思い、いつだったか、自分もそんなふうに若い母親たちを見つめていたことを思い出す。あれはいつだったたろう。夏だった気がする。どこの町だったたろう。思い出せない。ひとつだけはっきり思い出せるのは、だらだらと話している金髪の母親たちを見て、うらやましい、と思ったことだ。

「ノストラダムスってあったじゃん」トレイの上に散らばった、ポテトのかすをひとつずつ拾っては口に入れ、ふいに久江が言い出す。

「ノストラダムスって、あの？」

「中学だっけ、はやったの」

「それが何？」

「あれさ、九九年に核戦争で地球が終わるって話だったじゃん」

「え？　恐怖の大魔王じゃないの？」

「それって比喩なんじゃん？」

「でもさ、終わらなかったよね」

「えー、何それ、なんのこと？」

「私、その話聞いたとき、自分の年齢計算したんだよ。そしたらまだ三十歳過ぎたばっかだったから、あーそんな若いのに死んじゃうんだって思ったの。なんにもできないなーって。もし何か仕事ついたとしても中途半端だろうし、結婚しても子ども育てられないし、とかね」

「えっ、まさか」菜摘がテーブルに身を乗り出す。「まさか、それで子ども産むの待ってたの？　去年なんにもなかったから、もう産んでもいいやって思ったの？」

「それだけじゃないけどさ、そういうとこもあるよ」妙にしみじみした声で久江が言い、菜摘と利恵子は笑い転げる。繭子もつきあうように笑いながら、トレイにのった薄っぺらい宣伝紙の油染みを見つめる。まじでー？　信じらんなーい！　ありえなーい！　二人は顔を見合わせて笑う。子どもたちがそれぞれの母親のところに走ってくる。

「ママ何笑ってんの」愛理が利恵子の膝にもたれて訊き、

「あっ、私、そろそろいかないと」菜摘が店内の時計を確認して立ち上がる。

「私ジャスコ寄ってこっと。だれかいく人いたら、乗っけてくよ」

「じゃ、私便乗！　繭子は？」

「私は買いものないから帰るわ」

「じゃ、またねー。また連絡する」

トレイを片づけ、それぞれの子どもを連れておもてに出る。空気が冷たい。駐車場にいく利恵子と久江に手をふり、あわただしく去っていく菜摘にバイバイと言い、繭子は怜奈の手を握って国道沿いに歩き出す。「みんなのうた」で流れる歌をうたうと、怜奈もちいさくそれに合わせる。繭子は次第に声を大きくして歌った。すれ違った女子高生が怪訝な顔で見ていたが、かまわなかった。

嫌いな町。この町で、母親になった同級生たちと、ファストフード店で無駄話をして時間を潰すのなんて、まっぴらだと思っていた。高校生のときとまったくおんなじに、ため息をついたり笑ったりするのなんて。けれど今繭子は、なぜ自分がそう思っていたのかを、言葉にして説明することができない。だってこんなにかんたんなのに。こんなにかんたんで、楽ちんなのに。

夕食をすませ、「後片づけもしない」と母親に文句を言われながらテレビの前に寝転がっているとき、携帯電話が鳴った。祐輔からだった。具合、どう？ 怜奈は元気？ 昨日とおんなじことを訊いてくる。うんうん、調子いいよ、怜奈も元気。寝転がったまま答えていると、怜奈がちょこまかと走ってくる。パパ？ パパ？ 目をまん丸にして訊くので、繭子は携帯電話を渡す。話させないとぐずるくせに、携帯電話に緊張するのか、怜奈は神妙に電話を耳にあてたまま黙りこくっている。祐輔の声がはみ出して聞こえる。もしもーし、怜奈ー。パパですよー。ごはん食べたー？ 何して遊んだのー？

繭子は寝そべったまま、困ったように立ち尽くす怜奈を見、祐輔のいる部屋を思い浮かべる。玄関を入ってすぐ広がる台所、その奥のカーペット敷きの洋室、その隣の和室。半年前まで住んでいたマンションより、だいぶ狭くなったマンションの一室。窓にはまだカーテンもついていない。ダイニングセットは、サイズが大きすぎたのでリサイクルショップに売った。二千円だった。

消費者金融からお金を借りていることが祐輔に知れたのは、去年の夏だった。借金は百万円を超えていた。祐輔は怒らなかった。呆れ果てたのかもしれないが、それを顔に出すこともしなかった。ただ一言、言った。引っ越そう。ここを売ろう。

買ってまだ日の浅いマンションを手放すことを考えると、世界が終わるような大仰な焦燥がせり上がってきたが、繭子に拒むことはできなかった。不動産屋に相談にいって二カ月後、買い手がついた。購入時よりも低い値だったので、繭子は売り渋ろうとしたが、「運がいい、こんな早く買い手がつくことはめったにない」と不動産屋にくり返し言われ、結局売ることにした。ローンの残高と手数料を払うといくらも残らなかった。繭子の借金と引っ越し代は、祐輔が理由を隠したまま母親に泣きついて出してもらった。毎月の給料から、祐輔は母親に返済しているはずだ。

それまで住んでいたマンションより古びて狭いマンションに引っ越しても、世界は終わらなかった。都心に出るのに四十分かかる住まいを繭子はやっぱり気に入ることができず、カーテンすら選ぶ気にならなかった。祐輔ともなんとなく気まずくなり、会話もずいぶん減ってしまった。妊娠がわかったのはそんなときだった。堕ろそうか、と機嫌をとるように祐輔に訊くと、産もう、とやけに力強く言われ、繭子はほっとしたものの、家族四人でこの古く狭い場所に暮らすのかと思うと、うんざりした。出産までまだ半年近くあるが、逃げるように実家に戻ってきたのは、あのマンションにいたくなかったからだし、祐輔との気まずい沈黙が耐え難かったからだった。けれど実家に戻ってきて、父親と母親に文句を言われながら家の手伝いをし、連絡をくれた同級生たちと会って話していると、そもそもの最初から、あの古く狭いマンションに暮らしていたように思えた。

藺子は、昼間に聞いた久江の話を思い出す。九九年の夏に世界は終わらなかった。でも、私の世界だけは終わったのかもしれないと藺子は考える。それでよかったのか、悪かったのか、そこまではまだ、判断ができない。

怜奈が携帯電話を藺子に渡す。藺子は寝転がったままそれを耳につける。電話はもう切れている。ちょっと、怜奈をお風呂に入れちゃいなさいよ！　台所から母の尖った声が響いてくる。はあーい、わかったよー。藺子は答え、リモコンをいじってチャンネルを替える。

瞳にも千花にも容子にもマダムにも、引っ越すことを伝えなかった。幸い、引っ越すまで顔を合わせることもなかった。ときどき、笑い声が聞こえることがある。洗いものをしていたり、怜奈を寝つかせていたり、埃っぽい国道を歩いているとき、さざめくような笑い声が聞こえた気がして、藺子は幾度かふりむいた。もちろんそこには千花もマダムもおらず、ただ静かな空間だけがある。その空間に、藺子は数年前の自分たちの姿をあてはめてみたりする。公園で、写真館で、自分のマンションのリビングで、みんなで笑い合っていたときの姿を。

「おい、風呂、いいのか。先に入るぞ」父親が苛立たしげな声で言い、藺子は渋々起き上がる。

「怜奈、じいじとお風呂、入るか」自分には刺々しい声を出す父親も、怜奈にはべたついた飴みたいな声音で話しかける。

「いい、いい、私が入れるから」

繭子はおなかをかばうように怜奈を抱き上げ、風呂場へと向かう。脱衣所にしゃがみこみ、怜奈のセーターを脱がせズボンを脱がせ、そうしてふいに、裸んぼうのちいさな娘を抱きしめる。ママ、痛いよう。腕のなかで怜奈はくすくすと笑い、やがて本気で嫌がって身をくねらせるが、繭子は強く抱きしめた手にさらに力をこめる。

◇

繭子が家族と食事をしているとき、千花はデパートを歩いていた。先を歩く賢の右手は雄太とつながれている。千花の右手は桃子と。

「ちょっと待って、ここに寄るわ」

千花は賢に声をかけ、子ども服のテナントに足を踏み入れる。

「あのさママ、あっち見てきてもいい?」

おもちゃ売場のある方向を見遣りながら言う雄太に、

「だめよ、今日はユウくんの服も買うんだから」

と答えながら、ハンガーにかかった子ども用スーツを手に取り、雄太の胸にあてる。

「ママ、桃のは？」

「桃ちゃんのもちゃんと買うんだから、おとなしくして待っててね。ねえパパ、これどう」

子ども服売場に突っ立った賢は、ちいさな人たちの国にまぎれこんだガリバーみたいに見える。「うん、いいんじゃない」ガリバーは興味なさげに言う。

「じゃ、こっちは？」

「それもいいと思うよ」

期待はしていなかったが、千花はこっそりため息をつく。新しい機能のついたビデオカメラは熱心に選ぶくせに、入学式に息子が着るスーツになど、賢は実際興味がないのだ。

「入学式ですか」年輩の店員が近づいてくる。

「ええ、そうなの。これもいいかな」

「今年はこのデザインが人気ですよ。よろしければ何着かご試着になってください」

「じゃあ、ユウくん、ちょっと着てみようか」

桃子を賢に預け、千花は雄太を試着室へと連れていく。着替えを手伝ってやりながら、あの学校に受かっていれば制服があったのにと、苦い気持ちにならずにはいられない。

昨年秋、千花は雄太に二校受験させた。大介の子どもが通う小学校と、大学まで一貫の私立小学校である。一次試験が抽選だという国立大附属小学校を、運試しに受けさせるかどうしようか最後まで悩んだが、やめた。瞳と容子がともに息子を受験させるからだった。容子は千花を見れば嫌みばかり言うようになったし、瞳はなんでもかんでも頼ってくる。学費の安さだけで学校を選ぶあなたたちと私は違うのだと言いたい気持ちも、なかったといえば嘘になる。なぜ、また、いつ、そんな気持ちになったのかは、千花にはどうしてもわからなかったけれども。

グロリア会でも太鼓判を押されての受験だったが、雄太は二校とも落ちた。模擬試験では面接も筆記もグループ遊びも難なくこなしていた雄太が、大介の子どもが通う小学校の試験では、一言もしゃべらなかったのだ。グループ遊びでは頑として仲間に入らず、部屋の隅でじっと宙をにらんでいた。休憩時間、千花は思わず雄太に手をあげた。頭のなかが真っ白になり、ほとんどパニック状態のまま、ママを困らせて何が楽しいの、と叫んでいた。賢に止められなければ何をしていたかわからない。ほとんど何も考えられないまま行動していたのに、雄太をはじめて叩いたときの感触は、今も熱を持ってはりついたように千花の手に残っている。

私立校受験は、正確に言えばほとんど放棄したのだった。午前中のペーパーテストの最中、雄太は机についたまま嘔吐《おうと》してしまったのだ。そのまま保健室に連れていかれ、グループ遊びの時間も、面接の時間も、青白い顔で昏々《こんこん》と眠っていた。もう一度試験が受けられるよう千花は学校側に嘆願したし、グロリア会にも掛け合ってもらったのだが、再試験は行われなかった。グロリア会がまだ受験が間に合う私立校を紹介してくれ、その私立校の名を千花は聞いたこともなく、また通学に一時間近くかかるのだったが、それでも受けさせようとした。それを止めたのは賢だった。一校目の沈黙と、二校目の体調不良は、雄太なりの必死の抵抗だったのではないかと賢は言った。この数年、雄太は本当は疲れていたんじゃないか。習いごとにお教室に、受験が近づくにつれて山ほど出される宿題に、うんざりしていたのではないか。嫌だったんだと、こんなふうに訴えるしか雄太にはなかったんじゃないか。そう言われて千花は泣いた。面接のときの雄太、グループ遊びのときの雄太、ペーパーテストのときの雄太を思い出すと、彼がそのちいさな体ぜんぶで怒っているように思えた。

「なんか、暑い」

紺色の三つ揃いスーツを着こんだ雄太が不満げな声を出す。

「すぐ脱ぐから我慢して。パパに見てもらうから」

試着室のドアを開けると、そこにいるのは店員だけで、賢と桃子の姿はない。

「あれ、パパ……」

「お嬢ちゃんがあちらを見たいっておっしゃって、すぐ戻ってきますからって。あら、お似合いですね、かっこいいね、ぼく」店員は背をかがめて雄太に話しかける。照れているのか、雄太はぷいとそっぽを向いてしまう。

「そうかな、なんかちょっとやりすぎって感じがするような……」

「じゃあこちらはいかがですか。色もグレイで、こちらはチョッキはありませんから」

「そうね、じゃあそれを着てみます」

新しいスーツを受け取り、千花はだんだん不機嫌になりはじめている雄太を着替えさせる。

「これ終わったら、桃ちゃんのお洋服買う前に、上で冷たいジュース飲もうか。ユウくん、あれ食べていいよ、アイスとメロンがいっぱいのパフェ」

なだめながらグレイのスーツを着せ、試着室の外に出る。賢はまだいない。

「こっちのほうがシンプルでいいような気がするけど」

「そうですね、こちらもお似合いになりますね。こちらでしたら、ちょっとしたお出かけにも着られますし」

「でも、さっきのスーツのほうが、人気なの？」

「そうですね、今年はなぜか、こちらのかたちがよく売れています」

じゃあこっちにしようかな、と言いかけ、千花は言葉を飲みこむ。

人のことは気にしないと決めたのだ。

「やっぱりこっちのグレイにします。合わせた靴も見せていただけるかしら」

「かしこまりました。お持ちしますので、しばらくお待ちくださいね」

「まだ着てるの？　これ、もう脱ぎたい」

「もうちょっとだけ。そのあとはパフェだから、がまんしてよ」

雄太に言い聞かせていると、桃子を肩車した賢が戻ってくる。桃子の手には紙袋が握られている。また何かせがまれるまま買ったの、と千花が非難するより先に、

「おおーっ、雄太、かっこいいな、おまえ」

賢は大声を出す。雄太は恥ずかしそうに笑う。

「すっごい男前だぞ、入学式の日からもててもてて困っちゃうぞ」

「うるさいよ、パパ」

「いや、本当にかっこいいって雄太。な、ママ？　毎日これ着て登校したっていいくらいだよ、かっこいいよなあ、桃ちゃん」

雄太の受験のころから、瞳とも容子とも、あまり会話しなくなっていた。受験のことについてあれこれ訊かれるのは嫌だったし、向こうの動向を気にするのも嫌だったのだ。会話すればそのことに触れざるを得ない。千花はそのほかの母親たちとばかりつるんでいた。受験すると公言し、希望校もはっきりと決めている母親たちと。彼女たちといっ

しょにいてもどこか息苦しく、かつて瞳たちと行き来していたときのような気楽な楽しさはなかったが、半年後には子どもたちも違う学校に進み、もうつきあわなくていいのだという安堵があった。

だから、光太郎がどこを受験したのか、一俊が受験したのか否か、詳しいことを千花は知らない。もちろん噂は聞こえてくる。国立大附属一本に絞ったらしいとか、学費のことを考えて国立しか受けさせないらしいとか。

光太郎が私立の小学校に受かったことも、だから噂で聞いた。それを聞いたとき、千花は全身が震えた。親しくしている母親たちの娘や息子が第一希望に合格したという、たしかな情報を聞いたときよりもよほど強くショックを受けた。そんな馬鹿な。そんなことがあるはずがない。そう思う自分を恥じながら、そう思ってしまうのだった。

その噂を聞いてから何も手につかなくなった。気がつけば、制服を着て通りを歩く光太郎と、得意顔で寄り添う瞳を思い浮かべている。コップを倒したり、トイレを汚したりといったささいなことで、必要以上に雄太と桃子を叱りつけてしまう。そのことにいちばんびっくりしたのは千花自身だった。今まで、茉莉のことであれこれ思うことはあった。けれど記憶にあるかぎり、他人をうらやんだり、まして妬《ねた》んだりしたことなどなかったのだ。頭では、よかったじゃないの、瞳さん、と思う。けれど気をゆるめると、瞳と光太郎を思い浮かべていらいらとする。結果、どうだったの、と瞳に直接訊くこともできなかった。自分がどんな反応をするのかこわかったのだ。

瞳たちのことを考えそうになるたび、千花は必死で手のひらに残った感触を思い出そうとした。雄太をはじめて叩いたときの、あの嫌な熱を。それはお守りのようなものだった。じわじわとそこから腐っていくような手のひらの熱は、冷静に語りかけてくるのだった。他人の家は他人の家でいいじゃないか。雄太は雄太で、これからいくらでも好きなように人生を切り拓いていけるじゃないか。そんなふうに。

来月、雄太は区立の小学校に入学する。小学校はいくつかある候補のなかから慎重に選んだ。雄太が二校とも不合格だと書面で知らされたときは、覚悟はしていたものの、それでも世界が終わるような絶望を味わった。それでも世界は終わらなかった。毎日賢は仕事場に出かけ、子どもたちはおなかを空かせて起き出してくる。洗濯物入れは二日でいっぱいになり、小学校入学の手続きがはじまった。絶望が消えたわけではない。光太郎のことも割り切れたわけではない。桃子はどうするのかもまだ決められない。昨年、大介に進路の相談をしたせいで険悪になってしまったかおりとの関係も、未だ修復できてはいない。それでもひとつ千花にはわかったことがある。世界が終わるようなショックを味わったとしても、世界は終わらないということだ。残酷なほど正確に日々はまわる。

桃子の普段着を買い、レストランフロアの喫茶店で子どもたちにパフェを食べさせると、もう夕方である。

「夕食、外で食べていこうか。帰って支度するのも面倒だろう」

会計をすませて喫茶店から出てきた賢が言う。

「そうね、桃ちゃんが入れるようなところ、あるかな」

「まだ早いからちょっと遠出して、中華街でもいこうか。中華街なら子どもが入れないような店もないだろ」

「うわ、ほんと遠出ね。でもいいかも。いこう、いこう」

「いこう、いこう」雄太と桃子が真似して跳びまわる。

地下の駐車場に向かう途中、千花はふと立ち止まる。先を歩いていた賢がふりかえり、どうした？ と訊く。

「ちょっとお花屋さんに寄っていきたいの」

「じゃ、車で待ってるよ」

千花は提げていた紙袋を賢に手渡し、デパートの一階に入っている花屋へと向かう。

銀座のファッションビルの一角に、茉莉が東京支店のオーナーとなるアクセサリーショップのテナントが開かれると聞いたのは、二カ月ほど前だ。もうオープンして一カ月は過ぎているだろう。茉莉はとうぶん東京とドイツを行き来するらしい。

違う時期にその話を聞いていれば、よかったわねとお愛想も言えたかもしれない。けれど雄太の不合格と、光太郎の噂とで落ちこんでいるときに聞いたので、千花は「そう」と短く言っただけで母からの電話を切った。茉莉の帰国の食事会にもいっていないし、その電話以来、実家にも顔を出していない。金輪際、銀座のそのファッションビルにいくつもりもなかった。

けれど、かつて想像していたようには、それはショックではなかった。たぶん、光太郎のことや雄太のことのほうが、茉莉のことなんかよりも自分には一大事だったのだろうと千花は想像する。そして何もかもうまくいかないような日々のなかで、畳みかけるように起きるできごとに感謝すらしそうになったのだった。もし雄太が受験に合格していたら、茉莉の活躍はもっとこっぴどく自分を苦しめただろうから。

花屋の店頭で、一万円ほどのアレンジを千花は頼む。差し出された配送伝票に、母から聞いたファッションビルの所在地を書きこんでいく。オープンしたばかりでもないのに花を贈るのはタイミングが悪すぎるし、じつはさっきのさっきまで、迷っていた。でも贈るのだ、茉莉を祝うのだと、さっき試着室で千花は決めたのだった。

茉莉の活躍を、母親のように誇らしく思う日がくるかはわからず、また、茉莉から投げつけられた言葉を忘れることもないだろう。茉莉を雑誌で見かけるたび、焦燥を感じ、今の暮らしを不満に思うのも、きっと変わらないだろうとも思う。でも、祝うのだ。なんにもできず、私に反発することしか考えていなかったちいさな妹が、単身異国にわたり、かろうじてやりたいことを見つけ、そして成功しかかっていることを、私は祝わなくてはいけないのだ。茉莉は比べる対象ではなく、私とは違う人生を歩く近しい人なのだから。そして世界は終わらず、日々はまわるのだから。

配送伝票に住所を書き終え、花屋でもらったカードに短くメッセージを書き、支払いをして千花は地階に下りる。だだっ広い駐車場に見慣れた車を見つけられず、さがしているうち、大声で泣きたい気分になる。今泣いたら、さぞやさっぱりするのではないかとも思う。寝転がって、大の字になって、手足を思う存分動かして泣いていたら、だれかがここから連れ出してくれるのではないかと思う。

「ママ、こっちこっち」

賢の声がする。千花は笑顔を作り、車のほうへと小走りに向かう。ここから連れ出すのはだれかでもなく、夫でもなく、まして子どもたちでもなく、自分自身しかいないのだと思いながら。

◇

千花が夫の車で横浜方面に向かっているとき、かおりは、クリニックの診療室で、自分と歳は変わらないだろうと思える女性医師と向かい合っていた。カーテンはサーモンピンク、壁に掛かったカレンダーはミッフィー、医師のデスクには黒猫のぬいぐるみが置かれている。

「とはいえ、衿ちゃんの場合はごく軽度です。強迫神経症と言い切ることも私は控えたいと思っています。おかあさんも身に覚えはありますよね、鍵をかけたか不安になって何度も確認してしまったり、ガスを消してきたか出先で不安になったり……。それと同じことだと思ってください。衿ちゃんから、坂道の話はお聞きになりましたか」

黒猫の、ビー玉の目玉を見ていたかおりは医師に目線を戻し、首をふる。

「通学路に坂道があるんですって」医師は思いだしたように笑う。

「それは知っています」かおりは言った。何も知らない母親と思われたくなかった。実際に何も知らない母親だと思い知らされていたから、よけいに。

「ええ、その坂道に、スリップ止めの丸印がいくつもあるんですってね。それで衿ちゃん、その丸を踏んだ日は嫌なことがあるんだって言うんです。お弁当をひっくり返しちゃうとか、授業中に居眠りしちゃって注意されるとか、水泳のあとに吐いちゃうとか。小学生のときって、なんでそんなことが？　っていうようなささいなことが、取り返しのつかない失敗に思えたりしますよね。衿ちゃん、そういうことと、坂道の丸と、関係があるって、あるときから思いこんじゃったんです。それで、丸を避けて歩くようになった。そうするとそろそろ歩かなきゃいけないから、遅刻するし、その姿を見たお友だちから、からかわれる。それで学校にいきたくなくなっちゃったみたいなんです」

「でも、ほかの道もあるんですよ、その坂を通らなくてもいく方法が」

「ええ、だけど、ほかの道を使ったら逃げたことになって、もっとよくないことが起きるんじゃないかって心配してるんです」

かおりは、自分のほうが衿香のことをよほど知っていると言いたげな医師の言葉にかっとし、言い返すために口を開いたが、しかし今自分がいるのは、教室でもリビングでも道ばたでもなく、診療室だとあらためて気づき、口を閉ざした。どっちがどうだという優劣を競うためにここにいるのではない、自分はよき母親だと認めさせるためにここにきたのではない。衿香を助けてもらうために、ここに座っているのだ。

「それで学校にいけなくなったと、衿香が言ったんですか」

「ええ」

しばらくのあいだ、診療室は静まり返る。

衿香は今、春休みを利用して護とともに沖縄に旅行にいっている。三泊四日の旅で、当初の予定ではもちろんかおりもいくつもりだった。

学校にいくようになったとばかり思っていた衿香が、四階の繭子の部屋に入り浸っていたことを去年、かおりは千花から聞いた。誘ったのは繭子に違いないと思い、かおりは何か考えるより先に、繭子の部屋に怒鳴りこんだ。うちの衿香をたぶらかさないで。

あんたのところで遊ぶような子じゃないのよ。震えて声が出ないほど頭にきていた。衿香のことを千花に教えられたことにも、あんな汚らしい部屋で衿香が時間を潰していたことにも。

繭子はへらへら笑っていた。私が誘うわけないじゃん。衿ちゃんが勝手にきたんだよ。学校への連絡だって、してくれって言うからしたんだよ。言っておくけどさ、私、コバちゃんの娘は四時間三千円で預かってるの。お菓子代も電気代もうち持ちなんだけどな。そう言って、下品としか言いようのない顔で笑うのだった。ほとんど思考が停止するほど怒りを覚えたかおりは、咄嗟に六階に戻り、財布だけ持って階段を駆け下り、繭子の前に一万円札をばらまいた。

「お金がほしいならほしいって言えばいい。でもうちの子に関わるのはやめて。うちの子はきれいなものしか見せないって決めてるの。こんなところで堕落させられるなんてたまったもんじゃない」思いつくまま罵《ののし》っても、繭子はへらへら笑ったままだった。そして六階に戻るかおりに向かって、捨てぜりふのように言った。

「きれいなものだけなんて笑っちゃう。マダム、あの子の机の引き出し、見たことあるの？　気味の悪い人形がごっちゃり詰まってる引き出しだよ」

繭子の言葉など本気にしなかったのだが、翌日、衿香を学校まで送り届けて帰宅し、子ども部屋にそっと入った。ひとつだけ鍵のかかっている引き出しがあった。あちこちひっかきまわしてさがし、ようやく、ペン立てのなかに鍵を見つけた。引き出しを開けたかおりは叫び声をあげた。芝居じみた自分の叫び声を、他人のもののように聞いた。へなへなと腰が砕け、なかなか立ち上がることができなかった。

世間体などと言っている場合ではない。春休みで気分が変わるなどという悠長なことではない。今すぐなんとかしなければならない。何か手を打たなければとんでもないことになる。原因解明なんてどうでもいい。あの子が今いる場所から、即刻救い出さなければいけない。

それでも、かおりが頼るのは大介だった。大介に電話をかけ、どこか評判のいい心療内科を知らないかと訊いていた。携帯電話の向こうで大介は、そんなに大騒ぎすることないと思うよと、かおりを安心させるためか、のんきな声を出した。春休みに毎年旅行してるんでしょ？　帰ってきて様子を見てからのほうがいいんじゃない？　心配することないよ。そして大介は、「ごめん、会議がはじまるからあとでかけなおす」と言って電話を切った。

通話の切れた携帯電話を持ったまま、かおりはまとまらない考えをなんとかまとめようとした。衿香に何が起きているのか。それは今起きたのか。それとも、ずっと前から起きていたのか。けれどいっこうに考えはまとまらず、水道の蛇口から水が一滴落ちるように、かおりはある思いにいきあたった。大介は、自分と自分の家族にまったく関わりのない男なのだという、あまりにも当然のことに。

かおりは耳に残る大介ののんきな声を思い出した。心配することないよ——ずっと頼りにしてきた声だった。護の言ってくれないことを言ってくれる声だった。

でも、この男は、駅ですれ違う人ほどに無関係な人なのだ。衿香に何が起ころうと、親身になって心配してくれるはずもない。取り乱してくれることもない。みずからを犠牲にしてくれることもない。当たり前じゃないか。だって大介には大介の家族がいるんだから。彼が守るべき家族が。

その日かおりは、引き出しを見たことを衿香には言わなかった。鍵もきちんとかけ、ペン立てに戻しておいた。帰ってきた衿香とも、できるだけいつもどおりに接した。手はずっと震えていた。衿香を正面から見ることがどうしてもできなかった。なぜか、千花の娘の桃子や、会ったことのない大介の娘たち、繭子の友だちが連れてきた、衿香より幼い子どもたちのことが思い浮かんだ。受験をするだのしないだの、いい学校が幸福とはかぎらないだのなんだのと、この部屋で言っていた女たち。娘二人を希望校に入れた、たくましい大介の妻。彼女たちの子ども。どういうわけか、かおりは彼女たち、あるいは彼女たちの子どもに対して、今まで感じたことのないような気持ちを覚えていた。みんな、めちゃくちゃになってしまえばいいのに。受験させて失敗して、親子で泣けばいいのに。受験させて合格して、入学早々いじめられて受験を後悔すればいいのに。そんなことを思っている自分に気づき、かおりはぞっとした。そして願った。あの人たちが、みんなみんな、私の目に見えないところにいってしまえばいいのに。そうしたら私はこんなおそろしいことを考えずともすむ。

　衿香が寝入ってから、護に話したのだった。繭子のこと、学校のこと、引き出しに並ぶ首のない幾体もの人形のこと。病院に連れていこう、明日調べてくるから。硬い表情で護は言い、そのときかおりの頭のなかに、ある映像がくっきりと浮かび上がった。板きれをつなぎ合わせただけのような粗末な小舟が波の荒い海面に浮かんでいる。その小舟には、護と自分と衿香が、身を寄せ合うようにして乗っている。そんな映像だった。

　衿香はおとなしく言われるまま心療内科にいったが、通いはじめてから半年以上も、まったく口を開かなかったという。一年近くたってようやく、この女医を相手にいろいろ話すようになった。そして今日、かおりは最近の衿香の様子を聞くために予約を入れたのだった。

「失敗することを極度におそれていると思うんですね」静まり返った診療室に、医師の声がちいさく響き、かおりは顔をあげた。「今衿ちゃんに必要なのは、投薬ではなくて、ちょっとくらいの失敗なんてたいしたことないんだと、体のぜんぶでわかることだと思うんです。一週間もたてば笑っちゃえる、そんなささやかなたくましさだと思うんです」

かおりは医師から目をそらし、壁に貼ってあるカレンダーを凝視する。そうしないと泣いてしまいそうだった。ちょっとくらいの失敗なんてたいしたことない。まさに私はそれを衿香に教えなかった。だって私がそう思っていないのだから。カレンダーのミッフィーは無表情でかおりを見ている。原色で描かれたこのうさぎの絵本を、衿香に読んであげていた日々をかおりは思い出す。まだ話すことのできない衿香。ミルクくさい衿香。ケーキに指をつっこんでクリームを舐めていた衿香。よちよちと必死に自分を追いかけてきた衿香。かおりはミッフィーを見つめたまま、歯を食いしばっていた。こんなところで泣きだしたりしないように。

しばらくカウンセリングを続けて様子を見ると決めたところで、その日の予約時間は終了となった。診療室を出ると、かおりが最後の外来客だったらしく、待合室も廊下もがらんとして、白々とした白熱灯がクリーム色の壁や床を照らしていた。

クリニックの外に出ると、まだ肌寒かった。空車タクシーをさがすが見あたらず、かおりは駅に向かって歩きはじめる。バッグのなかで携帯電話が震えるのがわかる。護からだろうと思いながら取り出したところで、呼び出し音はとぎれた。履歴には護ではなく大介の名がある。かけなおそうとボタンを押し、けれどかおりはあわててクリアボタンを押す。

次の休みに計画している旅行、二人でいってきたらどうかと言ったのはかおり自身だった。自分がともにいることで、衿香は息苦しくなるのではないかと思ったのだ。ナイフとフォークを間違えないように。グラスは倒さないように。パジャマは起きたら畳むように。カメラを向けられたら笑顔を作るように。楽しいかと訊かれる前に、ママとっても楽しいねと言うように。護にそう提案すると、たまには衿と水入らずってのもいいな、と笑った。二人で相談し、ばあばの具合が悪いからママは看病にいかなくてはならないと嘘をついた。

ママがいかないのなら、衿もいきたくないな。衿香は気落ちしたように言った。その様子にかおりは安堵しそうになったが、けれど、衿香が思ったままを言っているのか、それとも、そう言わなくてはいけないから言っているのか、もはやわからないのだった。

地下鉄のマークが見えてくる。あたりはすっかり暗く、これから食事にいくのだろう、若い男女やグループ連れとすれ違う。かおりは地下鉄の入り口で足を止め、植え込みの陰にいって携帯電話のフラップを開ける。そしてアドレス帳から、大介ではなく護をさがし、電話をかけた。

「もしもし、私。どう？　衿は元気？　楽しくやっている？」

すぐに電話に出た護に、かおりは訊く。

「元気元気。これからめしを食いにいくところ。ちょっと待ってて」

ごそごそと音がし、ママ？　という衿香の声が聞こえてくる。衿、どう？　楽しい？

聞こうとして言葉が詰まる。鼻の奥がちりちりと痛む。ちょっとくらいの失敗なんて、たいしたことないんだと、私はいつかこの子に教えてあげることができるんだろうか。私自身が学ぶことはできるんだろうか。

「ママ、今日は水族館にいったんだよ。ママにおみやげ買ったからね」

衿香の声が聞こえてくる。うん。それだけ、押し出すようにかおりは言う。

「それで今から、ラーメン食べにいくの、あ」しまった、というように衿香は言葉を詰まらせる。ラーメンを外で食べることに、今までいい顔をしなかったせいだとかおりはすぐに気づく。「パパがどうしても食べたいっていうから」

「いいじゃない、ママもいきたい」ようやくかおりはそう言う。

「今度はママもこようよね。ママいないと衿もつまんないし」

沈黙が流れる。衿香の声の後ろに、がやがやとした騒音が聞こえる。雑踏のなか、ちいさな娘がひとりで立ち尽くしているような錯覚をかおりは抱く。私は何をしたんだろう、とかおりは考える。この子に幸福を与えるために必死になって、そうするかわりにこの子から何を奪ったんだろう。

「パパにかわるね」かおりが何も言わないので、衿香は気まずそうに言う。

「それじゃ、また何かあったら連絡する。こっちはうまくやってるから心配しないように。きみものんびりするといいよ」護の声が聞こえてくる。

「衿をよろしくね。危ない目には遭わせないで」

「心配すんなって」

「それじゃあ、また電話するわね」

電話を切り際、ママ、またね、という衿香の声が聞こえた。

通話ボタンを切った携帯電話をかおりは見つめる。着信履歴を見ると、大介の名が出てくる。護と衿香だけで旅行にいっていることを知っている大介は、夕飯でもどうかと言うつもりで電話をしてきたのだろう。かけなおせば、すぐに待ち合わせ場所は決まるだろう。二人でよくいく中華かイタリア料理の店は、ここからタクシーで十五分もすれば着く。地下鉄に乗っても三十分以内には着く。その場にいる自分たちの姿を、交わすだろう言葉を、かおりはありありと思い浮かべることができる。自分はさっき医師に言われたことを夢中で大介に話すのだろうし、大介はこちらを元気づけるために言葉を惜しまないだろう。デザートが運ばれてくるころには、だいぶ気は楽になっているだろう。帰ってもだれもいないのだから、ホテルでゆっくりすることもできる。肌を合わせるその時間すらも、数分前の記憶のように細部まで思い浮かべることができる。

思い浮かべるとおりに行動することのほうが、そうしないことよりかんたんだった。かおりは植え込みの陰から動かず、発信ボタンを幾度も撫でさする。会いたい。話したい。結婚する前のときのような急いた気持ちではないが、じわじわと水が浸透するようにそう思う。かおりは手のひらの白い明かりに目を落とし、アドレス帳を開くと、大介の名をさがしだす。そして削除ボタンを押した。

そんなことをしても、消えた数字のように関係があっけなく消滅するわけではないことをかおりは知っている。電話はくるだろうし、声を聞けば性懲《しょうこ》りもなく会いたくなるだろう。けれど、でも、この男は私の小舟には乗っていないのだ。

かおりは地下鉄乗り場に向かう階段を駆け下りた。

◇

かおりが会社帰りの通勤客で混んだ地下鉄に揺られているとき、瞳は、コンビニエンスストアの店内で、かごの中身をひとつずつ陳列棚に戻していた。牛乳だけ買いにきたのに、気がつけば買いもののかごは必要のないもので埋まっていた。菓子パン、おにぎり、スナック菓子、チョコレート、カップスープ、カップラーメン、ウインナ、鍋焼きうどん、中身は取り出しても取り出してもなくならないのではないかと不安になるほどあった。最後にはかごも元に戻し、牛乳のパックだけ持って瞳はレジに向かう。

おもてに出ると、近隣の会社から吐き出されてきた人々が、日の暮れた町をあわただしげに歩いている。そのなかに、子連れの母子の姿がある。こちらに向かって歩いてくる。咄嗟に瞳はきびすを返し、今出てきたばかりのコンビニエンスストアの店内に戻る。雑誌コーナーで物色するふりをして、じっとガラス窓を見る。楽しげに会話しながら歩いていく勤め人にまじって、母子は通り過ぎる。千花だと思ったのだが、見知らぬ母と子だった。母親は雑誌モデルのような格好をしている。黒いショートコートに赤いストール、ベージュの細身のパンツにパンプス。手をつないでいる女の子も、チェックのコートに揃いの帽子をかぶっている。たとえそれが千花と桃子であっても、隠れる必要など何もないのに、瞳は息を殺して母子が通り過ぎるのを見守る。暖房のきいたコンビニエンスストアのなかで、買いものかごをまた食品で満たしたい気持ちに襲われるが、それを押しとどめて瞳は店を出る。数歩歩いてふりむくと、人混みの向こうに見知らぬ母親のストールが赤く揺れている。

スーパーマーケットやコンビニエンスストアで、ふっと頭のなかに空白ができ、気づくと、手にした買いものかごに不要なものが詰まっている、というのは、瞳にとってははじめてのことではなかった。結婚し、子を持ってからはそんなこともなくなったが、もう一年、こんなことが続いている。気を引き締めて買いものに集中していればだいじょうぶなのだが、意識していてもするりと空白はしのびこんでくる。

夕飯前で、おなかが空いていたせいだわ。瞳は深刻に考えないよう、そんなふうに自分に向かってつぶやいて、マンションへと急ぐ。最近はその予防策として、財布に必要な額しか入れなくなった。夕飯の買いものなら千円、今みたいなときは五百円しか入れていない。

「ごめんね、おまたせ」

玄関のドアを開けて瞳は陽気な声を出し、台所に向かう。テレビの前で子どもたちと遊んでいた栄吉は、おかえりー、と応じる。アイスクリーム買った？　アイスクリーム買いにいったんじゃないよね、おかあさん。えーでも、あーちゃんアイス食べたーい。茜、ごはんもまだなのに、もうデザートのこと言ってんのか？

背後の会話を聞きながら、瞳は手を洗い、ガスに火をつけ、玉ねぎを炒めていたフライパンに小麦粉を振り入れ、牛乳をそそぐ。炊飯器のスイッチを押し忘れていたことに気づき、あわててスイッチを入れ、冷蔵庫の野菜室からサラダのための野菜を取り出す。

去年思い出したようにはじまった過食は、光太郎の受験が終われば同時にやめられると瞳は信じていた。今思い出しても、この一年は本当に体力的にも精神的にもきつかった。ストレスを感じないでいろというほうが無理な話だった。だからこの一年、少々の食べ過ぎも、無駄な買いものも瞳は自分に許していた。もちろん家計を圧迫しない程度にだったが、それでも瞳は八キロ太った。

思い出したくもない一年だった。実際、思い出そうとすると、日々の大半は靄《もや》がかかっていて、何があったのか思い出せない。年長組に上がってすぐ春の親子遠足があった。

夏休みのお泊まり会があった、秋の遠足があった、茜がお話しできるようになった、父親が入院したと母から電話があり、退院したと連絡があった、などと思い出すことはできるのだが、ではそのとき、自分はどうしていたか、どこに立ってどんなふうにしていたのか、そのことにどんな感想を持ったのか、瞳は思い出すことができない。今、あれほど親しかった千花とも容子とも繭子とも、まったく行き来がなくなっているが、それもなぜなのか、瞳にはうまく思い出せないのだった。この一年間の細部を思い出そうとすると、ただひとり、鬱蒼とした森のなかをさまよっていたような気がする。親子遠足でも、お泊まり会の花火大会でも、秋の遠足のぶどう狩りでも、茜と意味のある会話ができたときも、母と電話で話していたときも、自分はひとり、その暗いなかからじっとみんなを見ていたような気がするのだ。

味噌汁を温め、できあがった夕食をテーブルに並べる。手を合わせ、いただきますと言う栄吉にならって、家族全員でいただきますと頭を垂れる。

「ねえおかあさん、入学式っていつなの」

鶏のクリーム煮をほおばりながら光太郎が訊く。よほど待ち遠しいらしく、光太郎は毎日のように同じ質問をしている。学校から指定のランドセルや運動靴が届いたのは三日前だ。それも、一日に何度も撫でさすっている。

「まだずーっと先よ」

「あと十回は寝ないとだめだな」

「あーちゃんもいく?」

「あーちゃんはいかないんだよ、いってらっしゃーいって手をふって、あーちゃんはここで待ってるんだよ」

「えー、あーちゃん、コウちゃんとおんなじところにいきたいな」

「だめだよ、あーちゃんはちっちゃいんだから」大人ぶって言う光太郎に、瞳は栄吉と声を合わせて笑う。

「試し受け」させるだけ、と自分に言い聞かせていた。ダメでもともとで、国立大附属の小学校を受験させるだけ。そこならば学費もさほどかからない。栄吉もそれは認めてくれた。けれど受験の日が近づくに連れて、もし、と瞳は考えるようになった。もし、一俊も光太郎も両方受かってしまったら、これから六年、また容子と顔をつき合わせて過ごさなきゃならないのだろうか。それは耐え難いことのように思えた。結局、瞳はもう一校、私立の小学校に栄吉に内緒で願書を出した。私立は雄太が受ける小学校だった。容子といっしょになるよりも、また、見ず知らずの母親たちといっしょになるよりも、千花といっしょであることを瞳は強く望んでいた。そののち、実際には千花は雄太にその小学校を受験させなかった、つまりカムフラージュのために、べつの学校名を言っていたのだと瞳は知るのだが。結果的に、光太郎は国立には落ち、私立は受かった。

無理矢理説き伏せて面接に参加させた栄吉は、合格通知に戸惑ったようだった。気持ちとしてはうれしいが、はたして高校卒業まで学費や諸経費を払い続けることができるのか不安を覚えていたのだろう。瞳だって不安は同じだったが、それでもやっぱりうれしかった。雄太はその学校を受けもしなかったわけだが、合格という文字を見たとき、今までの自分の人生に起きたどんなことよりも強い喜びを感じた。自分の身に起きたことだとは到底思えなかった。学費なんてどうにかなると、むくむくと自信が湧いてきた。そんな瞳の様子を見ていたせいか、栄吉も異を唱えなくなった。合格のことは、幼稚園の先生だけに伝えた。それでもいつの間にか、光太郎のクラスの母親たちはみんな知っているようだった。今まで親しくなかったのにおめでとうと言う人がいたり、今までしょっちゅう立ち話をしていたのにまったく話しかけてこなくなった人もいた。千花も容子もよそよそしくなった。けれどそんなことは、合格に比べればちいさなことにしか思えなかった。暗い場所から明るいところを眺めていたような一年のなかで、このあたりだけ、くまなく光で照らしたように瞳はありありと思い出すことができる。

それですべて問題は解決したはずだった。けれど合格通知をもらってから四日目、瞳は暗い台所で冷蔵庫をあさっていた。どうしてこんなことをしているのだろうと思いながら。

最近、瞳は毎日のように求人誌を買い、ハローワークに通っている。栄吉の給料だけでは、光太郎の学費はとても払っていけない。この際、茜の幼稚園や小学校も本気でさがしてあげたいが、まず経済力をつけないと先のことは具体的に考えられない。

何も問題はない。明るい未来しかない。一年前には、こんな僥倖《ぎようこう》を手にすることなど考えられなかった。校章の入ったランドセルが届き、運動靴が届き、教科書やノートが届き、採寸にいった制服もじきにできあがる。制服を着た光太郎と大通りを歩き、地下鉄に乗ることを考えると、まるで童話に登場する幸福な役まわりを与えられたような気持ちになる。雄太が違う小学校にいってしまい、千花と今までのように顔を合わせられなくなるのは不安だし、また知らない母親たちと親しくなるところからはじめるのかと思うと厄介ではあるが、そんなことだってたいしたこととは思えない。幼稚園のように毎日顔を合わせるわけではない、イベント尽くしのわけでもない。

だからなぜ、今も飢えたように何か食べずにいられないのか、瞳にはわからない。自分が何をおそれているのか、何を不満に思っているのか、何に耐えきれないのか、自分の内に、食べずにはいられないどんな負の気分があるのか、瞳にはまるでわからないのだ。

まず光太郎が食事を終え、テレビの前に走っていく。次に食事を終えた栄吉は、湯をためるために風呂場に向かう。茜の食事を手伝いながら、瞳はぐずぐずと自分のぶんを食べる。空腹を感じていたのに、食事どきはなぜか食が進まない。それで夜に空腹になるのだからと、無理矢理押しこむように食べる。

家族が寝静まってから、瞳は居間に置いてある箱を開けてみる。つやつやと光る黒いランドセルを、光太郎にそうするようにていねいに撫でる。元に戻し、台所にいって湯を沸かす。いつも使っているマグカップではなく、ウエッジウッドの紅茶カップを用意する。鈴子たちが、合格祝いにとセットでくれたものだった。ティーバッグをセットし、湯をつぐ。働くことにしたので、ボランティアを続けるのは無理だと思うと伝えにいっても、彼女たちは嫌な顔ひとつせず、いつでも遊びにきてと言った。容子は今もき続けているかと訊きたかったが訊けなかった。訊いたら彼女たちに、容子に対する複雑な感情を見抜かれそうでこわかった。容子が続けていようがいまいが、自分にはもう関係ないのだと瞳は自分に言い聞かせ、質問を飲みこんだのだった。

何も問題はない。何ひとつ問題はない。しあわせの絶頂って、こういうことを言うのだろう。瞳は思う。噂によると雄太はどこも不合格だったらしい。容子はひた隠しにしているのか、もともと仲のいい母親がいないからか、一俊がどうなったのか、瞳は知らなかった。けれど今までのように顔を合わせることもないのだと思うと、心から安堵する。これから新しい世界で、新しい母親たちと親しくなって、新しい世界に向かう光太郎を応援する。何も問題はない。何ひとつない。しあわせの絶頂。——なのになぜ、私はこんなにも飢えているのだろう。冷蔵庫をあさりながら瞳は思う。

ラップにくるまれたロースハム。かにかまぼこ。漬け物。夕飯の残りのポテトサラダ。ポテトサラダのボウルを抱え、流しの横で瞳はそれを食べはじめる。やめろやめろと頭で思っているのに、フォークを握った手が止まらない。カップのなかで紅茶が出過ぎて濃い色になっている。それを見下ろして瞳はフォークを使い続ける。あっという間にボウルは空になる。それでも空腹は収まらない。ロースハムのラップを剝がしてそのまま食べる。紅茶を飲む。明日のハムエッグのために取っておいたのに。瞳は食べているということから意識をそらすために、想像する。入学式に向かう自分と光太郎、栄吉と茜の姿を。その日の洋服は、今度の日曜日に買いにいくことになっている。入園式で着たツーピースのサイズがもう合わないからだ。さぞや晴れがましい気分だろう。幼稚園で光太郎と同じ組だった子どもたちとその親は、制服を着た光太郎を見て羨望のため息をつくだろう。千花も、容子も、きっと。流しの戸棚を開ける。スナック菓子が入っている。考えるより先に袋を引きちぎるようにして開け、中身を口に入れる。さっきコンビニエンスストアで、さっと隠れた自分が思い出される。なぜあのとき私は隠れたりしたんだろう。受験に落ちたわけでもないのに。胸を張っていてしかるべきなのに。このまずっと、この町で暮らすかぎり、あんなふうに私は逃げ続けるのだろうか。でも、何から？　何から逃げようとしているのだろう？

電話が鳴り、瞳はびくりと体をこわばらせる。動きを止めたまま、呼び出し音を数える。十二回鳴って、切れる。今の音で栄吉が目を覚ましたかもしれない。瞳はあわててサラダボウルを洗い、ラップを捨て、スナック菓子の袋を輪ゴムで留める。栄吉が起きてくる気配がないとわかると、もどかしく輪ゴムを外し、ざらつく菓子袋に手を突っ込む。菓子の破片のついた手で、ウエッジウッドの紅茶カップを持ち上げる。紅茶は苦かった。

よけいなことは考えるな。瞳は自分に命じる。私は逃げてなんかいない。これから私にも光太郎にも、茜にも、明るい未来しか待っていない。制服だってできる、日曜日はスーツを買いにいく。瞳は入学式の日を思い描きながら、菓子袋に手を突っ込み続ける。

◇

瞳が流しの横で菓子を食べているとき、容子は電話の子機を元に戻し、寝室をのぞいて真一も一俊も寝入っていることを確かめていた。洗面所にいき、化粧水をはたきこみ、歯を磨く。意識しないのに、左手でおなかをさすっている。

瞳さん、昼間もいなかったし、こんな時間になってもいない。どこか旅行でもしているんだろうか。歯を磨きながら考える。そう思っても、瞳のマンションの明かりがついているかいないか、確かめにいきたくはならないことに容子は安堵する。

ようやく妊娠したことを、瞳にだけは話したかったのに。安定期に近づくまで、ずっと言うのを我慢していたのだ。まあいいか、明日また電話してみれば。胸の内でつぶやき、口をゆすぎ、容子は寝室に向かう。自分の布団に潜りこみ、真一の薄いいびきと、規則的な一傻の寝息を聞きながら、天井を見上げる。部屋の電気をすべて消しても、大通りから入る明かりで天井はほの白く木目を浮かび上がらせている。

女の子だといいな。女の子のような気がする。女の子でありますように。容子はわくわくと考える。妊娠がわかったのは今年のあたまだった。来月で安定期に入る。この妊娠で救われたと容子は思っている。

昨年の秋には、まるで別人になってしまったような気がしていた。自分の考えることが、ことごとく自分らしくないのである。たとえば、光太郎や雄太が、何か深刻な病気にかかってしまえばいいのにと、本気で思った。茜や桃子や怜奈が、生まれなかった子どものように、ふいにいなくなってしまえばいいのにと本気で思った。そんなことを思っている自分にぞっとした。そんなふうに思ってはだめ、だいたいそんなふうに思う理由がない、と頭では考えるものの、ふと気をゆるめると、そんな考えで頭がいっぱいになっている。人は人、私は私だと割り切って生きてきたはずだったのに、今このとき、千花や瞳が何をしているのか、気になってしかたがない。二人で会っているのではないか、幼稚園の母親たちとお茶でも飲んでいるのではないか。実際、瞳がいるのかいないのかを確かめるため、夜半に家を出たこともある。そんな自分自身がおそろしかった。

一俊が国立大附属に抽選で受かったときは、気を失うのではないかと思うくらいうれしかったが、面接で不合格になったときは、本気で死を考えた。今思えば、なんと馬鹿みたいなことを考えたのだろうと思う。けれどあのときは尋常な気持ちではなかった。落ちてもともと、と真一には言っていたのに、あまりのショックに視界が点滅し、まっすぐ歩けないほどだった。結果が出てから数日は、家から出ることもしなかった。一俊も幼稚園を休ませた。どうだった？　とだれかに訊かれるのが嫌だったのだ。

さすがにずっと休ませてばかりいることはできず、おそるおそる登園すると、だれも容子にどうだったかと訊く人はいなかった。ほっとしながらも、自分だけ疎外されているような気分にもなった。だれがどこに受かったとか、だれがどこに落ちたとか、母親たちはさぞやかましく会話をはじめるのだろうと思っていたが、それから幾日たっても、静かなままだった。千花はいつもほかの母親グループとともにいて、瞳はいつも自分を避けるように早々と姿を消していた。

静かなのは自分のまわりだけで、母親たちは陰で進路について語っているのではないかと、次第に容子は思うようになった。それで、話しこんでいる母親を見つけるとそこに向かっていって、なんの話？　と笑顔で訊いた。だれも何も教えてくれなかった。光太郎は私立小学校に合格したらしいと、だからだれに訊いたのか、容子はよく覚えていない。ただそのとき、焼けつくような嫉妬を感じたことは覚えている。入学金を払えなくなればいいのに。何かの間違いだったと入学を取り消されればいいのに。考えたくもないことに、またもや知らず頭を占領されていたことも、覚えている。そんな自分が嫌で、容子はこんな時刻、布団に潜って声を抑えて泣いたのだ。私は汚い、私は醜い、私は卑怯だと、思いつくかぎりの罵りの言葉を自分に向けて。

見栄も恥じらいもなく真一に性交を迫ったのは、そんな日々のさなかだった。二人目を作らないと頭がおかしくなってしまいそうだと容子は思っていた。

そして実際、頭がおかしくならずにすんだのは、身ごもったからだった。妊娠を告げられたとき、それまで抱えていたすべてがふっと消えた。本当に消えたのだ。一俊の進路も、光太郎と雄太に対する気持ちも、瞳と千花に対する思いも、茜や桃子に対する言葉にならない気持ちも、何もかも。なんだ、ぜんぶ関係なかったんじゃないか。憑き物が落ちたように容子は思ったのだった。

今だって、おもしろく思っているわけではない。卒園式が終わってから、千花とはまったく顔を合わせなくなったし、瞳に幾度か電話しても、いつも留守番電話になっている。繭子の姿も見かけない。四月になって、もし制服を着た雄太や光太郎と出くわしたら、きっと気まずい思いをするだろうとも思う。自己主張をほとんどしない一俊が、公立小学校に通いはじめてうまくいくだろうかという不安もある。けれど、不安も心配も羨望も、みなどこか、遠いところにある。自分を決して脅《おびや》かさないほど遠くに。もっと早くきてくれればよかったのにね。そうすればママは、もっともっと強くなれたのにね。おなかの子どもに話しかけてから、容子は目を閉じる。

◇

「その本、ちょっと見せてもらえますか」

容子は産婦人科の待合室で、思わず声を出していた。話しかけられた女性はびっくりして容子を見る。同い年か自分より年下だろうと容子は推測する。

「いえ、あの、さがしていた本だったので……」

彼女は容子の顔とおなかを素早く交互に見てから微笑み、本を容子に手渡した。膨らんだおなかは人の警戒心を解くことを、容子はもう知っている。

その本は、たしかに橘ユリの本だった。『母親たちの戦場』というタイトルで、聞いたことのない出版社名がちいさく書かれている。タイトルと出版社名を幾度か胸の内でくり返してから、容子は女性に本を返した。隣に座る一俊が、いきなり見知らぬ女性に話しかけた母親を不安げに見上げている。

産婦人科からの帰り道、容子は書店に直行して橘ユリの本をさがした。なかなか見つからず、店員に言って持ってきてもらった。一俊のための絵本とともに買い、書店を出る。

家に帰ってから開くのでは待ちきれず、容子は大通りにある喫茶店に入り、一俊にはジュースを、自分は紅茶を頼み、本を広げた。途中、一俊が何か話しかけたが生返事をして読み続けた。

橘ユリの本は、受験にヒートアップする母親たちの姿を、当人や周りの人の証言を交えながら書いたものだった。なぜ彼女たちがそれほどまでに受験に入れこむのかが世代論的に分析されており、幾人かの実体験が小説風に書かれており、今現役の幼稚園生の母親たちの声も大げさに「証言」として書かれており、それほどまでに過酷な受験をした子どもたちのその後も何例か書かれていた。橘ユリが「カタログ世代」と呼ぶ、自分も当てはまるらしい世代論は今ひとつよくわからず、実体験エピソードは安い昼ドラマみたいにドラマチック過ぎたが、容子はそれをむさぼり読んだ。とくに、現役の母親たちの声は舐めるように読み、そのなかにあらわれるのだろう自分や千花や瞳の姿をさがした。

けれど自分たちの姿は、どこにも見あたらなかった。

幼児教室の理事長に言われ、受験する学校の教師に何百万もの付け届けをした親の話、そもそも幼児教室に入るのに高価な贈り物をしなければならなかった親の話、一週間に九つの習いごと教室に通う子を持つ親の話、受験をすると言っただけで組じゅうの母親たちから無視されるようになった親の話、受験情報のさぐりあいで疲れ、胃潰瘍を患った親の話、もしあの子が受かってこの子が受からなかったら何をしでかすかわからないとまで思い詰めた親の話、同じ学校を受けると言った家族が休みの日に何をしているのか気になって、家事に手がつかなかった親の話……。

ふと泣き声がして、容子は本から顔をあげる。一俊も顔をあげて容子を見る。泣いているのは一俊ではない。もっとちいさな子。容子は喫茶店内を見まわすが、テーブルについているのは二人のサラリーマンふうの男と、中年女性の三人連れだけだった。けれどまだ泣き声は聞こえる。容子は窓の外を見遣る。陽射しのせいで埃が目立つ窓ガラスの向こうに、空を仰いで泣いている子どもがいた。両足を交互に踏みつけて泣いている。赤く染まった頬に透明の水滴が流れる。母親はどこにいるのかと容子は身を乗り出すようにして窓の外を見た。子どもを置いて少し先まで歩いていったらしい母親が、立ち止まり、ふりかえり、戻ってくる。泣いている子どもの手を引いて歩き出す。子どもは背をのけぞらせて泣きながら、母親に連れられてゆるゆると歩き出す。母子の姿が見えなくなっても、容子の耳には子どもの泣き声が残っていた。まるで声そのものが発光しているかのように、きらきらと点滅しながら。

一俊と手をつないでマンションに向かって歩く。片手にはスーパーの袋をぶら下げている。陽が傾き、あたりは金粉をまいたような色合いに染まっている。大通りを曲がって坂を上がる。アスファルトに大小の影ができる。容子の影も、一俊の影も長っ細い。帰ったらまず野菜と牛乳を冷蔵庫にしまって。洗濯物を取りこんで。畳むのを一俊に手伝ってもらって。おもちゃを一俊に片づけさせて、そのあいだにお風呂を掃除して。それから夕飯の支度。お米を研いで、鍋に水をはって。長い影を前にして歩きながら、容子は帰ったらすべきことを考える。いつまでも終わらない。なんてたくさんやることがあるのだろうと容子は思う。毎日毎日、なんてたくさんやることがあるのだろう。

「カズくん、もうすぐおにいちゃんになるね」

黙って隣を歩く一俊に、容子は話しかける。何も答えないかと思うほどの間をおいて、

「いつ」

一俊はちいさな声で訊いた。

「そうだな、秋になるころにはおにいちゃんかな」

「どのくらい先?」

「夏休みが終わって、二学期がはじまって、カズくんが、あたらしいたくさんのお友だちとお勉強してるころだよ」

「ふうん」

容子は一俊とつないだ手を大きくふり、ほんの少し先の未来を思い浮かべる。けれど

とくべつなことは何も思い浮かばない。目覚ましの音で起きて、まだ暗い台所で朝食の準備をして、夫と子どもを起こし、騒々しく朝食を食べて彼らを送り出し、洗濯機をまわし、窓を開け放って掃除機をかけ、ベビーベッドに眠る赤ん坊がまっすぐな声で泣き、駆けつけておっぱいをちいさな口にふくませて、やわらかい背をそっと叩いてげっぷをさせて、窓の外を眺めて子守歌をうたう。

「はやくはやく出ておいで」おなかを撫でながら、歌うように容子は言う。

「出ておいでー」一俊が真似をして、おなかに向かって言う。容子が笑うと、一俊も容子を見上げて笑った。容子は目を見開いて、笑う一俊を見る。容子はその場にしゃがみこみ、スーパーの袋が落ち、中身が散らばるのもかまわず、一俊を強く抱きしめる。明日もあさっても、半年後も一年後も、続いていくのだろう自身の日々を掻き抱くように。

解説

朝比奈あすか（作家）

同じ年頃の子を持つ主婦、繁田繭子、久野容子、高原千花、小林瞳、江田かおり。五人それぞれの視点で描かれた一九九六年八月から二〇〇〇年三月までのこの物語は、都内の文教地区を舞台に一九九九年の小学校受験を描いていることからも、同時期に世間を騒がせた文京区幼女殺人事件をモチーフにしているのだと思う。一九九九年十一月、二歳の女児が母親の友人であった主婦に幼稚園の近隣で殺害されたあの事件が、加害者と被害者のどちらもがこどもにさせていた小学校や幼稚園のお受験に絡められて「お受験殺人」と呼ばれていたのを憶えている方も多いだろう。

本書でも、久野容子、高原千花、小林瞳の三人は、一九九九年に第一子である男の子に国立や私立の小学校を受験させる。幼児教室を探し、こどもを通わせ、受験校を決めてゆくその過程は、しだいに情報戦の様相さえ呈してゆく。主人公たちがそれぞれ嫉妬や猜疑や依存の感情にかられてゆく心の変遷が、まるで様々な色のついた細い糸を織りこんでゆくように緻密に具体的に描かれているから、読みながら呼吸が苦しくなる。だが、ここに描かれているのは、憎み合う主婦たちのサスペンス的なすれ違いだけではない。一九九七年、五人は子育てという環境を共にする心強い仲間として出会った。江田かおり以外の四人が初めて顔を合わせた公園で、高原千花は、「来年三月までに、ここにいる四人が全員（第二子を）出産したら、さぞやたのしい子育てができるだろう。協力し合って、悩みを打ち明け合って、助け合って」と思う。久野容子も小林瞳に対して、「もっと話したくなる。学生時代のこと。女子大に入学し、寮住まいをしていた四年間のこと」と、恋しさにも似た感情を抱く。

序盤の彼女たちの可愛らしいはしゃぎぶりを読みながら、わたしは、実家から遠く離れた夫の転勤先で長女を出産した後の、すごくさみしくて、この世界にこの子と私ふたりっきりみたいだと感じたあの心細さをくっきりと思い出した。

あの頃のわたしは、同時期に出産した方に「仲良くしましょう」と言われて涙が出るほど嬉しかった。育児サークルで声をかけてくださった主婦をすぐさま家に招いたりして、とにかく子育てを語り合える友達が欲しかった。

核家族化のこの時代、未就園児の母親はその気になれば簡単に引きこもることができる。付き合いや関わりを、誰からも何からも強制されない専業主婦の母親たちが、同じ環境を背負ったママ友に寄せる思いは、狭い教室で気の合う女ともだちを見つけた嬉しさを超えるかもしれない。わたしの場合、双方の転勤により、当時のママ友たちとの濃い付き合いは途切れてしまったが、あの頃の出会いは幸福だった。彼女たちは、実家の母にも夫にも学生時代からの友人にさえも、しんからは理解されない孤独な一時期を、いっしょに乗りきる戦友だった。

本書の主人公たちもわたしと同じように感じている。だからこそ江田かおりの友人であるライターの「幼児受験の実態」を描く本の取材を受けようと決める。この時点で彼女たちの第一子は幼稚園の年中組である。小学校進学がまだ遠い未来だということもあり、「私たちみんなで、話してやるのよ。同じ母親のなかには考えかたや教育観の違う人だっている。そんなことは当たり前」と、息巻いたのは小林瞳だ。その言葉は母親たちを勇気づける。自然に「いさましくなるのよ」という言葉が出てくるほどに、彼女たちは自由だった。

だが、江田かおり宅でおこなわれたこの取材こそが、それまで築いてきた良好な友人関係を壊すきっかけとなってしまう。

取材の様子は高原千花の視点で描かれている。江田かおりの洗練された住まいに刺激を受けた千花は、ここで初めて、友人たちのことを「何ごとにも無頓着な繭子や、服装にあまりかまわない容子、ブランド嫌いとは言わないが興味のまったくないだろう瞳」

と冷めた目で見る。

もとはといえば、初めて四人が集まった公園でのひとときでも、「レジャーシートの上に次々と出されるタッパーウェアを見て、千花は驚いた」のであった。なぜなら彼女はてっきり遊びのあと皆で外食するものだろうと思っていたから。

外食か、弁当か。ささいな差だが、ここには多くのものが暗示されている。家計や、交際費のかけ方は、家庭ごとに違う。子連れでレストランに入る煩《わずら》わしさを嫌う母親もいれば、自分でこしらえた安全なものを食べさせたいという母親もいる。そして何より、母親という一点で強く結びついた彼女たちの、それまで生きてきた世界は異なる。

高原千花は、ズレを見て見ぬふりをした。この場面のみならず、本書の序盤では、母親たちの会話や行動のあちこちに数々のズレが生じ、そのリアルさに何度もぞっとしながら、ママ友付き合いの不思議さや奇妙さを思った。先に述べた夫の転勤先で出会ったママ友たちとわたしは、母親になる以前の自分たちのことを、ほとんど話さなかった気がする。とても信頼しあい、互いのこどもを預かり、学生時代の友人たちよりずっと多くの頻度で互いの家に呼び合っていたのに、である。

角田さんは、本書の中で、主人公たち五人の年齢を記さない。旧姓や前職、出身学校もほとんど知らせずに話を進めてゆく。それがこの小説にとって不必要な情報だからというわけではなく、描かれなさこそが、この世界における「母親」の存在の仕方であり、また、ママ友どうしの付き合い方をも表しているのではないか。そう思った時、わたしは、「こどものママ」であり続ける孤独に、ひやりとした冷気を覚えた。闘っているのだ、とも思った。母親になったわたしたちは、こどもを自立へ導くまでの長い長い時間を、自分であり続けるために、闘っているのだ、と。

「この人たちとなら（中略）『ママ友』なんて一時的なつながりでもない、もっと長いつきあいができるのではないか。だれかの母とか、だれかの妻ではなく、自分自身として」

千花はたしかに最初の公園で、外食か弁当かというズレを心の底に封印したまま、そんなふうに世界を愛した。

悪人はいなかった。母親たちは純粋に友達を求め、誰かに寄り添い、頼り、頼られたかった。だが、背景など何もなくても友人どうし吸収しあって成長してゆける少女時代はすでに過ぎていた。生活の基盤も人格もほぼできあがった彼女たちが互いのズレを見逃し続けるのは思う以上に難しい。ズレは、千花だけが抱いていたわけではなかった。取材中の千花のちょっとした発言は、「いさましく」なるはずだった容子や瞳をも動揺させる。彼女たちもまた友人とのズレを見てしまうのだ。

お受験という、露骨にこどもの優劣を競いあうような試練さえなければ、ズレを見ぬふりで友人関係を続けられたかもしれない。あるいは平穏に関係を終わらせていたかもしれない。幼児教室をこっそり探したくなる不安、友達の子と自分の子を比較してしまう弱さ、受験に役立つ情報を求める焦り。ズレはくっきりとした罅《ひび》に変わる。嫉妬心や猜疑心や罪悪感や依存心が黒い水のように染み込んで、広がった亀裂は憎悪を生む。

どうしてこんなことになってしまったのだろう。主人公たちは自問する。まるで、守るべきものを自ら放棄するかのように、迷い悩み翻弄されてゆく彼女たちを見ていると、友人関係を築き始めたばかりの容子の序盤の言葉が印象的に蘇る。

「本当はこわかったの。幼稚園、小学校、中学高校と、いくのはこの子なのに、私自身がもう一度くり返さなくてはならないような気になっていて、前よりはずっとうまくできると思うんだけれど、それでもやっぱりこわかったの。気の合わない人やどうしても好きになれない人、あこがれてしまう人嫉妬してしまう人、そんな大勢のなかで生きているうち、そんなことは私には関係ないと割り切ることができなくなってしまうことが、こわかった」

うん。うん。わたしも同じだよ。わたしも、すごくこわいんだ。

容子を抱きしめてあげたくなった。そして、抱きしめてもらいたくなった。

かつて、姉妹や友人らとの関係に悩み、自分らの将来にもおびえていた少女たちは、出産したとたんに母親という人格に変われるはずもなく、自分ではなくこどものためだと思うからこそよけいに、「私には関係ないと割り切ることができなく」なる。

答えのない彷徨《さまよ》いは、迷い子のようだ。

最終章の手前、主人公たちは名前を失くし、「彼女」の呼び名で統一される。読者は、ひとを憎むことで自分のこどもを、そして自分自身をも深く抉《えぐ》る母親たちの哀しみと痛みに心揺さぶられ、言葉を失うだろう。一九九九年の「お受験殺人」が頭を過《よぎ》り、まばたきの回数が増えてゆく。眼の奥を涙で何度もふくらましながら、かつて、「友達のママ」という絶対的に安全で安心なはずのおとなに幼い命を奪われたこどもがいたことを想う。

彷徨いの果てに、二〇〇〇年三月はやってくる。幼稚園を卒園し、小学校へ。この季節をどう読むかは読者に委《ゆだ》ねられているが、わたしには、彼女たちがこどもの手を握り一歩ずつ前へ歩いてゆく姿が見える気がした。

向かう先には、途切れることなく続いてゆく、「母親」という尊い日常があると思った。

本作品は二〇〇八年十二月、小社より単行本刊行されました。

双葉文庫

か-30-03

森《もり》に眠《ねむ》る魚《さかな》

2011年11月13日　第１刷発行
2016年12月 9日　第21刷発行

【著者】
角田光代《かくたみつよ》

【発行者】
稲垣潔
【発行所】
株式会社双葉社
〒162-8540 東京都新宿区東五軒町3番28号
［電話］ 03-5261-4818(営業)　03-5261-4831(編集)
www.futabasha.co.jp
(双葉社の書籍・コミックが買えます)
【印刷所】
大日本印刷株式会社
【製本所】
株式会社宮本製本所
【CTP】
株式会社ビーワークス

【表紙・扉絵】南伸坊
【フォーマット・デザイン】日下潤一
【フォーマットデジタル印字】恒和プロセス

落丁・乱丁の場合は送料双葉社負担でお取り替えいたします。
「製作部」宛にお送りください。
ただし、古書店で購入したものについてはお取り替えできません。
［電話］ 03-5261-4822(製作部)

定価はカバーに表示してあります。

ISBN978-4-575-51464-3 C0193
Printed in Japan